# EL MEJOR DE LOS AMANTES

# CHRISTINA DODD

# EL MEJOR DE LOS AMANTES

**Titania Editores**

ARGENTINA — CHILE — COLOMBIA — ESPAÑA
ESTADOS UNIDOS — MÉXICO — PERÚ — URUGUAY — VENEZUELA

Título original: *The Greatest Lover in All England*
Editor original: Avon Books, an Imprint of HarperCollins*Publishers*, New
        York
Traducción: Norma Olivetti Fuentes

1.ª edición Abril 2013

Copyright © 1994 *by* Christina Dodd
All Rights Reserved
Copyright © 2013 de la traducción *by* Norma Olivetti Fuentes
Copyright © 2013 *by* Ediciones Urano, S. A.
Aribau, 142, pral. — 08036 Barcelona
www.titania.org
atencion@titania.org

ISBN: 978-84-92916-41-2
E-ISBN: 978-84-9944-568-7
Depósito legal: B-8259-2013

Fotocomposición: Jorge Campos Nieto
Impreso por: Romanyà Valls, S.A. — Verdaguer, 1 — 08786 Capellades (Barcelona)

Impreso en España — *Printed in Spain*

Con mi agradecimiento a Carol Bortner
por dejarme trabajar en
Carol's Book Corner,
por enseñarme a hacer compras y devoluciones
y proporcionarme algunos de los mejores momentos de mi vida
con los mejores clientes del mundo.

# *I*

Todo el mundo es un teatro,
Y todos los hombres y mujeres sólo actores.
—COMO LES GUSTE, II, vii

# Capítulo 1

*Inglaterra*
*Otoño 1600*

*A*trapad a esos dos puñeteros actores!

Los gritos de cinco hombres de armas impulsaron a sir Danny a ir aún más rápido. El barro de aquellas calles miserables de Londres le salpicaba las rodillas, pero evitó de un salto un cerdo que devoraba basura.

—¡Atrapadles y el conde de Essex os recompensará!

Los espectadores se volvieron curiosos para ver a sir Danny y su pupilo derrapando al doblar una esquina, pero nadie se interpuso entre los soldados y su presa. Con cada fuerte pisada de sus botas, con cada grito y maldición, los soldados proclamaban su intención de cometer el asesinato más cruel.

A sir Danny le encantaba todo aquel dramatismo. Las intrigas lo hacían crecer como un roble poderoso, medraba con los tumultos de la vida. La responsabilidad era un concepto para hombres de menor valía; el señor Daniel Plympton vivía para reírse, beber, pelear, fornicar... y actuar. Al ver la concurrencia de mendigos, borrachos y prostitutas apiñándose en los portones de las tabernas destartaladas y en las entradas de las viviendas a ambos lados de la calle, aminoró la marcha y señaló con una mano el cielo. Alzando la voz para alcanzar hasta el miembro más alejado de su público, proclamó:

—¡Maldito sol insolente! Quiera Dios cubrir con esa niebla tenue de Londres el rostro brillante y desatinado de la ciudad, y así ocultarnos de nuestros enemigos...

—Cierra esa bocaza y corre.

El pupilo le plantó una mano en la espalda y le empujó con firmeza por el soleado callejón. Querido Rosencrantz, pensó sir Danny, siempre tan pendiente de él, siempre seguro de que esta aventura sería la última. ¿No comprendía Rosencrantz que en sus cincuenta años sobre la faz de la Tierra sir Danny aún no había alcanzado su destino? ¿Que los espectadores todavía esperaban emocionarse con sus empeños dramáticos? ¿Que todavía no había tenido ocasión de defender el reino de su soberana Isabel?

¿Que todavía no había resuelto ni el sino del propio Rosencrantz?

—Por el callejón. Rápido, Danny. ¡Rápido!

Soltó una risita al oír el pánico en su voz y ver sus estrechos hombros encajados en la columna.

Acelerando otra vez, sir Danny salió disparado por el callejón angosto y oscuro, cerrado por los aleros de las casuchas de dos pisos. Pasó veloz junto a la enorme lavandera que colgaba unas sábanas de la cuerda. Sin prestar atención al grito furioso de la mujerona, se agachó sobre los lienzos blancos colgantes.

Aún interpretando para la multitud que quedaba atrás, anunció:

—¡Oh, barro apestoso bajo nuestros pies, nos recuerdas también ahora nuestra mortalidad! La peste de la muerte cuelga pesada sobre nuestra hermosa ciudad...

Entre las sábanas sacudiéndose, la lavandera agarró a Rosencrantz y gritó:

—Quieto aquí, zoquete, tú no vas a estropearme la colada.

—¡Suélteme! —dijo Rosencrantz, presa del pánico.

Cuando sir Danny volvió la cabeza hacia atrás, vio al jovenzuelo capturado por la fornida lavandera.

Rosencrantz forcejeaba, pero la mujerona levantó y sacudió con poderío al pupilo.

—Éste es mi callejón, y ningún lameculos va a pasar a menos que yo lo diga.

Rosencrantz pateaba en el aire.

—No, milady, pero los soldados van a matarnos.

—¿Aquellos soldados? —La lavandera dejó a Rosencrantz en el suelo y se volvió hacia la entrada del callejón, bloqueando con su contorno la escasa luz solar que se filtraba.

Aprovechando la colada húmeda a modo de cortina de teatro, sir Danny advirtió:

—Ya vienen. ¡Ya vienen! Los paganos impíos nos maldicen con su aliento caliente en este instante y el propio Júpiter...

Agachándose bajo la sábana, Rosencrantz agarró a sir Danny de la mano y le apartó a un lado justo cuando los hombres de Essex entraban por la bocacalle con gran estruendo.

—Marchaos, moved ese culo gordo de botijo... —rugió la lavandera—. Éste es mi callejón y...

Los soldados la empujaron con tal fuerza que aterrizó en un charco. Su gran trasero creó una ola que dejó una marca de mugre en un lado del edificio, mientras chillaba juramentos que sonrojarían a un señor.

No le hicieron caso. Rasgaron la colada con las espadas mientras pisoteaban las sábanas con las botas. Tanto sir Danny como Rosencrantz intentaron salir pitando hacia el otro extremo del callejón, pero la punta afilada y reluciente de una hoja les bloqueó el paso, y luego todas las vías. Las cabezas con cascos obstruyeron la escasa luz y los rostros bajo ellos les miraron con sorna.

—Como perros rabiosos —dijo sir Danny—, vuestras caras proclaman vuestro linaje y carácter.

—Danny. No... no... —El terror apenas permitía hablar a Rosencrantz—. No les provoques.

Sir Danny miró a los hombres que se elevaban sobre él. Miró sus corazas de cuero, sus cicatrices y sus espadas y, por primera vez, el miedo se apoderó de él. Esto no era ninguna comedia, ningún desafío imaginario que pudiera desarmar con palabras valerosas. Había hecho lo peor que un hombre de la calle puede hacer: había demostrado ser una amenaza para un noble y, pese a tratarse de una causa justa, moriría por su insolencia.

Pero Rosencrantz no moriría. Por los dioses, él... el señor don Daniel Plympton, no iba a permitirlo.

Recurriendo a su talento teatral, relajó los músculos y aflojó los huesos. El dinámico cincuentón se transformó en una víctima fácil. Con más convicción que patetismo dijo:

—Y que mi oración reciba respuesta y el sol se ponga sobre esta vida demasiado tiempo vivida en el seno de la tierra bendita. —Apartó a Rosencrantz de un codazo con la intención de que su querido pupilo se ubicara mejor para huir—. Aun así, la juventud se escurre entre las piernas arqueadas de la amenaza y se alza otra vez en busca de tiempos mejores.

Rosencrantz entendió, de eso sir Danny no tenía duda. Pero respondiendo de la misma guisa, el pupilo se acercó más y negó sus palabras con firmeza:

—La juventud y la edad morirán juntas, ambas entrelazadas darán vida a esa tierra bendita.

Sir Danny perdió su elocuencia de súbito.

—Maldición, Rosencrantz, si estos bobalicones descubren que...

—¿Bobalicones? —El jefe de los hombres, una mole tuerta, agarró a Rosencrantz por su larga coleta—. ¿No estaréis hablando de nosotros, verdad? —Retorció los despeinados mechones marrones hasta que el joven se hundió sobre el barro con un gemido—. ¿Verdad?

—¡No! ¡No! —Sir Danny observó horrorizado mientras el matón agarraba la larga y blanca garganta, expuesta por su brutalidad, y apretaba—. Con todos mis respetos, amable señor. Valiente y fornido señor.

Tocó el brazo del soldado y manifestó su asombro al encontrar tal musculatura y comprobar que la cubría tan sólo una mera lana. El soldado llevaba el pecho y la espalda protegidos por un chaleco de cuero más endurecido, y unas calzas de cuero con relleno resguardaban las caderas de cuchilladas y otros ataques, pero el resto de su cuerpo era vulnerable.

¿Vulnerable? El Tuerto sacaba a sir Danny casi dos palmos y sonreía con el regocijo de un carnicero a punto de descuartizar un cordero. Soltándose el cuello de encaje, sir Danny indicó su propia garganta.

—Con sólo mirar mi cuello sabrás que servirá mejor a tus propósitos.

—Pero nos gusta este guapo mozalbete. La cabeza de su hijo quedará bien decorando un pincho en el puente de Londres.

—Volvió a apretar fuerte, y Rosencrantz trató de arañarle medio asfixiado.

Mejor que el cuello del viejo.

Otro soldado empujó a sir Danny contra la pared y tocó la garganta expuesta con la punta de su espada.

Iba a morir. Iban a morir, y con ellos todos sus sueños de gloria. En silencio, rogó por su salvación. Prometió reformarse, renunciar a beber en exceso, fumar tabaco, fornicar con mozas alocadas, actuar. Bien, quizás actuar no. Tampoco lo de las mozas... le encantaban las mujeres.

Pero todo lo demás, sí. Haría todo lo demás si se salvaba... o todavía mejor, si salvaban a Rosencrantz.

Pero la salvación, cuando llegó, no pareció exactamente una liberación. Una rociada de meados calientes salió volando de una ventana abierta más arriba, acompañada de un chillido de mujer.

—¡Eso os enseñará, mentecatos, a meteros con Tiny Mary!

Un segundo diluvio siguió al primero. Sorprendidos, los soldados soltaron a sus rehenes.

Al alzar la mirada, sir Danny vio a varias hembras en paños menores asomándose a todas las ventanas del edificio.

—Para que aprendas a no ir dando empujones a una furcia como ésa —gritó otra.

Sir Danny se rió en voz alta.

¡Necio, valiente necio! Ahora reconocía este callejón. Ahora reconocía a la poderosa lavandera. Él y Rosencrantz habían ido a parar al burdel más famoso de Londres, y los soldados habían atacado a la madama más querida en el negocio.

Los hombres de armas bailaban ahora mojados mientras intentaban evitar los contenidos detestables de los orinales. No tuvieron tiempo de ver a Tiny Mary piafando con furia como una cabra furiosa. Cuando cargó, tres soldados cayeron derribados como bolos por una pelota de madera. Dos aguantaron en pie, pero se tambaleaban escupiendo y maldiciendo.

Las rameras animaban a gritos y sir Danny chillaba de alegría. Estaban salvados. ¡Lo sabía! Los cielos le protegían, pero sólo él podría rescatar a Su Majestad la reina Isabel del nefario complot que tramaban contra ella. Sólo él podría devolver a Rosencrantz a ocupar el lugar que le correspondía. Sir Danny volvió a reírse, y el Tuerto permanecía rígido limpiándose los ojos.

—Estúpido —musitó Rosencrantz—. Estúpido viejo actor.

Y cuando el jefe de los soldados se encaminó hacia él con la espada desenvainada, sir Danny casi le da la razón.

En la mano de Rosencrantz destelló un metal. Su pupilo sostenía un cuchillo de mesa. ¡Un cuchillo de mesa! ¡Contra un soldado armado hasta los dientes!

Bajando la cabeza, sir Danny embistió contra la entrepierna del atacante. El jefe de los soldados se dobló, pero se lo llevó al suelo con él.

Rodó sobre sir Danny, reteniéndole con el cuerpo. El actor dio coletazos como un pez arrojado sobre la playa e intentó morder. Pero de pronto la mano que le aguantaba se aflojó y el cuerpo que tenía encima se retorció. Alzando la cabeza, oyó a un hombre gritando de forma poco masculina. Rosencrantz tiró de sir Danny instándole a ponerse en pie:

—Corre. ¡Tenemos que correr!

Dando tumbos, sir Danny intentó recuperar el aliento. No volvería a reírse del destino, por ahora sólo pensaría en escapar.

Una vez en el extremo del callejón, echó la mirada atrás. Los orinales metálicos llovían sobre los dos soldados todavía en pie. Tiny Mary estaba sentada sobre otros dos hombres, agarrándoles las cabezas y estirándoles del cuello con los codos. Y el Tuerto se revolcaba en el suelo, emitiendo aquel grito espantoso.

Sin encontrar palabras por primera vez en su vida, sir Danny tartamudeó:

—¿Qué...? ¿Qué...?

Rosencrantz resplandecía con una mueca de satisfacción.

—Le he metido la punta del cuchillo bajo las calzas y en sus...

Sir Danny intentó sostenerse.

—¡Dios mío!

—Sí —dijo Rosencrantz—. No vendrá tras nosotros en un tiempo.

Limpiándose las manos llenas de barro en el mandil, Tiny Mary miró con una mueca al Tuerto.

—Vaya, te ha pillado en los cataplines, ¿eh?

El Tuerto dejó de examinarse las partes privadas y lanzó una mirada iracunda a la inmensa mujer.

—No hay daños permanentes.

—No habría habido ningún daño permanente si te los hubiera cortado de cuajo.

Furioso y herido, el Tuerto ladró:

—Aún estoy en forma para ocuparme de una mercadera de culos como tú.

Tiny Mary se rió echando la cabeza hacia atrás. Su regocijo rebotó atronador por las paredes y su cuerpo se sacudió de júbilo.

—Nadie echaría de menos ese boniato flojo y pequeño.

Las mujeres de arriba se unieron a las risas y los hombres de armas, recuperándose, ocultaron las cabezas y soltaron unas risitas.

El Tuerto se tapó y se levantó de un salto buscando a tientas su espada.

—¿Buscas esto? —Tiny Mary la tenía colgada de un gordo dedo—. La has perdido cuando la chiquita te apuñalaba.

El Tuerto retrocedió de golpe contra la pared, gruñó y se contuvo.

—Parece que perdió algo más que la espada cuando le apuñaló —dijo una de las fulanas.

—¡Ey, Tiny Mary! ¿La conoces?

—No, pero con esa maña, podría pelear en mi equipo cuando quisiera —le respondió la meretriz.

—Vieja puta estúpida. —La sangre goteaba por una pierna del Tuerto—. Es un actor. Interpreta papeles de mujer, pero no es una mujer. Las mujeres no actúan, no es decente.

—Viejo retrasado, aquí el único estúpido eres tú —se burló Tiny Mary—. Es una mujer. Sé lo que dice la ley sobre no dejar actuar a las mujeres, pero he visto unos cuantos cuerpos en mi vida, y te digo que ese actor tiene lo que hay que tener para vivir con las madres a este otro lado de la calle. —Observando al soldado asombrado, volvió a reírse y sus damiselas se rieron con ella.

¿Una mujer? ¿Una mujer le había medio castrado?

—No es posible —rezongó el Tuerto.

—Un jubón acolchado cubre muchas cosas, pero incluso un tonto como tú debería reconocer que hay algo más que huesos enclenques bajo esas calzas. Por no mencionar —Mary caminó en círculo con afectación— que he visto monjes papistas con más sabiduría mundana. ¡No me digáis que no!

Al recordar el rostro estrecho sin barba y los grandes ojos marrones, reconoció cuál era la incómoda verdad. Le había derrotado una mujer. A él, que había violado y asesinado más mujeres que un huno en un saqueo.

La sangre se le subió al cerebro y olvidó su herida. Chillando «¡Rosencrantz!» se fue a todo correr hacia el final del callejón.

Un hombre se interpuso en su camino. El Tuerto se paró en seco y buscó su espada, pero no la tenía en su costado. Sacó el puñal y se preparó para destripar al extraño, pero...

—Tú. —El Tuerto retiró el brazo hacia atrás pese a que el hombre ante él no se había movido—. ¡Tú! Te conozco. Peleamos juntos.

—Hace mucho.

La voz profunda y gutural tenía cierto acento pero ningún matiz de emoción. Un escalofrío recorrió la espalda del Tuerto. Vestido de civil, su antiguo soldado emanaba amenaza a través de su postura, su mirada firme y retadora, su quietud de lobo listo para la batalla. El Tuerto intentó recordar su nombre mientras revivía demasiado bien la crueldad del desconocido.

—¿Te acuerdas de aquel franchute que quemó aquella cabaña estando nosotros dentro, el que te rompió la rodilla? ¿Te acuerdas cómo le seguimos y le dimos captura? ¿Recuerdas cómo chillaba cuando...?

—No.

El Tuerto entrecerró los ojos a causa de la penumbra.

—El fuego no te dejó demasiadas marcas.

El desconocido no respondió, y el Tuerto dijo:

—Si te haces a un lado, busco a una puta llamada...

—¿Rosencrantz?

Todavía inquieto, aunque no entendía por qué, el Tuerto dijo:

—Sí, Rosencrantz.

—Entonces —el hombre sacó velozmente la mano con una hoja sujeta— debes morir.

Con gran asombro, el Tuerto vio un chorro de sangre brotando de su propia garganta. Cayó de rodillas, sin aliento, sumido en dolor.

Los aullidos de miedo penetraron su aturdimiento; gritos de miedo y sonidos de batalla. Se arriesgó a alzar una mirada y observó la espada aparentemente incorpórea administrando muerte. Con eficiencia incesante el desconocido asesinó a todos los soldados que se hallaban en el callejón.

Tiny Mary, una barrera viviente, se pegó a la puerta que daba entrada al burdel, pero el extraño se fue hacia allí. La mujer levantó la brillante espada del Tuerto; el desconocido, su hoja ensangrentada. Tiny Mary se estremeció y se fundió como gelatina en una plancha caliente.

Incluso entonces, el Tuerto quería muerta a esa meretriz, y graznó intentando dar ánimos al desconocido. Éste giró la cabeza y por un momento sus miradas se encontraron. Recuerdos de risas crueles y cuchillos carmesíes se cruzaron entre ellos. El desconocido sonrió con frialdad, amplió la mueca poco a poco mientras guardaba la espada.

—Vete para adentro gorda mujer —ordenó, y Tiny Mary se metió por la puerta a toda prisa con la agilidad que le dotaba el miedo.

El desconocido avanzó a zancadas por el callejón escorando hacia adelante y hacia atrás como un marino en una cubierta en medio de una tormenta. Con la espada preparada dijo:

—No me gusta que la gente me recuerde el pasado, pero llevas una herida profunda, amigo mío. Deja que te cure.

El terror se disparó por las venas del Tuerto.

Levantando la espada en alto, el desconocido la hundió en lo más hondo de su antiguo compañero, luego la sacó con una sacudida. Con el extremo de la casaca del Tuerto, limpió la hoja y dirigió una mirada hacia el teatro. A continuación iba a dirigirse allí.

Para ocuparse de Rosencrantz.

# Capítulo 2

¡Maldad, ya estás en pie!
¡Toma el curso que quieras!
—JULIO CÉSAR, III, ii

*S*ir Danny Plympton se encuentra aquí. Detened la obra. —Tío Will alertó con una mano a los actores que se encontraban sobre el escenario del teatro Globe y con la otra recogió el guión—. ¡Por el rayo del gran Zeus, parad la obra de inmediato! La memorizará y la pondrá en escena sin que nosotros podamos llevarnos una perra chica.

Los intérpretes se disponían a hacer un alto cuando Rosie se derrumbó contra una de las columnas en la galería de la planta baja. Le temblaban las articulaciones, el agotamiento había dejado sus músculos fláccidos. Inspeccionó sin descanso la estructura circular de tres pisos, sin techo, y examinó cada banco de cada grada. Observó la entrada, atenta al ruido de fuertes pisadas en el exterior, mientras intentaba convencerse de que ella y sir Danny estaban a salvo.

Flexionando sus dedos sucios, observó el movimiento con fascinación. Estaba exhausta. Había dejado impedido al capitán con aquella puñalada, pero no le había matado. Tal vez si hubiera tenido un cuchillo largo y afilado. Tal vez si lo hubiera clavado con más fuerza. Tal vez si sir Danny no se hubiera empeñado en buscar problemas con los brazos abiertos... Se rió, con una risa olvidada que casi la atraganta, y luego un sollozo la cogió desprevenida. Frotándose los ojos con el dorso de la muñeca, supo que mientras sir Danny fuera sir Danny —desbordante, extravagante, escandaloso— nunca estarían a salvo.

—¡Eh, Rosie!

Dickie Justin McBride la saludó y ella bajó la mano. No se atrevía a dejar que los hombres de lord Chamberlain la vieran con lágrimas en los ojos. Todos ellos habían pasado por la compañía de sir Danny en un momento u otro. Todos ellos creían que era un hombre, y unos pocos le acusaban de miedica. No, no se atrevía a dejar que la pillaran llorando.

—¡Eh, Dickie! —gritó a su vez.

Ya de joven había despreciado al guapo actor y seguía haciéndolo ahora. No le gustaba su desagradable tendencia a tomársela con los no tan forzudos; sobre todo con Rosie, y sobre todo cuando estaban a solas. La tenía aterrorizada. Y en aquel instante acababa de bajar de un salto desde el elevado escenario hasta el patio de tierra para el público de a pie y se acercaba arrogante hacia ella.

—No te había visto tan sucia desde que te caíste en la pocilga cuando tenías ocho años. —Dirigió una sonrisa a los actores que descendieron tras él—. Compañeros míos, arrimaos y permitid que os relate cómo chillaba Rosie más fuerte que los cerdos.

Avanzaron hacia Rosie, y ella reconoció su táctica. Juntar una concurrencia de bribones, hacerles formar corro en torno a ella y luego mofarse con burlas y desprecio.

Casi se sintió agradecida cuando Dickie se volvió hacia el otro lado.

—¡Uf! ¿No te has lavado desde que te caíste en esa pocilga?

Todos los hombres hicieron aspavientos mofándose de Rosie con trabajados ruidos atragantados, mientras ella bajaba las palmas sudorosas por la columna. Sí, apestaba, a pesar de que sir Danny y ella se habían ido corriendo hasta el borde del plateado Támesis para rociarse con agua e intentar eliminar la peor parte.

Con una floritura de su brazo extendido, sir Danny proclamó:

—Qué día tan triste para la ciudad de Londres cuando los gusanos de la tierra se mofan de la rosa. Plateadas rociadas de los cielos lavarán la rosa, que volverá a ser la flor más noble. Pero cuando los mismos riegos de color plata alcancen a los gusanos, estos seguirán arrastrando el vientre por el polvo.

—Sí, y si esos gusanos no hacen una pausa para cenar ahora, sus vientres se preguntarán si les han cortado el cuello. —Con el guión en la mano, el tío Will lanzó una mirada fulminante a los actores, que cambiaron de rumbo y se encaminaron hacia la entrada, zarandeándose unos a otros pugnando por salir los primeros. Tío Will se volvió a sir Danny—. Ya se han marchado. ¿Qué quieres?

—¿Qué te hace pensar que quiero algo? —preguntó sir Danny.

—Nunca vienes a menos que quieras algo.

—Malnacido receloso —dijo sir Danny.

—Bellaco pernicioso —contestó Tío Will, que estiró el brazo para revolverle el pelo a Rosie—. Bajo riesgo de que me llamen gusano, debo decir que estás más desaliñado de lo habitual, mozalbete. ¿No te trata bien este depravado?

—A este depravado casi le cortan el cuello. —Rosie sujetó a sir Danny por el codo como si estuviera a punto de desmayarse, y deseó que alguien hiciera lo mismo por ella—. Tenemos que vendarle.

Sir Danny se zafó de ella claramente ofendido.

—¡No es nada, ya te lo he dicho! Y tú has estado a punto de ahogarte. —Retiró a un lado el cuello de la prenda—. Las magulladuras te marcan la piel como manchas de vino en una taza de marfil. Tu juventud será más lamentada que estos restos viejos. La próxima vez que te diga que escapes, hazlo.

—No te entendí.

Sir Danny le dio una sacudida.

—Cuando te diga que escapes, hazlo.

—Sin ti, no —replicó ella con obstinación.

—Cuando te diga que escapes...

—¡No puedo! —Se apartó y le volvió la espalda. Con una mezcla de dolor nuevo y pánico antiguo, se esforzó por controlarse juntando las manos ante el rostro en actitud de orar—. No puedo permitir que te vayas otra vez, papi.

Sir Danny le frotó la espalda.

—Mírame y escucha, Rosencrantz.

—No. No vas a mirarme con esos grandes ojos para quitarme los miedos como haces cuando uno de la compañía acude a ti con dolor de muelas o un cálculo biliar. Nada de trucos conmigo, sir Danny. Prefiero morir contigo que vivir sola.

—Y eso sí que no lo entiendo —le dijo él más bajito.

A veces ni siquiera ella entendía los terrores que la dominaban, dedos sudorosos que la sacaban del mundo real y se la llevaban a un terreno pedregoso y amenazador. Por regla general, los fantasmas aparecían sólo de noche, pero de tanto en tanto los espectros la encaraban a plena luz del día.

Como hoy. Apartándose con brusquedad de su contacto, Rosie masculló:

—No quiero saber nada, papi, no voy a dejar que te vayas.

Tras un momento de silencio, sir Danny se aclaró la garganta:

—Los jóvenes de hoy son unos insolentes, ¿verdad, Tío Will?

—Ojalá mi hijo viviera todavía y fuera tan leal a mí —dijo éste.

Rosie se frotó los brazos, arriba y abajo una y otra vez, intentando eliminar el frío que la entumecía.

Tío Will la estudió y luego adivinó:

—¿Otra vez andáis metidos en problemas?

—Sí —contestó Rosie.

—No —contestó Danny.

—Sí, entonces —decidió Tío Will.

—Algún cobarde podría decir que «sí». —Sir Danny miró con severidad a Rosie, luego masculló en voz baja a Tío Will—. Pero manda un mensaje a Ludovic.

Tío Will se encogió de hombros.

—¿Ludovic? Mejor llamarlo Lázaro. Se mueve como alguien resucitado de entre los muertos.

Sir Danny se llevó un pañuelo perfumado a la nariz.

—Pero me ha sido leal desde que le contraté hace siete años.

—Por lo que recuerdo —dijo Rosie—, él lo decidió así.

—Es un hombre con carácter —admitió sir Danny—. Hay momentos en que le habría despedido, excepto por la sospecha de que se negaría a marcharse.

—¡Tú! —Tío Will indicó a uno de los tramoyistas—. Busca al encargado de sir Danny y dale instrucciones para que traiga su compañía, con carromatos y todo. —Luego se dirigió a sir Danny—: Podéis huir de la ciudad dentro de los carromatos. Vayamos a la taquilla, ahí podremos hablar en privado.

Rosie, todavía poco convencida del buen estado de salud de sir Danny, siguió a los hombres de cerca hasta la minúscula habitación donde guardaban los ingresos. Lo que parecía ser rivalidad y desconfianza entre sir Danny y Tío Will descansaba sobre unos sólidos cimientos de amistad. No era la primera vez que le recordaban a David y Goliat. Eran equiparables en ingenio; en tamaño, el poderío físico de Tío Will ensombrecía al atildado y menudo sir Danny, pero su naturaleza agresiva daba el contrapunto a la melancolía pensativa de Tío Will, quien acudía a sir Danny en busca de inspiración cuando escribía papeles más belicosos.

Tras sacar una gran llave del cinturón, Tío Will abrió la puerta y les hizo pasar.

—¿Y ahora quién te quiere arrancar el corazón?

—Oh. —Sir Danny dio unos golpecitos en la alcancía—. Nadie demasiado importante.

—Sólo el conde de Essex y el conde de Southampton —soltó sin rodeos Rosie.

Incluso en la penumbra de la pequeña habitación, la muchacha pudo ver cómo Tío Will perdía su color rubicundo.

—¿Southampton? Dios del cielo, es mi mecenas.

Sir Danny saltó como una pulga en un circo.

—Es un maldito traidor y merece su ejecución como mínimo.

—Y sir Danny así se lo dijo en la residencia Essex, con el propio Essex sentado cerca —informó Rosie a Tío Will.

Éste se recostó contra la pared, apretándose el pecho con gesto trabajado hasta la perfección en incontables actuaciones teatrales.

—Esto es el desastre. ¡Southampton sabe que somos amigos!

—Así es como empezó todo —dijo Rosie—. Estábamos en la calle y Southampton nos llamó para que te trajéramos un mensaje.

Tío Will dejó el guión en la mesa.

—¿Qué mensaje?

—Quiere que interpretes —sir Danny le lanzó una mirada hostil— el papel de *Ricardo II*.

Perplejo, Tío Will se tiró de su escasa barba.

—¿Por qué? Es una obra vieja, y no es popular, pues trata de un monarca desposeído.

Sir Danny le agarró del jubón y le sacudió con la agresividad de un terrier ratonero acosando un oso.

—Por eso quiere llevarla a los escenarios. Sin pudor alguno, sin discreción, por Dios, Essex estaba hablando de una insurrección.

—¿Una insurrección?

—Una revuelta. Una rebelión. Una revolución.

—Ya sé qué quiere decir —dijo con irritación Tío Will—. Pero no entiendo.

—¿No entiendes? —Con la mano en la cadera y el dedo indicando el cielo, sir Danny permaneció en pie como un monumento a la indignación—. ¡Quieren que interpretes el papel de *Ricardo II* para perpetuar una atmósfera de descontento y provocar un motín contra el mismo timonel que guía la embarcación de nuestra isla a través de las aguas turbulentas de la guerra y la paz!

—¿Contra la reina? Te equivocas. —Tío Will recurrió a Rosie—. ¿Verdad que se equivoca?

—Ojalá fuera así. —Rosie anduvo hasta la mesa y se quedó mirando el fajo de papeles—. Pero como bien sabes, la reina Isabel no está contenta con Essex y le ha recortado los ingresos.

Todavía estupefacto, Tío Will dijo:

—Pero ¿insurrección? Essex era su favorito. Tiene que estar loco para pensar que puede tener éxito.

Sir Danny asintió.

—La reina le ha consentido con sus favores, y eso, combinado con su gallardía y riqueza, se le ha subido a la cabeza. Hablaba de nuestra bondadosa monarca con espíritu tan agitado que me pareció un loco. Maldecía la pobreza en que estaba sumido, y le oí afirmar que —bajó la voz— las condiciones a las que le tenía sometido la reina eran tan retorcidas como su encorvado cuerpo.

—Pedirá su cabeza.

Tío Will se agarró la garganta.

—Ruego para que así sea. —Sir Danny empezó a recorrer el pequeño y oscuro cuarto; era un torbellino de emoción que levantaba polvo—. Habló de un levantamiento en Londres y de secuestrar a la reina y obligarla a hacer lo que él pidiera.

—¿Y te contó eso a ti?

Tío Will expresó sus reservas.

—Y con vehemencia —contestó sir Danny—. Ya te he dicho que pensé que estaba loco.

Rosie se frotó la frente y la dejó marcada por una raya de polvo.

—También se lo dijiste a lord Southampton. Les dijiste a ambos que acudirías al palacio de Whitehall e informarías a la reina Isabel de sus planes.

—¿No estás conforme en que es lo que debemos hacer? —preguntó sir Danny.

—Sí, lo creo. Pero la inteligencia menos noble también me dice que deberíamos haber llevado a cabo el plan antes y lanzar peroratas después.

Sin dejar aparentemente que el agravio de Rosie le afectara, sir Danny replicó:

—Necesitamos irnos de Londres.

—Lo antes posible. —Entonces Tío Will se volvió hacia él con ferocidad—: Pero no es eso lo que yo quería.

—Sé qué querías. —Sir Danny sacudió unas partículas invisibles de polvo en su manga—. Ya lo hemos discutido. Es imposible.

Tío Will cogió el guión y lo dejó caer otra vez sobre la mesa con un golpetazo.

—Escribí este papel pensando en ti.

—Que lo interprete Richard —dijo sir Danny.

—Eres mejor actor que Richard Burbage. Lo sabes. Si interpretas este papel, obtendrás el reconocimiento y te harás rico. Pero no puedes, porque has vuelto a ser un bocazas y te has condenado...

—¿Me estás llamando burro?

—... a exiliarte en el campo.

Sir Danny se encogió de hombros.

—Me gusta el campo.

—Detestas el campo —corrigió Tío Will.

Con la cabeza baja, Rosie deseó encontrarse en algún otro sitio. No quería oír hablar del talento de sir Danny, pues reconocía la verdad en aquellas palabras. Cuando sir Danny pisaba las tablas, los hombres sollozaban y los niños escuchaban con atención embelesada. Las mujeres le encontraban irresistible, hasta la reina le aplaudiría. Pero nunca permanecía en un sitio el tiempo suficiente para recibir la aclamación merecida.

Y la causa era ella.

¿Como podía quedarse en un lugar cuando ambos temían que la mascarada de Rosie saliera a la luz por el exceso de familiaridad en su comportamiento? El malgasto de talento la ponía enferma, no obstante no sabía qué pasos dar para poner fin a aquel exilio.

Podría echarse a llorar, no le habría costado nada. Miró el guión que Tío Will había dejado caer. Hojeó las páginas y echó una miradita a los garabatos de tinta que se retorcían sobre el papel como gusanos. Buscaban algún destino y formaban cierta organización, pero no podía descifrarlos. A veces tenía la impresión de ser capaz de recordar las letras. A veces le parecía que había aprendido a leer unas pocas palabras.

Pero suponía que eran más bien fantasías suyas, que había imaginado aquel tiempo en que tenía un tutor y un hogar, y un padre cuyo rostro no conseguía recordar. Todo formaba parte de su deseo de leer, pero ya era demasiado mayor para soñar.

—He utilizado tu nombre en esta obra —le dijo Tío Will.

Ella alzó la vista, y se lo encontró mirándola.

—Eso es, *Rosencrantz*. No es un gran papel, pero hace unas travesuras deliciosas, y tú podrías interpretarlo.

Indicando el guión, ella preguntó:

—¿Dónde sale?

—¿Tu nombre? —Tío Will pasó las páginas igual que había hecho ella, pero a diferencia de Rosie entendía con claridad la escritura, de un modo que la dejaba asombrada. Indicando, dijo—: Ahí.

La joven se inclinó sobre la página y observó fijamente.

El hombre deletreó en voz alta, luego puso un dedo debajo de un garabato grande y curvado.

—Eso es una «erree mayúscula». Es la primera letra de tu nombre y produce un rumor con su sonido.

Dejó rodar el sonido en su lengua y ella le imitó.

—Erree... —repitió Rosie—. Erree...

—De nuevo observó fijamente memorizando el garabato.

—Sir Danny, mira. —Tío Will hizo un gesto y ella se encogió ante los dos hombres que la contemplaban con atención—. Se queda ahí y observa las páginas porque quiere algo más que la vida que tú le das. Un chaval espabilado como él tendría que saber leer.

—¿Y para qué va a hacerle falta leer? —preguntó sir Danny—. Su memoria está a la altura de la mía. Puedo memorizar cualquier cosa sólo con oírla una vez.

—Sí, sí, y puedes recitar la Biblia de cabo a rabo y al revés. Pero no lo hagas ahora, porque ya te oí en otra ocasión, y resultó ser una verdadera prodigalidad de sagrada escritura.

Sir Danny sacó un peine de la cartera que tenía en un costado y se arregló el cabello que le llegaba a la altura del hombro. Pasara lo que pasara, su vanidad estaba por encima de todo.

—Pero Rosencrantz no es un actor. No como tú. —Tío Will negó con la cabeza adoptando una expresión triste—. Sé que no quieres hacer frente a esto y sé que sólo deseas la excelencia en tu protegido, pero nunca ha interpretado otra cosa que papeles de mujer.

—Rosencrantz tiene sus momentos magníficos —objetó sir Danny.

—Seguidos de algunas medias horas terribles. Pero si fuera capaz de leer, podría conseguir un empleo administrativo. Nunca aprenderá si sigue viajando con esa compañía provinciana.

—Es mi compañía provinciana —le recordó sir Danny.

Tío Will arrugó la nariz con desdén.

—Con carretas para trasladaros de ciudad en ciudad y un andamio como escenario. Tal vez no anheles nada más, pero Rosencrantz lleva contigo quince años...

—Dieciséis.

Sir Danny se quitó la capa y sacudió el barro del terciopelo raído.

—Ya debe de tener casi dieciocho años.

—Tengo veintiuno —insistió Rosie.

—Veintiún años muy delicados por tu aspecto.

Tío Will sonaba como si no se lo creyera.

Rosie alzó su barbilla lampiña.

—Sir Danny dice que tenía cuatro o cinco cuando me encontró, por lo tanto tengo veintiuno.

—Mmm. —Tío Will la miró de arriba abajo—. Es obvio que esos cálculos no cuadran con lo que dices o no tendrías esa pinta de canijo. —Dando muestras de una fina intuición, intentó convencerla—: Rosencrantz, yo mismo te enseñaría a leer si te quedaras en Londres.

—Eso no puede ser. —Sir Danny cogió a Rosie de la mano y le dio un apretón—. Perdí los nervios y tenemos que irnos.

Tío Will, impaciente con él, preguntó:

—¿Qué tal si piensas por una vez en el chaval y no en tus emociones egoístas?

Sir Danny adoptó el papel del noble defensor, y su representación quedó más convincente gracias a su sinceridad.

—Estaba pensando en el chaval. ¿Sabes lo que sucederá si derrocan el gobierno? La reina Isabel ha guiado esta nación durante cuarenta y dos años, nos ha traído la paz y la prosperidad. ¿Qué vida podría esperar Rosencrantz si arrebataran la autoridad a nuestra buena reina Bess?

—¿Sí, qué vida?

A regañadientes, Tío Will coincidió con sir Danny.

—Alguien debería tomar cartas en el asunto —dijo sir Danny— y ese alguien debes ser tú. Tienes que advertir a la reina. Yo lo haría, pero no me atrevo a dejarme ver en la calle.

—Sí, debo advertir a la reina, y al hacerlo habré perdido a mi mecenas. —Nervioso, Tío Will se desenredó los pocos mechones de pelo que cubrían su cuero cabelludo, ofreciendo una visión clara de la calva brillante que ocultaba con tanto esmero—. Roguemos a Dios, sir Danny, para que escuche sin prejuicios a un actor y autor de teatro e ignore la mala reputación que nuestros colegas se han granjeado.

Con un toque de ironía en la boca, sir Danny añadió:

—Hablando de Ludovic, ¿crees que no ha llegado aún? —Abrió la puerta de golpe y dio unos pasos hacia atrás. Rosie soltó un jadeo. Allí estaba Ludovic, alto y ancho, tan inmóvil como una víbora tostándose al sol.

De físico robusto, Ludovic había nacido en algún país extranjero y, por caprichos del destino, había venido a parar a las costas de Inglaterra. Se había vuelto indispensable para la compañía de actores, y también había demostrado ser incapaz de hacer amigos. Ludovic no caía bien a nadie. Todo el mundo le temía, aunque nunca recurriera a la violencia. Nadie vencía a Ludovic. Algo en el gesto cruel de su boca y las cicatrices que le marcaban espalda y pecho disuadían de retarle.

—¡Ludovic!

Sir Danny cogió a Rosie de la mano y le dio un apretón.

—Sir Danny.

Su voz grave y profunda tenía un leve acento, que ahora parecía más marcado. ¿Habría estado escuchando al otro lado de la puerta?

Recuperándose del susto, sir Danny decidió disimularlo.

—He mandado un chico a buscarte. ¿Te ha encontrado?

—Aquí estoy, ¿o no?

—Bien. —Sir Danny se adelantó, aún agarrando de la mano a Rosie, y Ludovic le cedió el paso. Sir Danny y Rosie volvieron a salir al sol de la tarde que calentaba una zona reservada a los espectadores de a pie—. Estoy impaciente por salir de viaje con mi —sir Danny sonaba sarcástico— compañía provincial. Ludovic, ¿has traído las carretas?

—¿Las carretas? No. —Ludovic les siguió—. Pero iré a buscarlas.

Hizo una inclinación y se alejó, mirando a Rosie con sus ojos un poco saltones. Sir Danny le gritó:

—¡Fuera de aquí!

Ludovic miró con hostilidad, luego se fue cojeando hacia la salida.

—Sir Danny —protestó Rosie—, ¿por qué le gritas? Le has ofendido y sabe que le necesitamos.

Sir Danny contemplaba el lugar por donde había desaparecido Ludovic.

—Lleva mucho tiempo con nosotros, tal vez demasiado. —La miró un momento y luego gritó—: Puedes salir, Will. Ya se ha ido.

Tío Will asomó la cabeza y miró en ambas direcciones antes de salir con cautela. Ansioso por librarse ya de ellos, dijo:

—Os ayudaré hasta donde me permitan mis posibilidades, pero no tengo nada de dinero, así pues...

Sir Danny saltó al instante:

—¿Así pues nos dejarás oír tu nueva obra?

—¡No!

—Pero vamos a irnos al campo. —Sir Danny intentó convencerle—. Muy lejos del público de Londres. Nadie se enterará si la representamos nosotros primero.

—No.

Pero era evidente que estaba bajando la guardia.

—Querido y viejo amigo. —Sir Danny le rodeó el cuello con un brazo—. Un favor mínimo a aquellos que casi entregaron la vida por Su Majestad y por la propia Inglaterra de nuestro Señor. ¿Cómo se llama?

—La llamo *Hamlet*. —William Shakespeare dio una patada al suelo de tierra con gesto asqueado y luego capituló—. Y a mí me llamo necio. Puedes oírla, pero sólo una vez. —Alzó un largo dedo—. Una sola vez. Luego os marcharéis antes de que aparezca Southampton haciendo indagaciones por aquí. ¿Y a dónde pensáis ir?

Con la sangre fría de un bandolero, sir Danny respondió:

—Vamos a una finca no muy lejos de Londres.

Rosie, sorprendida, soltó la mano del asimiento de sir Danny.

—No, no vamos a ir.

Sir Danny ni le hizo caso.

—Nos han invitado a actuar para sir Anthony Rycliffe y sus invitados en una reunión en su casa de campo.

—No vamos a ir.

Tío Will, perplejo, preguntó:

—¿Por qué no quieres ir, Rosencrantz?

Empujó a sir Danny con un movimiento violento.

—Porque Danny ha perdido el juicio.

—Vamos a tener suerte allí.

Sir Danny sonrió.

—Creo que tramas algo. —Tío Will estaba maravillado—. ¿Qué planeas hacer?

Sir Danny hizo una floritura elaborada con sus dedos.

—Saldremos de los límites de Londres, viajaremos a la finca de lord Anthony Rycliffe y allí respiraremos un poco de aire fresco, comeremos bien, dormiremos a pierna suelta...

Rosie interrumpió.

—Y sacaremos a sir Anthony una buena suma de dinero a base de chantajes.

# Capítulo 3

¡Oh amada mía! ¿Dónde te encuentras?
—NOCHE DE EPIFANÍA, II, iii

$S$ir Anthony Rycliffe se tambaleó cuando la punta de un bastón clavado en el costado le apartó de su exploración apasionada por la carnosa y enfurruñada boca de lady Blanche. Alzando la cabeza lanzó una mirada hostil... justo a los ojos del padre indignado de la jovencita.

—No voy a fingir que no he visto esto. —Era obvio que lord Bothey quería hacer trizas a Tony con sus propias manos por besar a la encantadora Blanche, pero se lo impedían dos cosas: su volumen y sus reticencias a ofender al paladín de la Guardia de la Reina.

De modo que el caballero desplazó la vista a las copas de los árboles e hizo una señal a su hija para que saliera con él de los jardines y regresara junto a los demás aristócratas que bailaban en la larga galería de Odyssey Manor.

Blanche no hizo caso a su padre. Sonrió a Tony y se pasó despacio la lengua por los labios aún húmedos por el beso.

Era una invitación a la que pocos hombres sabrían resistirse, pero Tony retiró de sus hombros las manos largas de la chica e intentó enderezarse el cuello de tul.

—Vete con tu padre, cielo. Te veré... más tarde.

Los ojos de la joven brillaron aún más con las lágrimas que los inundaron. Agitó sus pestañas igual que una señorita empleaba un abanico.

—Pero Tony...

Como si fuera un animalito de compañía, él le dio en la nariz con el dedo.

—Más tarde.

—Pero prometiste...

No había prometido nada, ni lo haría hasta que tomara una decisión. Cada una de las chicas asistentes a su fiesta campestre anhelaba estar en sus brazos, eran unas cuantas las que ya habían pasado por ahí. Él había estado experimentando —un beso aquí, un abrazo apasionado allá— en un intento de decidir qué dama de la nobleza sería su novia.

No era un acto digno de un caballero honorable, pero Tony se enorgullecía de no ser honorable ni caballero. Seguía sonriendo cuando entregó la muchacha a su padre.

—Me encantaría seguir con nuestra discusión, dulzura, pero cada vez tenemos más público. —Saludó con su amplia mano a dos damas mayores que aguardaban dando golpecitos con el pie en el cuidado césped—. Mis hermanas me esperan.

Lord Bothey agarró a Blanche por el brazo antes de que pudiera protestar más y se la llevó a buen paso.

—Tony, ¿te has vuelto loco?

Él hizo callar a Jean y esperó a que la rezagada Blanche se volviera para mirarle. Le lanzó un beso, se la borró de la mente y entonces respondió:

—Si me caso con Blanche, tendrá que aprender a reservar para mí sus besos. Los regala con demasiada generosidad.

—No vas a casarte con ella —dijo Jean.

—Probablemente no. Su padre no es más que un barón, y con sus burdos modales seguro que acabaría ofendiendo a la reina. No podría tenerle de suegro. —Luego, con gracia, admitió—: Tienes razón, Jean, no me casaré con ella.

—Eso está bien —dijo Ann, su otra hermana. Le miró encantada desde debajo de las anchas cejas—. Me alegra que demuestres aún un poco de juicio.

—¿Tú crees? —Jean conocía bien a su hermano, por lo tanto nunca le creía cuando mostraba su lado bueno—. ¿De veras?

Tony sonrió con una sonrisa encantadora.

—No quieras desarmarme con esa expresión —dijo Jean—. Vas a recibir un rapapolvo de todos modos.

—¿Ah sí? —Abrazó a sus dos diminutas hermanas con un gran abrazo de oso—. ¿Y por qué querríais reprenderme, mis queridas damas?

—Porque te has vuelto loco. Has estado besando a todas las doncellas presentes. —Jean se esforzó por librarse de su abrazo para señalarle con el dedo—. Sus padres amenazan con marcharse.

—Estás provocando un escándalo. —Ann le retiró el brazo de su cuello y se zafó para situarse ante él en el sendero—. Nadie sabía por qué habías invitado a la mitad de los nobles de Inglaterra a una fiesta, pero ahora lo han entendido a la perfección. Todas las familias a las que has invitado tienen una hija casadera.

—Cierto.

Alzó una ceja con gesto divertido y permitió que Jean le tirara de la manga y le obligara a detenerse.

—Y como si fueran una prenda íntima, te las pruebas cada una.

—Vaya anología más ordinaria. —Intentó sonar severo.

—Eres un hombre ordinario —respondió Ann—. Los padres de esas doncellas están asustados.

—No así las doncellas.

—Oh, no —Jean resopló con disgusto—, ellas gorjean como una bandada de gorriones cada vez que pasas.

Anthony dragó en su alma en busca de cierta dosis de modestia, pero nunca había aprendido el arte del autoengaño. Se le daban bien las mujeres, lo sabía, sobre todo cuando se esforzaba en el empeño.

—Tengo veintiocho años. Ya es hora de que elija esposa.

—No tenemos nada que objetar al respecto. —Jean le dio un empujón para que se sentara en un banco de mármol—. Es lo que llevamos sugiriéndote desde que volviste de Europa. Si lo hubieras hecho nada más regresar, con Su Majestad deshecha en elogios y recompensándote con regalos, podrías haber conseguido a cualquier mujer del reino. Pero Tony, eso sucedió hace ya cinco años.

Se esforzó por adoptar un aspecto dolido.

—¿Tanto me engaña la memoria?

—No te hagas el inocente con nosotras. —Jean entrecerró los ojos—. Eres el jefe de la Guardia de la Reina. Su Majestad te concedió la finca Sadler, nada desdeñable, y los ingresos de las tierras de esa familia desaparecida. Con que tan sólo tendieras la mano, podrías tener a cualquier viuda del país.

—Viuda.

Repitió aquella palabra aberrante, pero Jean no le prestó atención.

—Pero en vez de ello estás ofendiendo a todos los nobles que tienen una hija soltera.

Tony arqueó la espalda y flexionó los brazos, luego enlazó las manos tras la cabeza.

—Pueden marcharse si así lo desean.

La perceptiva Ann le observó y adivinó la amenaza en su gesto.

—Te temen.

Tony hizo sitio en el banco y dio unas palmaditas a su lado.

—Siéntate, dulce hermana, y dime por qué iban a estar asustados. Si se van, ¿qué puedo hacer yo? Difícilmente voy a sacar la espada contra todos ellos.

Con un matiz dulce pero sarcástico en su voz, Jean dijo:

—¿Ah no?

Ann se desplazó hasta el extremo del banco, trasladando el círculo rígido de su falda en torno a ella.

—Cuentas con el favor de la reina.

—Actualmente he perdido tal apoyo.

—¡Actualmente! —soltó Jean—. Temporalmente sería un término más apropiado. Nadie duda de que podrías camelarla y recuperar sus simpatías.

—Me halagas.

—Has demostrado ser un hombre peligroso con la espada cuando un noble no mide bien sus palabras.

—Exageras.

Jean perdió la paciencia con él.

—No me trates con condescendencia, Tony Rycliffe. Te he impuesto disciplina desde que eras una criatura y te la impondré ahora si sirve para inculcarte un poco de sentido común.

Tony no se rió. Si Jean decidía sacar la vara con él, aceptaría los golpes sin rechistar. Le debía mucho. A las dos les debía mucho.

Recostándose contra el árbol a su espalda, estudió a sus hermanas. Había visto a Jean enfadada bastante a menudo, y ahora lo estaba. Se ruborizaba y su cutis moreno relucía de la nariz al pecho. Tiraba de su cuello de tul como si la asfixiara. Siempre sería su profesora.

Ann. Bien, Ann no estaba enfadada. Estaba angustiada. Tan morena como su hermana, sus ojos marrones se llenaban de lágrimas con facilidad, como en este preciso momento. No le gustaba ver a sus hermanos enfrentados y retorcía las manos mientras murmuraba sonidos casi imperceptibles.

Tony no podía resistir ni la angustia de Ann ni el enfado de Jean. Tal vez les debiera una explicación, quizá se merecieran un esbozo de su gran plan.

—Quiero iniciar una dinastía noble.

Ann apoyó una mano enguantada en el brazo de su hermano.

—Ya formas parte de una dinastía noble.

Tomándole la mano, Tony le retiró el guante y examinó sus dedos. Ni un callo, ni una marca que delatara remotamente una jornada laboral. Por supuesto, nunca había trabajado. Ella no entendía, y por eso él se esforzó en mostrarse paciente:

—Esta no es mi dinastía. Lleva el nombre de mi padre y mi hermano.

—Pero tú también eres mi hermano —gimoteó Ann.

—Y te lo agradezco. Igual que a ti. —Hizo un ademán a Jean, que le entendía mucho mejor que la buena de Ann—. Pero fundaré la dinastía Rycliffe, y para ello debo casarme con una doncella soltera.

—Pero una doncella tiene un padre que decide su destino, y ningún padre...

No encontraba las palabras.

—¿Me aceptará? —concluyó Tony.

Avergonzada, Ann bajó la vista a sus manos enlazadas, pero Jean la ayudó:

—Tienes fama de enfrentarte a nobles honorables y seducir a las esposas de los nobles honorables...

—Y soy hijo bastardo.

—... y si no fuera porque cuentas con el favor de Isabel, te habrían asesinado hace años.

—Y soy hijo bastardo —insistió.

—Tal vez ésa sea la razón. —Jean le estudió, tan tieso y pálido como si el mármol helado hubiera penetrado en sus huesos—. Pero dados tus sentimientos sobre tu legitimidad, debes entender las objeciones de los padres.

—Oh, las entiendo. —Se levantó y puso una mueca, mostrando toda su blanca dentadura—. Sólo es que no me importan.

No le importaban sus objeciones, por que nadie se atrevía a planteárselas a la cara. Jean tenía razón. En los últimos cinco años, había sacado su espada contra cualquier noble que se hubiera atrevido a mencionar las circunstancias de su nacimiento.

Jean, tras renunciar a lograr cierta compasión de él, decidió apelar a su orgullo masculino.

—¿Por qué necesitas una doncella soltera? ¿Temes que tus técnicas en el dormitorio no estén tal vez a la altura y no soporten las comparaciones?

Las hojas de brillantes tonos naranjas y amarillos temblaron con su estruendosa carcajada.

—No, porque si recuerdas, nuestro padre siempre decía que yo montaba muy bien.

Ann ahogó una risita.

—Hablaba de tus habilidades para la equitación.

—Una habilidad se parece mucho a la otra. Mi esposa seguirá loca por mí hasta el día que me muera.

—¿Mientras tú encuentres placer donde te plazca? —soltó Jean.

La diversión de Tony se esfumó de golpe.

—Niego también eso. No tendré bastardos de los que mi esposa tenga que ocuparse.

—A mamá no le importó —le aseguró Ann.

—Tu madre era una mujer maravillosa —dijo él—. Y me entregó el mismo amor que a sus propios hijos, ni más ni menos. Yo creía que era mi verdadera madre. Debería haber sido mi verdadera madre.

El recuerdo de la madre, impedida y débil cuando se acercaba la hora de su muerte, hizo que a Ann le saltaran las lágrimas y Jean tuviera que echar mano de su pañuelo.

Su hermano les concedió un momento antes de continuar:

—Encontraré una doncella de familia noble, lo bastante joven, no más de diecisiete años, para darme hijos. Necesito una mujer fecunda si quiero procrear, y es sabido que las yeguas jóvenes dan más potros.

Por primera vez en su vida, Jean pareció quedarse sin habla, pero Ann no. Intentó ponerse en pie forcejeando con su pesado verdugado, y cuando él fue a ayudarla le dio un golpe en la mano. Una vez de pie, dijo:

—Una joven yegua te irá a la perfección porque desde luego no eres nada más que un bruto caballo.

Jean y Tony la observaron atónitos mientras regresaba a buen paso a la casa; luego Tony se volvió hacia Jean lleno de confusión.

—¿Qué he dicho?

Jean abrió la boca, pero volvió a cerrarla. Después de dar una vuelta por el claro, se acercó para situarse delante de Tony:

—Había olvidado la capacidad de Ann para ver con toda claridad la verdad de una situación y expresarla de forma sucinta.

Asombrado, Tony preguntó:

—¿Estás de acuerdo con ella?

—Vas a estrellarte, Anthony Rycliffe. —Su voz ya de por sí grave, sonó aún más profunda—. Espero que los daños no sean graves cuando suceda; detestaría verte humillado. Pero no es el motivo para querer hablar contigo. Prometí a lady Honora Howard hacer el papel de su padre y proponer una unión entre tú y ella.

Su hermano estalló en carcajadas, esperando que ella le imitara.

No fue así, y su risa se desvaneció.

Estudió a su hermana, pero parecía estar seria mientras aguardaba a que se le pasara la diversión.

—Estás de broma.

—No.

—Lady Honora quiere casarse... —La voz de Tony se apagó por lo absurdo de la ocurrencia, pero sin humor esta vez—. Lady Honora debe de haber cumplido los cuarenta como mínimo.

—Tenemos la misma edad —admitió Jean.

—Y si se quitara el corsé, temería por la vegetación a sus pies.

—Tiene un seno generoso, pero buena figura. Era un belleza de joven, y su rostro aún está esculpido...

—¡En hielo!

—No da rienda suelta a sus emociones, pero por eso mismo debería resultarte más atractiva.

Pensó en la dama aristócrata y sobria, que contemplaba el mundo desde su posición elevada y juzgaba a sus coetáneos con precisión superior.

—¿Por qué iba a encontrar yo atractiva a esa frígida mujer?

—Porque te ha escogido empleando la misma lógica fría que has hecho servir tú para discernir entre tus candidatas maritales.

Al detectar un indicio de triunfo en el talante de Jean, Tony entrecerró los ojos y se acercó.

—¿Por qué yo?

—Quiere un hijo, y cree que tú eres el semental más vigoroso de Inglaterra.

El asombro se apoderó de él, vaciándole de golpe de toda emoción.

—Pero me he preocupado de no engendrar ningún bastardo.

—Tiene fe en tu capacidad y aplicación, y es una mujer que cumple casi todos tus requisitos.

Entonces se desató la furia, reaccionó como un hombre que conoce su valía y no obstante se encuentra valorado como un animal de cría y nada más. ¿Cómo alguien podía buscar pareja sólo por motivos de fertilidad?

Los espectros de sus planes matrimoniales regresaron a su mente, y se sonrojó. Pero su capacidad procreadora no era importante ahora. Lo importante era escapar de esta trampa.

Como la serpiente en el Jardín del Edén, Jean quiso tentarle con un cebo irresistible.

—Es rica.

Tony tiró del volante de su cuello, de pronto prieto. Desde luego que sí, era muy rica, y rogó tener fuerzas con las que resistirse a la tentación de su dinero.

—Es la mejor amiga de la reina, y todavía es, eh, fecunda como una yegua.

Impaciente por la inactividad, Tony se levantó y se fue andando, bordeando los setos hasta salir del jardín. Jean le seguía, adoptando su largo paso. Cuando él llegó al gran césped que se alejaba ondulante de la parte delantera de la mansión, se volvió con brusquedad hacia su hermana:

—Lady Honora ha enterrado tres maridos y no tiene hijo alguno con vida. ¿Llamas a eso fecundidad?

Jean dirigió su mirada hacia el edificio de mármol, pero no había ningún invitado a la vista:

—Los dos primeros maridos los escogió su padre por sus relaciones, influencia y riqueza, pasando por alto la debilidad innata de ambos. No le dieron hijos, y antes de que ella cumpliera veinte años los maridos habían muerto. Con el tercero se casó por un arranque de pasión, era todo lo que una mujer puede desear en un hombre. Le dio un hijo. Debería haberle dado más, pero se dedicó a propagar su simiente entre la población femenina y ridiculizó a lady Honora cuando ésta intentó tomar las riendas.

Anthony ya había oído demasiadas comparaciones con caballos.

—¿Todas las mujeres piensan en los hombres como sementales?

—No, algunos son castrados —se burló ella—. Pero tú no, Tony. Pon la brida un momento. No te sentirías tan insultado a no ser que sintieras la fría mano del destino en tu espalda.

Un escalofrío recorrió su columna. Jean tenía razón. Bajo su indignación y furia se agazapaba la sensación real de estar marcado por el destino. Lady Honora suplía falta de humor con determinación.

Su búsqueda de una esposa se había convertido en una carrera de Tony contra el tiempo.

—No voy a casarme con ella —dijo con firmeza—. Siento un gran respeto hacia lady Honora Howard, pero nunca pensaría en ella en el sentido carnal, jamás.

Jean se rió, poco convencida, era obvio:

—Tendrás que explicárselo a ella.

—Jeannie, querida hermana. —Tony le rodeó los hombros—. Soy un hombre humilde, muy torpe con las palabras. Seguro que tú...

—No se lo voy a decir.

—...encuentras la manera de no lastimar sus sentimientos.

—Haría falta un semental desbocado para aplastar sus sentimientos. —Se mofó sonriente de la ira de su hermano—. Además, conozco a lady Honora de toda la vida, y nunca la he convencido de nada. Estás condenado, Tony, condenado, y no puedo decir que esté triste al respecto. Lady Honora es la esposa perfecta para cualquier hombre, y en especial para ti. No tendrás que oír nunca nada más de tu condición de bastardo. Nadie se atrevería a enfrentarse a ella.

—Pero no quiero que mi esposa sea el motivo de que alguien me respete. Quiero ganarme el respeto yo mismo.

—Ya te lo has ganado, excepto con la gente más necia, y tal vez aún falte que te tomes en serio a ti mismo. Si ya hubieras hecho una elección matrimonial, tal vez pudiéramos convencer a lady Honora de que abandonara su misión , pero...

—¡Ya la he hecho! —Miró a su alrededor con urgencia, buscando una escapatoria desesperada—. Mi novia acaba de llegar. He estado resistiéndome a la atracción, pero ella ya está aquí.

—¿Dónde? —Jean dirigió una mirada a la compañía de actores itinerantes acampada en el extremo de la amplia extensión de césped. Descargaban la tramoya para levantar el escenario y se preparaban para la actuación de la tarde—. ¿Dónde?

—¡Allí está! —Casi se desploma de alivio al descubrir una muchacha entre el grupo. La única chica a la vista. Estaba un poco apartada, apoyándose en un pie y luego en otro con actitud nerviosa. Con hombros encogidos, observaba la finca y musitaba palabras que se perdían en la distancia. Tendría que servirle—. Junto a la carreta pintada.

Siguiendo su mirada, Jean la vio también y entrecerró los ojos:

—¿Ella?

—¿La conoces?

Tony confío en que no.

—Nunca antes la había visto, pero me resulta... —Jean ladeó la cabeza— familiar. ¿Quién es?

—Es el retrato de la perfección.

Una respuesta perfectamente vaga.

—¿Con ese atuendo? —Jean sacudió la cabeza—. Mejor te refrenas, Tony. No es una doncella rica e influyente.

Incluso desde la distancia se distinguía que llevaba ropas peculiares, y una peluca roja coronaba su cabeza de rizos rígidos. ¿Cómo había podido caer en tal trampa?

Recordando la figura tiesa de Honoria, respondió a su propia pregunta.

Desesperación. Pura desesperación. Entonces consiguió hablar:

—Por ella soy capaz de renunciar a mis deseos más banales.

Jean continuó:

—Con toda seguridad no debería andar junto a las carretas. Los actores son una compañía poco recomendable.

—Iré a rescatarla.

Y confió en poder persuadirla, o seducirla, para que colaborara en su propio intento de rescate.

# Capítulo 4

Haber visto mucho y no tener nada es tener
los ojos ricos y pobres las manos.
—COMO LES GUSTE, IV, i

*Papi, no me dejes aquí. Estoy cansada y está demasiado lejos para ir andando.*

El césped se ondulaba como una alfombra voladora verde claro con dorados tonos pálidos, transportando la enorme finca como si de un agasajado pasajero se tratara.

*He cogido estas flores. ¿No te gustan, papi? Las he cogido para ti.*

Como una dama blanca con los brazos extendidos para recibir a todos los recién llegados, la finca relucía con sus amplios flancos bajo la luz del sol. Los árboles cubiertos de escarcha otoñal se inclinaban protectores a su alrededor; la maleza perenne la decoraba.

*Yo no lo he cogido, papi. No me dejes sola. Papi, por favor, estoy asustada. Tengo miedo, papi, por favor, papi, por favor...*

—Qué muchacha tan encantadora.

Rosie dio un brinco tan brusco que su ramillete de flores saltó por los aires. La visión confusa que se había apoderado de su mente se desvaneció de súbito. Aunque intentó retenerla igual que intentas recordar un sueño, desapareció tan rápido como le había sobrevenido.

Aquel alto hombre cogió las flores con destreza mientras surgía de detrás del extremo de la carreta. Con una sonrisa encantadora e inclinándose con elegancia, le ofreció las flores de nuevo.

—Mis ojos están embriagados con su belleza, milady, y hasta me cuesta recordar mi propio nombre, pero juraría que nunca nos habíamos encontrado hasta este momento.

—¿Quién? ¿Quién? —tartamudeó ella llevándose la mano al pecho en un intento de contener los fuertes latidos del corazón.

—Soy sir Anthony Rycliffe.

Ella le observó, todavía agitada y perdida.

—Su anfitrión —apuntó.

—Oh.

Oh, era sir Anthony, y ella... ella era... era...

Sacudió la cabeza intentando espantar las imágenes.

Ella era Rosie. Rosencrantz. La hija de sir Danny y también su hijo a tiempo parcial. Se encontraba frente a sir Anthony Rycliffe, la persona que les había contratado. Intentando comportarse con decoro, hizo una reverencia.

—Es un honor, señor.

Con masculinidad y una seguridad abrumadoras, su anfitrión le tomó la mano y le besó el dorso con la misma delicadeza que a una reina.

—Habla muy bajito, pero no hay necesidad de ser tímida, muchacha. Sólo con que me diga el nombre de su padre, acudiré a él al momento y le rogaré que me permita hacerle la corte, pues su frescura compite con la brisa de la primavera y su atractivo me... —Vaciló, como un actor que olvida su frase, y encogió aquellos hombros enormes con un movimiento ella diría que avergonzado—. Dígame el nombre de su padre y le haré la corte como jamás hombre alguno haya cortejado doncella.

Ella se quedó boquiabierta. Pese a saber que parecía una tonta, su asombro era excesivo como para controlarlo.

—Me toma el pelo, señor.

—No haría bromas con un regalo de los dioses, no fuera que Júpiter me lo arrebatara mientras lo tengo delante. Dígame el nombre de su padre para que pueda demostrar mis buenas intenciones.

Por lo visto él no era consciente de quién era ella. Pensaba que era una mujer.

Y por supuesto lo era, pero la mayoría de hombres la privaban del disfraz y veían lo que esperaban: un muchacho de mala reputación, un vagabundo, un actor.

¿Veía este hombre menos que la mayoría de hombres, o más?

Alto y rubio, de carisma deslumbrante y hospitalidad abrumadora: ¿qué quería de ella?

Su sonrisa no vaciló en ningún momento, de hecho, ahondó los hoyuelos de sus mejillas y aportó un centelleo a sus ojos azules.

—Muchacha, actúas como si ningún hombre te hubiera entregado el corazón, y sé que tu encanto habrá exaltado a quienes son más precavidos que yo.

Por instinto, ella reconoció una intención arrogante. Era un hombre que se había encaprichado de una doncella. Más que eso, era un hombre a quien ninguna doncella rechazaría jamás.

—Sir Anthony —empezó a decir.

Pero él le puso el dedo en los labios.

—Llámame Tony.

Ella eludió su dedo sacudiendo la cabeza.

—Respetado señor, no me atrevo a hablarle con tal familiaridad.

Él apoyó un codo en el carromato, al lado de su cabeza.

—Entonces llámame Anthony. O querido o cielo o amor, te lo ruego.

Se encorvó sobre ella: demasiado alto, demasiado grande, demasiado desenvuelto, demasiado masculino. Una capa de terciopelo carmesí colgaba de sus hombros, tan brillante que hacía daño a la vista. Sus medias de seda con costura y liga de cinta mostraban unas piernas con musculatura ondulada. Su jubón negro relucía con un bordado de hilo dorado, y en medio de su amplio pecho resplandecía un colgante de oro macizo, el cual proclamaba que este hombre comandaba la Guardia de la Reina.

Le hizo recordar los hombres de armas de Essex, dispuestos a matarla con sus espadas.

No obstante, la espada de sir Anthony Rycliffe tenía otra punta: era un arma usada sólo con mujeres, para placer de éstas y suyo propio. Pero nunca un hombre la había mirado con complicidad ni la había rondado con provocación ni la había deseado. Todo aquello la asustaba.

—No puedo llamarle de ninguna de esas maneras. Su rango es una barrera.

—No permitiría a mi futura esposa instalar barrera alguna entre nosotros. Ni palabras ni... —sondeó con la mirada las profundidades de su corpiño, elevando la temperatura de su piel— ropa.

Rosie se llevó la mano al escote para tapárselo, pero él no iba a aceptar nada de eso. Tomó de nuevo su mano y la besó, pero esta vez acarició la palma con los labios. Luego le cerró los dedos sobre la caricia y susurró:

—Guárdate esto para recordarme cuando no esté cerca. Abre tu mano y ponte mi beso en tu mejilla, en tus labios, en tu cuerpo, e imagina que estoy contigo. Porque, en verdad, lo estaré.

Maravillada y desorientada, se preguntó sobre su propia identidad, los objetivos del hombre y sobre ese estado que tanto la confundía. Él parecía esperar alguna señal por su parte, pero la indecisión la tenía paralizada y su instinto se enfrentaba al hábito.

—Querido señor —susurró, y él se lo tomó como un permiso.

—No me llames señor —susurró mientras se inclinaba un poco más, acorralándola entre sus brazos en una dirección y entre su cuerpo y el carromato en la otra. Rosie se quedó mirando aquellos labios que se movían al hablar.

—Soy Tony.

Su boca, demasiado ancha para ser hermosa, prometía placeres prohibidos hasta ahora. Cuando empezó a juguetear con su barbilla y su mejilla, y le cerró los ojos con un movimiento de aquella lengua, la promesa se hizo realidad. Sin aliento, Rosie esperó, aguantó y se maravilló.

—Dilo —ordenó—. Di mi nombre.

—Tony —susurró.

Como recompensa a la obediencia, dejó reposar su boca en sus labios. El beso, el primero para ella, debería de ser una lección del maestro, pero no fue así. Anthony prestó atención a las señales del cuerpo de la joven, y prosiguió en su avance sólo cuando ella lo anheló, tocándola con la lengua y retirándose, incitándola a seguir su ejemplo. Ella hizo lo que él deseaba, movida por la curiosidad.

Tenía que ser curiosidad, nada más podía explicar su locura.

Aun así, como sílex contra el metal, su curiosidad y la paciencia de él hicieron saltar la chispa. Tony se rió en voz baja mientras la chispa la sacudía.

—Así es —murmuró contra su boca—. Esto nos hará entrar en calor.

¿La habría fascinado con su paciencia?, se preguntó. Pero la llama creciente anulaba cualquier rastro de su control.

—Entrégate —exigió, codicioso como un niño—. Entrégate.

Sus besos la obligaron a volver la cabeza hacia la carreta. La peluca se deslizó y él la empujó para apartarla. Cayó una única trenza larga y densa, sujeta por un cordón que él soltó. Rosie se estremeció al sentir el tirón de los dedos peinando su pelo, soltando la trama que mantenía la abundante melena marrón tan sujeta, y la besó como disculpa. Volvió a besarla mientras creaba su propia trenza: los dedos y aquel pelo enredados para mantenerla cerca, sujeta como si pudiera salir corriendo.

—Más.

Como si eso fuera posible. Como si sus rodillas pudieran sostenerla siquiera. Con la otra mano, Anthony le levantó la gorguera de tul y recorrió su cuello, luego ahondó bajo el corsé inexorable del corpiño y ocupó su mano con aquel cuerpo. Ella gimió cuando el pulgar le rozó el pezón y él murmuró.

—Ese gemido. La serenata de mi amante. Mi amante.

El tono de su voz la inundó con aquella satisfacción de su anfitrión, y esa satisfacción fue como un jarro de agua fría. ¿Qué estaba haciendo? Abrió los ojos y la humillación le abofeteó la conciencia.

La brillante luz del sol iluminaba cada rincón a su alrededor, les iluminaba a ellos también. Cualquiera podría verles.

—Nadie puede vernos. —Tony leyó su mente, suavizó su voz grandilocuente hasta dejarla en un suave canto—. Utilizo mi cuerpo para bloquear la visión a cualquier entrometido que dirija su mirada hacia aquí.

Su seguridad simplista sólo sirvió para desatar más indignación.

—¿Utiliza su cuerpo? —Casi se atraganta—. Sí, claro que lo utiliza, bien dicho. El cuerpo de un truhán lameculos, un apestoso bribón con cerebro de garrapata. —El deseo se mezclaba con la furia, ¿o tal vez era lo mismo? Le dio un manotazo—. Aparta tu pata leprosa de mí si no quieres que saque el puñal y te la corte de cuajo hasta el codo.

Aunque el aristócrata endureció el mentón, no consiguió contener una risita:

—Calma, cielo, mis intenciones no pueden ser mejores.

Su diversión la convenció. Se había comportado como una desgraciada de los muelles. Entonces cerró el puño y le soltó un puñetazo en el cuello.

Él apartó la cabeza hacia atrás y el golpe sólo le alcanzó el hombro. El relleno de la manga desvió la fuerza, pero impaciencia y asombro competían por la supremacía en su semblante.

—Un matrimonio así es lo que deseo, créeme. Esta irritación exquisita que te domina —le tocó con los dedos el pecho— yo la podría curar con facilidad.

Ella le apartó la mano impúdica y consiguió salir de debajo de su sombra. Anthony la siguió con una mano estirada mientras ella recogía su peluca.

—¿Qué habitación te han asignado mis criados? —preguntó—. Sólo con que me lo confieses, la encontraré esta noche. Y te satisfaré con tal entrega que hasta los amores del propio Apolo envidiarán tu buena suerte. Vamos, querida dama.

Rosie se encontró la insistente palma de su mano bajo la nariz; su atractivo era tal que notó la debilidad pese a la rabia creciente.

—Pon tu mano en la mía y sellaremos nuestros destinos para toda la eternidad.

—¡Locura! La luna le hace perder la cabeza, ya no sabe lo que dice.

El ataque no le disuadió en absoluto, le siguió los pasos mientras ella se alejaba.

—¿Locura lunática? No, es locura de amor.

—Fiebre cerebral entonces —contraatacó.

—Fiebre amorosa.

—Es un chiflado y tendría que estar en el hospital de Bethlehem. —Se colocó la peluca en la cabeza, sin importarle que su propio pelo se viera revuelto por debajo, rodeándola como si ella fuera la lunática que acababa de declarar a él—. No sé quién se cree que soy, pero le aseguro —le rodeó, pero de nuevo encontró la palma de su mano extendida— que se horrorizaría —los preciosos ojos del caballero adoraban su semblante como nadie había hecho antes— al descubrir...

Él flexionó los dedos con gesto incitante y ella se quedó mirando aquella mano. La observó y deseó que no hubiera encendido aquella chispa en su ser. Porque seguía ardiendo, cálida y tentadora, y no sabía cómo sofocarla.

Pero sospechaba que él sí.

Con un grito incoherente, salió huyendo y corrió por el cuidado césped, convencida de que la seguiría.

Pero no fue así.

Dominando su impulso depredador, Anthony la observó correr y se rió a viva voz, luego se volvió y saludó a Jean con el brazo.

Su hermana levantó una mano cautelosa, y él regresó tambaleante hacia su mansión. Era una estructura impresionante, con tres plantas de piedra pálida, construida en forma de e mayúscula. La terraza con barandilla sobresalía a lo largo de toda la fachada frontal, y el tejado estaba decorado por chimeneas, estatuas y arcos. Una casa digna y excelente, para él y su dama.

¿Sería ella aquel fino bambú que acababa de huir?

Tal vez sí. Su aspecto no parecía demasiado estimulante desde lejos, aún peor tras un examen de cerca, pero besaba como un sueño y mostraba una confusión tan dulce que le había encandilado. Al fin y al cabo su juventud era su mejor aliado; el atuendo podía mejorarse sin problemas.

Sí, iba a disfrutar fingiendo haber encontrado su amor verdadero. Había disfrutado al encender el fuego en ella y enseñarle cómo prender la llama también en él. Cambió de postura con incomodidad.

Aún más fuego. Las medias calzas le llegaban hasta la rodilla y siempre se preocupaba de que fueran de su talla. Los bombachos cortos superiores, de delicada forma, los había cosido el mejor sastre de

Londres, pues su puesto en la Guardia de la Reina de vez en cuando requería esquivar el puñal de algún asesino o luchar en defensa de Su Majestad. Pero ambas prendas resultaban incómodas con la fuerza de su erección, qué extraño.

¿Tanto necesitaba una mujer? ¿O aquella sencilla muchacha tenía un don especial para desatar la pasión en los hombres insensatos?

Volvió a mirar hacia el punto por donde había salido corriendo, en dirección al escenario que los actores habían montado. Tendría que aclarar aquello, ¿no?

La obra había empezado, una breve pieza cómica para entretener a los invitados de buena cuna, para atraerlos junto a la grada y así luego disfrutar de la posterior actuación más larga. Una mirada rápida verificó que la muchacha se había esfumado. Ya lo había previsto así, pues ella intentaría evitarle a toda costa. Se lo permitiría hasta que necesitara defenderse otra vez de Honora.

Ocupando su lugar en un extremo de la concurrencia, Tony no se permitió mirar ni a izquierda ni a derecha; se limitó a sonreír con amabilidad a las muchachas casamenteras que le saludaban.

—¡Anthony! —La voz precisa de Honora habló cerca de su hombro—. Ven a sentarte conmigo en primera fila. Te he guardado sitio en el banco.

Dio un brinco como si se sintiera culpable de algo.

Maldita Jean por mencionar aquella unión diabólica. Hasta entonces era uno de los pocos hombres que trataban a lady Honora con ecuanimidad. Su cuerpo exuberante y sus propiedades inmobiliarias igualmente exuberantes atraían a muchos hombres incautos, pero un semblante poco sonriente, su postura tiesa y su falta de humor les arrojaban en brazos de muchachas más jóvenes y pobres. No había sido consciente de la tragedia hasta este momento en que ya se enfrentaba a la perspectiva de una lady Honora al otro lado de la mesa del desayuno y aleccionándolo con su voz rotunda sobre sus obligaciones. O peor todavía, la perspectiva de lady Honora echada en una cama, aleccionándolo sobre sus obligaciones.

La mujer estaba tan convencida de su superioridad que intimidaba a los mortales inferiores, y en aquel preciso instante le intimidaba a él.

Por irónico que pareciera, la misma característica que presumiblemente le había atraído de él iba a ser su ruina.

—Lady Honora, estoy muy cómodo aquí donde me encuentro.

—¡Tonterías! —Agarrándole con una fuerza poco elegante, le zarandeó—. Eres el anfitrión, es tu deber permanecer donde los invitados puedan observarte. Permíteme asesorarte en estas cuestiones, igual que me permitirás guiarte en la cuestión de tu matrimonio.

—¿Mi matrimonio?

—Conmigo. —Apoyó su estrecha mano en la manga de Anthony—. Jean me ha hablado de tus tontas objeciones, pero sé que eres un hombre lógico y estoy segura de que no tardarás en entender el buen juicio de mis planteamientos.

Mirando el tocado enjoyado que cubría la cascada de pelo rubio de la dama, se preguntó si tenía alguna posibilidad contra la determinación de lady Honora y su propia necesidad de prosperidad. Luego recordó a la chica misteriosa y cómo planeaba utilizarla. Sólo tenía que mantenerla en mente y los planes de Honora serían inútiles.

Lady Honora le examinó como si fuera un campesino reclutado por el ejército de Su Majestad. Sin importarle si alguien prestaba atención a la obra, habló en su tono normal.

—Pareces extrañado. Por supuesto querrás que la decisión de nuestro matrimonio sea idea tuya. A los hombres les gusta creer que son dueños de su destino. Pero entretanto, cumple con tus deberes de anfitrión y siéntate en el lugar que te he guardado.

Desbordado por la indignación, Anthony soltó:

—Al cuerno mis deberes de anfitrión y al cuerno...

El público se volvió en bloque y le hizo callar, como si sólo fuera él quien les impedía disfrutar de la obra. Los actores alzaron la voz con elocuencia intensificada para reclamar la atención debida.

Con su propia interpretación inigualable, lady Honora manifestó:

—Ya ves, tengo razón. Quieren que te sientes conmigo.

Volvió a tirar de él y Anthony cedió. Al fin y al cabo, ¿qué importaba dónde se ubicara o qué pensara? La obra avanzaba, pero su trama no podría competir con la que llenaba su mente.

Con muchos murmullos amables, se abrió paso entre la multitud, siguiendo la estela de Honora. En un rincón remoto de su mente captaba las risas que los dos intérpretes arrancaban a los espectadores. Estaba contento de que los actores mantuvieran entretenidos a sus invitados gimiendo apasionadamente por una dama sin corazón, Earlene.

Como si aquellos pensamientos la hubieran invocado, Earlene apareció en escena: la mujer que había besado, la mujer que había deseado, la dama que tal vez iba a cortejar. Salió al estrado y su aparición fue ovacionada con un rugido apreciativo del público.

¿La conocían? Echó un vistazo ansioso a su alrededor. ¿Era alguna dama de la nobleza que pisaba las tablas para hacer una broma?

Pero no, el aprecio del público era burdo e impersonal. Inmersos en la obra, esperaban ansiosos la siguiente frase. ¿Qué significaba todo aquello?

Volvió a mirarla y la vio con otros ojos. Había supuesto que era una dama acuciada por la pobreza y carente de gusto, pero ahora... Notó un retortijón en el vientre. Inclinándose hacia lady Honora, murmuró.

—¿Quién es ella?

—¿Quién es quién? —preguntó lady Honora con tono preciso y austero.

—¿Quién es —hizo un ademán con la cabeza— ella?

Perpleja, lady Honora siguió su mirada.

—Es la esposa que ha puesto los cuernos al marido.

—¡No! —Se pasó el dorso de la mano por los labios y lo intentó de nuevo—. Me refiero a quién es ella de verdad.

—¿De verdad? —Lady Honora se volvió—. ¿De verdad? Es... es un actor, de la compañía de sir Danny. ¿Por qué te...?

El resto de sus palabras se perdieron mientras él se incorporaba tambaleante. No llegó a oír los gritos de que se sentara ni notó los codazos de quienes se hallaban tras él. Sólo sabía una cosa.

Había besado a un muchacho. Había besado a un muchacho.

# Capítulo 5

No, no puede ser; no es cierto eso que has dicho,
lo has entendido mal.
—REY JOHN, III, i

*P*ero ¿de verdad era así?

Lord Bothey le dio en la rodilla desde la fila de detrás y Tony volvió a desplomarse sobre el banco.

¿De verdad había besado a un hombre?

El mero pensamiento le dio ganas de escupir, de subirse al escenario y mandar al otro barrio a aquel rematado capullo. Pero algo le detuvo. Algo no le cuadraba. Alguna evidencia, alguna pista que pasaba por alto...

Miró al actor declamando con atuendo de mujer y bajó la vista al suelo incapaz de soportar la visión. Apoyó los codos en los muslos y sus manos colgaron entre sus piernas. Sus manos ahuecadas, ahuecadas para sostener la forma del pecho de una mujer. Ahuecadas con la forma... volvió a mirar al escenario.

¡Ahuecadas para sostener sus pechos!

Sus pechos. No se trataba de un hombre haciendo posturitas y poniendo vocecitas.

Era una mujer.

Una mujer.

Lady Honora le susurró:

—¿Por qué suspiras y te agarras el pecho?

Tony había luchado en el ejército de Su Majestad, luego había estado varios años al mando de la Guardia de la Reina, y si algo le habían enseñado su experiencia y mundo era que los hombres tenían pechos peludos y las mujeres pechos sinuosos, y que aquella diferencia hacía mucho más placenteras las cosas.

Lady Honora le dio con el abanico.

—¿A qué vienen esas sonrisitas?

No obstante, ¿qué hacía una mujer interpretando a un hombre que interpreta a una mujer? Entrecerró los ojos mientras observaba al actor que se hacía un lío con las frases.

Lady Honora volvió a darle.

—Y ahora, ¿por qué frunces el ceño?

La chica no podía haber llevado a cabo ella sola esta mascarada. Alguien tenía que guardarle el secreto, pero ¿quién? ¿El rufián más joven o aquel viejo bribón gesticulante? ¿Era la fulana de la compañía o la amante secreta de un hombre feliz?

Lady Honora le pellizcó en el brazo hasta que hizo un gesto de dolor.

—¿Qué farfullas? No es natural.

No tenía un padre rico, no tenía una dote, no era tan joven como había imaginado y desde luego no podía ser virgen.

Aunque resultara ser una de esas mujeres que desata la pasión en un hombre, subyugándolo con su cuerpo, no podía hacerla su esposa, no podía tener hijos con ella. No podía dormir con ella, comer con ella, hablar con ella, porque si se casaba con una actriz, sería el hazmerreír. Tanta preocupación por labrarse un nombre y una reputación habría sido para nada. La reina le descartaría como a un pañuelo usado. La nobleza le miraría con desdén y diría «La sangre tira». La vieja historia de su condición ilegítima y tantos años de sufrimiento saldrían a la superficie una vez más. Todo el mundo volvería a tenerle lástima.

Dios, aquella lástima que le encogía.

—Tienes mal aspecto. —Lady Honora le puso una mano en la nuca y le empujó—. Pon la cabeza entre las rodillas a menos que quieras desvanecerte.

Miró a lady Honora, la compinche de su hermana, esa mujer que podía proporcionarle una dinastía, y se estremeció.

Alzó la mirada a la mujer del escenario.

Ni siquiera sabía cómo se llamaba.

Lady Honora retiró la mano y se apartó un poco.

—Estás ardiendo de fiebre. ¿Estás enfermo?

Había sido muy cauto toda la vida con lo que deseaba, sin permitir que las circunstancias físicas se impusieran a su buen juicio. Se había reído de los hombres que languidecían por una mujer. Eso se había acabado. Le arrebataría la actriz al hombre que la mantenía, fuera quien fuese, y se la quedaría él.

Pero si tenía hijos con ella —los músculos de su garganta se comprimieron, apenas podía respirar—, si tenía hijos con ella, les condenaría al mismo infierno que había endurecido y curtido con ampollas su piel juvenil.

No podía tenerla. De modo alguno, no podía tenerla, y la aguda sensación de pérdida le dejó sorprendido y atónito.

—Anthony. —Lady Honora se levantó y se sacudió las faldas—. Si consigues dominarte como para ponerte en pie, debes cumplir con tus deberes de anfitrión, pues la obra ha finalizado.

Estaba observando el escenario, se dio cuenta, mirando a la mujer que ahora hacía una reverencia con una mano sostenida por el pobre viejo, la otra sujeta por el truhán obsequioso y sonriente, quien tenía aspecto de saber usar tanto el puñal como el garrote.

Avergonzada y mortificada, Rosie intentó soltar su mano de la palma sudorosa de Ludovic, pero éste se la agarraba con fuerza. Intentó soltar la mano de los fríos dedos de sir Danny, pero la sujetaba con firmeza. Intentó volver el rostro para librarse de la mirada perforadora de Tony, pero él tampoco la soltaba.

Tony parecía furioso. ¡Furioso de verdad! Su cejas rubias se unían sobre la nariz, los orificios nasales blancos del torvo gesto, y sus labios carnosos afinados hasta formar una línea. Cuando bajara por fin del escenario, él iría por ella como el moho al pan rancio. Tenía que advertir a sir Danny, tenía que decírselo.

Intentó soltarse otra vez de Ludovic, pero él no cejaba, retorciéndole los dedos hasta hacerle daño, y al final le miró.

Ludovic sonreía, pero no a ella. Observaba a Tony tan fijamente como éste la había observado a ella. Tony se levantó del banco con un movimiento fluido, flexionó los hombros y puso la mano sobre el puñal en su cinturón. Ludovic sonrió y copió el gesto. A los aristócratas que observaban el intercambio se les escapó una risa y Rosie aprovechó la distracción para liberar por fin su mano.

Ludovic se volvió hacia ella con un siseo, pero sir Danny la apartó ayudándola a bajar del escenario. Menos mal, pues le temblaban tanto las rodillas que temió caerse. Como siempre, la *troupe* se había reunido en un extremo de las tramoyas, pero sir Danny no se detuvo a recibir sus elogios, y la atmósfera funeraria confirmó los peores temores de Rosie: su actuación había sido un espanto. Peor que eso, peor de lo habitual.

Se apresuró tras sir Danny mientras se dirigían hacia la gran casa.

Un músculo se agitaba en la mejilla de sir Dann, y quien intentó hablar un par de veces. Al final soltó:

—¿Qué ha sucedido?

—Es que... —La mirada acusadora de Tony inundaba su conciencia—. Entré en pánico, supongo.

Sir Danny andaba más rápido, trillando la hierba con cada pisada.

—Pero ¿por qué?

—No sé. —Sí lo sabía, al menos un poco, pero no quería dar explicaciones. Sir Danny le recriminó que le asustaran las emociones, y era cierto. Temía darles rienda suelta, incluso en el escenario, porque serían más fuertes que su voluntad y la dominarían. Y sir Danny la había estado observando desde el momento en que las carretas habían cruzado el límite de los terrenos ondulados de esta finca, esperando en cualquier momento una reacción así.

¿Qué sabía él sobre las emociones que brotaban en su interior y amenazaban con estallar? Incluso el trauma del primer beso parecía nimio al lado de la reacción que provocaba en Rosie esta propiedad, esta finca, este lugar. Sin querer revelar gran cosa, confesó:

—Odyssey Manor me da escalofríos.

—¿Odyssey Manor? —Sir Danny se detuvo y miró a su alrededor—. Pero si es un lugar hermoso.

Rosie, a su pesar, miró también a su alrededor. Habían segado el césped con guadaña al final del verano y se extendía en torno a la casa solariega con un remolino de oro seco y verde claro. Había robles, tanto grandes como pequeños, dispersos caprichosamente para dar sombra en verano, y a un lado de la casa se elevaba un seto que cerraba el jardín de diseño formal.

*Un día de primavera, una comida servida sobre un mantel, un hombre riendo con voz profunda. Salchicha de ajo, hierba aplastada, capullos de lilas. La corteza del árbol le raspaba las manos, una mano la sostenía mientras trepaba.*

*Cógeme, papi. Agárrame cuando salte.*

—¿Dónde estás, Rosie? —preguntó sir Danny.

Su voz la hizo regresar al presente.

—Aquí, aquí estoy. —Le dolía el corazón e intentó aliviar el dolor con un masaje en el pecho—. Supongo que este lugar me fastidia por nuestro plan de chantajear a sir Anthony Rycliffe. O tal vez estoy teniendo una premonición.

—Nunca antes las has tenido.

El frío de la voz de sir Danny era equiparable al frío del viento.

—Este lugar me resulta familiar.

Sir Danny se mostró más afable.

—¿Familiar?

—Como si hubiera estado antes aquí. —Rosie intentó reírse, pero en vez de ello miró hacia la gran casa, la armonía de piedra y vidrio atraía su mirada—. No hemos estado antes aquí, ¿verdad?

—La compañía nunca ha estado aquí. —Sir Danny se encorvó para colocarse en la línea de visión de la muchacha—. Por supuesto que no. ¿Cómo iba a funcionar nuestro plan si hubiéramos estado antes aquí?

Ella se sacudió aquella sensación misteriosa de intimidad que creaba el jardín, la casa y su propia imaginación.

—Nuestro plan no es tan buena idea. Tony... sir Anthony no es un hombre con quien se pueda jugar.

Sir Danny se apartó unos pocos pasos de ella y la estudió como un artista considera un cuadro.

—¿Sir Anthony?

Una voz áspera interrumpió su escrutinio.

—Rosencrantz se siente intimidado por sir Anthony, ¿no le parece, sir Danny?

Rosie se giró en redondo y se encontró de cara a Ludovic, quien continuó:

—¿Por qué no pregunta a Rosencrantz por qué sir Anthony se merece tanto respeto?

—No sé a que te refieres —replicó ella.

—Le dio un beso. —Era una acusación.

—¿Un beso? —Las cejas peludas de sir Danny se juntaron—. ¿Quién... Rycliffe?

—Nuestro apuesto anfitrión. —Ludovic escupió en el suelo, luego se pasó el dorso de la mano por la boca—. Le he visto. Ha besado a esta monada de Rosencrantz.

—¿Tal y como besa un hombre a una mujer? —preguntó sir Danny.

Ludovic se limpió las palmas en los costados del pantalón.

—Sin ninguna duda.

—Rosencrantz, ¿es eso verdad? —preguntó sir Danny.

Ella se encogió, no tenía intención de contárselo, no se lo quería contar a nadie. Algo le impedía confesarlo; el temor a ser señalada por sus dedos y sus risas o a que la acusaran de incitar las relaciones íntimas. O tal vez sólo era la sensación de privacidad femenina... Algo prohibía su confesión.

—Sir Rycliffe me tomó por otra persona.

—¿Por alguien a quien podía besar? Estoy bastante confundido.

Y sir Danny parecía de veras confundido. Rosie nunca le había visto así, pero también parecía encantado.

—¿Confundido? —preguntó Ludovic—. ¿Por qué confundido? Es obvio que sir Anthony Rycliffe ha visto lo que pocos adivinan.

La confusión y el deleite de sir Danny se derritieron; asumió la fachada melosa habitual en él. Rosie intentó seguir su ejemplo, pero tuvo que ocultar tras la espalda sus dedos de pronto temblorosos.

—¿Qué quieres decir? —Sir Danny dio un paso y se situó al lado de Ludovic, quedando ridículamente bajo a su lado. No parecía darse cuenta de aquel detalle, pues ordenó—: Habla, rufián, ¿qué crees que ha visto sir Anthony?

—¿Cree que no tengo ojos?

Ludovic devolvió una mirada hostil.

—No, creo que no tienes cerebro —dijo sir Danny.

Rosie intervino:

—Por Dios misericordioso, sir Danny...

Sólo sirvió para que Danny alzara más la voz.

—Sir Anthony no ha visto nada. ¡Nada!

—Lo ha visto, y yo sé el qué.

Ludovic miró fijamente el seno de Rosie.

Con gesto aparatoso, sir Danny indicó la carretera que se alejaba de la finca.

—Ahora te digo que te vayas. Llévate tus mentiras. Déjanos y deja la compañía, no te necesitamos. Así que ponte en marcha.

Ludovic permaneció en su sitio con las manos colgadas a los lados, mientras contemplaba primero a sir Danny y luego a Rosie. Parecía librar una batalla consigo mismo, una batalla perdida en las llamas del fuego primigenio. Con un repentino movimiento, rápido como un rayo, levantó a sir Danny del suelo cogiéndole por la parte delantera de su jubón relleno. Rosie le agarró el brazo, pero ni su asimiento ni el pataleo de sir Danny hicieron oscilar al gigante maltratado.

—¡Suéltame de una vez! —exigió sir Danny, y Ludovic le sacudió como un terrier a una rata.

Sus músculos de acero se doblaron bajo los dedos de Rosie cuando ésta se los clavó en la carne.

—Bájale, Ludovic. ¡Ahora! —El miedo estremeció su voz—. Bájale Ludovic. —Le pisó el empeine con su zapato de tacón, y él soltó un aullido afligido y le dio un codazo en el hombro. Rosie se desplomó sobre el suelo, con el brazo inmovilizado y una sensación punzante en la clavícula a causa del impacto, y Ludovic dejó caer a sir Danny.

—¿Te... te has...? ¿Te he roto algo? —Ludovic se arrodilló a su lado y estiró el brazo, pero ella se apresuró a retroceder con un gemido.

Entonces se quedó paralizado, luego se miró las manos y las volvió una y otra vez, como trozos de carne sobre una parrilla.

—¿Puedes ver la sangre en ellas?

Ludovic estaba obsesionado con mantener sus manos limpias. Ella nunca había entendido el porqué. Ahora temió entenderlo, y la lástima y el miedo le revolvieron las entrañas.

—¿Sangre? No. Tienes las manos limpias.

Él sostuvo una de sus manos cerca de su mejilla y casi la toca.

—Nunca te había tocado ningún hombre, me gusta eso. —Al ponerse en pie, elevándose sobre sir Danny aún hecho un lío sobre la hierba, intentó comportarse otra vez como el actor estoico que reservaba sus emociones para el escenario—. Sea lo que fuere eso que yo no he visto, confiad en que nadie más lo haya visto o habrá problemas, y cuando surgen problemas yo me ocupo de ellos en serio.

Rosie le observó alejarse a buen paso y entrar en una de las carretas de gitanos, luego miró a sir Danny que se sacudía el polvo mientras decía:

—¡Bien! Está claro que le he dado una lección. No volverá a mostrarse tan insolente.

Pero ella advirtió que no se ponía en pie, y se preguntó si también le temblarían las rodillas como a ella. Flexionando un poco el hombro, se lo masajeó y consiguió recuperar la sensibilidad en el brazo, al principio tan sólo un hormigueo.

—Él lo sabe.

—Eso me temo.

Tiró de las briznas de hierba bajo sus dedos.

—Es un milagro que nadie más lo haya notado.

—No es un milagro, sino buena planificación. Siempre he formado a nuevos actores y luego los he promocionado por los escenarios londinenses. Siempre los mejores, ahí están los éxitos, pero no hemos mantenido a ninguno lo suficiente para no levantar sospechas. Excepto Ludovic. —Sir Danny se friccionó el hombro palpitante—. Tienes una magulladura fea. Será nuestra excusa para que no salgas a escena.

—¿Qué? —Machacando el puñado de hierba con su puño, preguntó—: ¿Por qué?

—¿Acaso no es verdad lo que ha dicho Ludovic? Has puesto tal cara de culpable que he dado por supuesto que sir Rycliffe sí te ha besado.

Ella se tapó la boca como si quisiera ocultar la evidencia, luego se percató de su error cuando unos trozos de hierba seca se pegaron a sus labios.

Sir Danny soltó una risita mientras ella farfullaba intentando librarse de la paja.

—¿Te ha gustado?

—¿La hierba?

—El beso.

—Él me ha tomado por una dama de la nobleza.

—Y luego te ha visto sobre el escenario. —Sir Danny asintió pensativo—. No es de extrañar que se levantara al ver tu entrada. No es de extrañar aquella mirada tan torva. Cree que ha besado a un chico.

El recuerdo de una mano cálida rodeando su pecho provocó una sacudida en Rosie, que musitó:

—Es posible que se haya percatado de nuestra farsa. —Cuando entendió todas las implicaciones se le iluminó el rostro—. ¡Ha descubierto nuestra farsa! —repitió—. Tendremos que marcharnos al instante.

—¿Por qué?

La pregunta de sir Danny primero la dejó muda, luego asombrada.

—¿Qué quieres decir, por qué? Porque sabe que soy una mujer. No queremos que nadie lo sepa, ¿recuerdas? ¿No estamos quebrantando las leyes y las tradiciones de Inglaterra? Si alguien lo descubre, iremos a prisión, nos remojarán y nos pondrán en el cepo, nos azotarán por las calles...

Él miró a su alrededor.

—Aquí no hay muchas calles.

—Aquí no hay...

No encontraba las palabras.

—Tenemos al joven Alleyn Brewer para los papeles de mujer.

—¡Pero quiero hacerlos yo!

Sir Danny le dio una palmadita en la mano.

—Te reservo para un papel mucho más importante, ¿recuerdas? El papel del heredero desaparecido.

—El heredero era un chico.

Él se acarició el largo bigote y la contempló.

—¿No lo era? —insistió ella

—¿No era el qué?

—No era el heredero un chico, ¿eh? —repitió.

—Te pondrás ropa de hombre a partir de ahora.

Ella gritó:

—Pero Tony lo sabe.

Él no hizo ningún comentario sobre aquel uso familiar del nombre de pila de Rycliffe.

—Quiero lo mejor de ti, tu mejor actuación.

—¡Pero me ha tocado una teta!

Restando importancia a aquel detalle, Danny hizo un ademán y dijo:

—No es para tanto, esa tetita tuya. Sería otra cuestión si estuviéramos hablando de Tiny Mary; estaría ocupadísimo con las manos llenas. —Se rió socarronamente—. ¿Manos llenas? Nunca mejor dicho. —Al observar la mirada concentrada de Rosie, se apresuró a seguir hablando—. Todo el mundo creerá que eres un muchacho. Date un garbeo delante de sir Anthony, conviértete en su mejor amigo, descubre sus secretos. Pavonéate y date aires, haz la corte a las mujeres...

Rosie manifestó su opinión subrayando las palabras:

—Sir Danny, esto es una completa locura.

Él sonrió, con esa sonrisa dulce que reservaba sólo para ella.

—¿Alguna vez me he equivocado al juzgar una situación?

Contando con los dedos varias situaciones, respondió:

—Insultar a Ludovic parece un error, si pienso en ello, igual que amenazar a Essex y a Southampton. Y eso sólo este invierno. El verano pasado, te pilló el marido de aquella posadera y casi acabas castrado. Luego...

—Quería decir, ¿alguna vez te ha preocupado que te traicionara con gestos o palabras?

—Nunca.

—¿Te he pedido antes alguna vez que hagas algo por mí?

La respuesta llegó más lenta esta vez.

—No.

—Entonces confía en mí y haz lo que te digo. Edward Bellot, lord Sadler, y su heredero desaparecieron años atrás, y Rycliffe se quedó con su finca. Es sólo el hijo bastardo de un noble, no es más importante que nosotros. Puede permitirse compartir un poco su riqueza.

Ella negó con la cabeza. Nunca había oído hablar a sir Danny con tal temeridad. Era el hombre que le había enseñado a ser caritativa dando de cenar a los niños que pasaban hambre, menospreciando sus propias ganas de comer. Le había enseñado a ser sincera con el ejemplo de su propia honestidad, a respetar a los demás elogiando sus logros. Había sido su sostén y ahora empezaba a perder pie, dominada por la confusión.

—Pero afirmar que soy el heredero de esta finca y pedir una compensación a cambio de no reclamarla es poner en duda su titularidad.

—Un plan inteligente, en mi opinión. Tienes la edad exacta para ser el heredero.

—Sir Anthony no me parece el tipo de hombre que vaya a pagarnos por una afirmación tan pobre, sin pruebas sólidas. Aparte, sabe que soy una mujer, no el muchacho desaparecido.

—Rycliffe hará lo que yo le diga. Le he investigado y hará cualquier cosa por conservar esta finca, cualquier cosa. —Los hoyuelos de Danny aparecieron fugazmente, pero ella debió de evidenciar su decepción, porque él estalló—: ¡Oh, piensa en mí por una vez! Esto te dará una seguridad si me sucede algo, pero sobre todo serán unos ahorrillos para mi vejez. No hay nada más patético que un viejo actor consumido, mendigando por la calle.

—Eso no sucederá nunca —protestó ella—. Eres sir Danny Plympton, el mejor actor de todos los tiempos.

El hombre sacudió la cabeza y su melena morena le cayó sobre los hombros.

—Sí, lo soy, y éste va a ser el mejor papel que interprete. —Se levantó sacudiéndose la hierba del trasero—. ¿Harás lo que te diga?

Infeliz, pero obediente, ella asintió.

—Buena chica.

Se alejó a buen paso y Rosie se estremeció bajo la fría luz del sol. Había pensado que lo que Tony sabía ahora la liberaría de este enredo, pero sir Danny estaba dando muestras de una inconsciencia notable. ¿De verdad era tan poco atractiva?

Bajó la vista a su corpiño.

No se parecía al pecho de los hombres que ella conocía, pero tampoco había visto tantos. En el mundo desordenado del teatro, sir Danny se había asegurado de mantenerla aislada. Permanecía en la carreta a solas la mayor parte del tiempo, mientras los otros se juntaban por las noches para beber e ir con mujeres. A ella le irritaba tanta restricción, pero la vida con sir Danny resultaba lo bastante emocionante como para satisfacer sus sueños de aventura.

Sin duda era el motivo de que notara aquel hormigueo de aprensión ante la perspectiva de quedarse en este lugar. Quería alejarse de Tony y de ese anhelo secreto y dulce que le inspiraba, pero, sobre todo, quería alejarse de Odyssey Manor, de esa casa que le daba la bienvenida.

La bienvenida a Rosie.

La bienvenida a su hogar.

Tío Will escribía sobre gente como ella, gente al borde de la locura que huía de sus vidas plebeyas a través de los laberintos torturados de su mente.

Toda su vida había querido tener un papel. Había deseado que sir Danny se sintiera orgulloso, se había imaginado los vítores de la multitud mientras ella provocaba su risa y llanto, haciéndoles percibir su propia mortalidad a la vez que su propia inmortalidad. Era su sueño favorito, el que la tenía absorta normalmente.

Pero ahora este sueño no podía competir con la nostalgia enfebrecida que la poseía como una fantasía cobrando vida de un modo perverso.

Desde que se encontraba en Odyssey Manor la sensación de reconocimiento iba en aumento en vez de desaparecer. Se apoderaba de su mente y era más espantosa que el miedo escénico dominándola antes de una actuación.

—¡Eh! —El grito de un hombre la sobresaltó—. ¿Qué haces aquí? No dejamos a los ineptos de los actores andar tan cerca de la casa.

Alzó la vista y distinguió a un hombre canoso aproximándose hacia ella a gran velocidad. Llevaba la capa abrigada de los sirvientes de confianza, y debajo captó el destello de un jubón de cuero. Giraba los brazos en círculo como si anhelara usar los puños, de modo que Rosie tomó la precaución de esforzarse por ponerse en pie.

—Perdóneme, buen hombre. —El verdugado francés que llevaba bajo la falda se le enredó en el tacón e intentó soltarlo frenéticamente—. Me voy de inmediato.

—¡Lárgate!

—¡Es lo que intento!

Una vez soltó el tacón, probó a levantarse de nuevo, pero las pesadas enaguas armadas se lo impedían.

—¡Por el amor de Dios! —El hombre, destilando hostilidad por cada poro, le cogió la mano y la levantó de golpe—. Vamos, vete de una vez antes de que...

*¡No me dejes a solas con él, papi! Por favor, seré buena, no me dejes sola.*

Con un grito, Rosie echó a correr en busca de refugio, escapando a ciegas del lugar.

El terror de la muchacha se habría intensificado si hubiera vuelto la vista atrás, pues el hombre entrecano echó a correr un momento después en dirección opuesta, y un grito similar al de Rosie reverberó en los labios de aquel hombre.

# Capítulo 6

¡Usted, un hombre, carece de ánimo varonil!
—COMO LES GUSTE, IV, iii

*Y* ahora en qué andaba metida la muchacha?

Tony observó a Rosencrantz escabullirse hasta el exterior de los terrenos de Odyssey Manor, y la siguió con sigilo.

No porque le importara lo que hacía. En algún momento tendría que contar a todo el mundo la farsa nefaria que llevaba perpetrando en los últimos cinco días, pero era de lo más gracioso verla recorrer a buen paso los terrenos con aquel traje de muchacho. La moda actual de jubones rellenos dotaba a un hombre del perfil deseado en forma de vaina, pero también ocultaba los atributos de una mujer. Rosencrantz contaba con ventaja en ese sentido, igual que con la gran boina que le rodeaba el rostro y resbalaba obscureciendo primero el ojo izquierdo, luego el derecho, protegiendo siempre el semblante de un examen completo.

Y no porque él quisiera ver su rostro.

Pero ¿por qué Rosencrantz daba brincos e intentaba asomarse a las ventanas? Había hecho alguna indagación sobre ella, con sutileza por supuesto, y le dijeron que no había vuelto a poner pie en la casa solariega. Si estaba tan interesada, ¿por qué no entraba y sanseacabó? ¿Pensaba que alguien iba a cogerla para sacarla de allí por el pescuezo?

Tras la fuerte discusión mantenida con Hal, su encargado, Rycliffe había permitido que los actores ocuparan la zona inferior; en concreto, la cocina, donde ahora no paraban de comer. Los fríos años en casa de su madre le habían enseñado a ser generoso y hospitalario, y ahora le ofendía que esa tal Rosencrantz pareciera ver su hogar como algo asolado por una plaga que la afectaba sólo a ella.

No había dado instrucciones especiales en cuanto a la joven, aunque debería. Cualquier desvergonzada que besara a un hombre de su experiencia y le convenciera de su virginidad era una actriz maravillosa, incluso peligrosa. ¿Quién sabía de qué maldad podría convencer a otros en nombre de la inocencia?

Por eso la estudiaba, para proteger a sus huéspedes, a su personal y familia. De otro modo ni siquiera repararía en ella.

Por supuesto le divertía que pusiera voz grave, que gesticulara ampliamente y eructara tras cada trago de cerveza. No obstante, se quedaba corta en su imitación de un joven próximo a la mayoría de edad. Era una actriz atroz, tal y como había demostrado en su papel en la obra. Nadie podría creer que era un hombre, pero nadie prestaba la atención suficiente para ponerla en duda. Incluso Jean, tras dedicar a su hermano una mirada divertida y cómplice, se sacó a Rosie de la cabeza.

De hecho, si Rosie no tenía cuidado, acabaría cautivando alguna de las sirvientas a las que miraba. Eso sí resultaría divertido.

Bajó la mirada a su mano ahuecada, la mano que había tomado su pecho. Dio gracias a Dios por su impaciencia curiosa; si no hubiera sido tan temerario con ella, seguiría viviendo un infierno, convencido de que había besado a un muchacho.

¿Por qué Rosencrantz subía a hurtadillas por la escalera que llevaba a la galería?

La observó ascendiendo de puntillas, tomando tal precaución que nadie oiría ni una pisada; luego se detuvo cuatro peldaños antes de llegar a lo alto. Vaciló balanceándose arriba y abajo. Quería entrar, pero no lo hizo.

¿Y por qué no? ¿Por qué esta mujer, esta Rosencrantz, tenía tanto miedo?

Tony subió los escalones moviéndose como siempre había hecho, con paso firme, pero Rosencrantz seguía con la vista fija en la puerta. Al acercarse a ella, la oyó musitar mientras sacudía la cabeza:

—Serás insensata, y una loca también. Lárgate antes de que los dioses se enfaden contigo.

Se giró con tal brusquedad que sobresaltó a Tony. Con la mirada puesta en él, no se fijó en el escalón. Él se estiró para sujetarla, pero ella agitó los brazos como una loca y se cayó hacia atrás.

Se dio contra el peldaño y Tony pudo oír el crujido del hueso. La muchacha soltó un grito agudo al tiempo que se quedaba lívida.

—No te muevas —ordenó él.

Pero Rosie se agarró el brazo y se encogió de dolor.

—Permíteme. —Tony intentó tocar la extremidad afectada, pero ella la mantenía pegada al cuerpo. Había visto antes esta reacción, cuando estaba en Europa con el ejército. Soldados con dolor, que temían aún más dolor.

Y ella tenía motivos para estar asustada; habría que encajar el hueso. Él lo había hecho antes, pero era un procedimiento doloroso. Entablillar el brazo después la tranquilizaría. Pero primero tenía que meterla en la casa. Cogiéndola con firmeza por la barbilla, encontró su mirada:

—¿Te duele en algún otro sitio?

La chica gimoteó.

—Dime —insistió él—. ¿Te duele la espalda? ¿El cuello? —Le hizo mover la cabeza con cuidado—. ¿Las costillas?

Intentó palparlas, pero ella dio un respingo y gimió.

—¿Te-duelen-las-costillas? —Pronunció cada palabra por separado para que ella entendiera bien, pero la chica negó con la cabeza.

—Sujétate el brazo —dijo, y colocándose en su lado bueno, poco a poco la cambió de posición para poder agarrarla.

Agarrotada de dolor, Rosie volvió a gritar cuando la levantó.

—Lo siento, no era mi intención...

Contuvo otro chillido, y él sufrió por ella. Maniobrando a través de la puerta, entró en la casa a zancadas y se fue por la galería gritando:

—¡Hal!

Una doncella se apresuró a ir en busca del encargado, y Tony gritó tras ella.

—Dile a Hal que traiga vendas y tablillas.

Otro sirviente echó a correr por delante de Tony abriendo puertas. Una vez fuera de la galería, subió por la magnífica escalera curva que llevaba a los dormitorios. Allí Tony vaciló. Los veintisiete dormitorios estaban ocupados en su totalidad, tanto las grandes camas de dosel como las carriolas que se deslizaban debajo. A ninguno de estos invitados le haría gracia que instalara a un actor en medio. Aparte de eso, Rosencrantz necesitaría privacidad para sus necesidades personales..., más privacidad de la requerida por otros *muchachos*.

Pequeña embustera.

El único lugar donde podía instalarla era su antecámara, pero no tenía deseo alguno de tener a esa arpía bajo sus pies. La llevaría a la cocina para inmovilizar el brazo, y a partir de ahí la dejaría en manos de sir Danny.

Luego notó su propio cuello de terciopelo humedeciéndose. Rosencrantz había vuelto el rostro contra su jubón para ocultar el semblante atormentado por el dolor y esconder las lágrimas como un niño avergonzado.

Tony se encontró dejándola sobre el colchón de su propia cama.

—¡Hal! —gritó de nuevo.

—Aquí estoy, amo. ¿En qué puedo servirle?

Tony no alzó la vista ni siquiera al soltar los dedos del brazo bueno de Rosie que asían su cuello de tul.

—Uno de los actores se ha roto el brazo, necesito que se lo sujetes mientras yo lo encajo.

Siguió un silencio, un silencio lo bastante largo como para que Tony se volviera hacia la puerta donde se hallaba Hal.

—Vamos, hombre, que está sufriendo.

—¿Un actor? —Rosencrantz se había tapado el rostro con las mantas, pero Hal observaba la cama cuando ladró—: No se manche las manos así. Lo llevaré a la cocina y los otros criados se harán cargo.

Tony descartó aquella sugerencia como si no la hubiera pensado él mismo momentos antes.

—Lo haré yo personalmente aquí.

—Iré a buscar al cirujano-barbero.

Si Tony no le conociera, habría dicho que Hal estaba asustado.

Arreglando una almohada para apoyar el brazo, Tony respondió.

—Lo haré yo mismo.

—Iré a buscar entonces al cirujano-barbero para que le ayude.
—Hal extendió las manos y se le cayeron las tablillas y vendas que traía—. No soy más que un viejo y torpe mozo de cuadra y...

—Entonces habrás visto suficientes huesos rotos. Te quiero aquí.

Sin salir de su asombro, respondió a Hal con brusquedad, pero lo cierto era que nunca le había visto tan nervioso. Era un hombre estricto, desde luego, pero muy leal. Hacía lo que le ordenaban sin rechistar, sin evitar jamás el trabajo ni cuestionar las órdenes. Trabajaba en la casa con anterioridad a la llegada de Tony a Odyssey Manor, pero su lealtad fanática a la finca, y a Tony, su señor, le había ganado el puesto más elevado que un plebeyo podía ambicionar en la propiedad. Tony sabía que podría depender de Hal para cualquier menester, incluso guardar un secreto. Y Hal podría descubrir fácilmente el secreto de Rosencrantz mientras le encajaban el hueso.

—¿Es ese actor al que llamaban Rosencrantz?

La voz de Hal, ya grave de por sí, sonaba casi entrecortada.

—¡Por el amor de Dios, Hal! —Los lloros de la cama se habían convertido en quejidos, y esos lamentos agotaron la paciencia de Tony—. Trae esas tablillas aquí y empecemos.

Arrastrando los pies, Hal dejó el material sobre la mesilla situada junto a la cama y masculló:

—Es la venganza de Dios por mis pecados.

—Ya te voy a dar yo venganza si no... —Tony tomó aliento—. Yo me ocupo de la extremidad rota y tu aguantas el resto.

Hal estaba en pie mirado a Rosencrantz con indefensión, como si no supiera por dónde empezar.

—Sube a la cama y siéntate encima —ordenó Tony.

Poniendo una rodilla primero en el colchón, luego la otra, Hal se desplazó sobre la cama. Las amonestaciones de Tony no lograron darle prisa. Sostuvo las manos en el aire sobre las piernas durante un largo momento, desplazándolas arriba y abajo por toda su longitud como pájaros que no saben dónde posarse.

—¡Aquí! —dijo y cogió a Hal por las muñecas y las apoyó en las rodillas de Rosencrantz.

Como si aquello fuera una señal, la joven apartó la colcha. Tenía las mejillas hinchadas y manchadas de llorar. Dirigió una mirada al rostro de Hal y chilló. Tony se estremeció con aquel grito, que le provocó un escalofrío en la columna.

—No puede quedarse, papi. No me dejes a solas.

¿Un ataque? Tony la observó. ¿Qué locura era ésta?

Paralizado ante tal furia, Hal se quedó inmóvil, pero ella le golpeó con el brazo que no tenía herido.

—Apártate de mí, mal hombre. ¡Malo, lárgate!

Hal se abalanzó sobre ella. Con un bramido, Tony se adelantó de un brinco, pero Hal no la abordó, se limitó a taparle la boca con las manos mientras le decía:

—Voy a ayudarte, ¿entiendes? No te haré ningún mal. —Los ojos abiertos de Rosie observaban a Hal con desconfianza; entonces él repitió—: Juro que voy a ayudarte.

Poco a poco, bajó las manos, esperando un estallido. La señal de las manos relucía blanca sobre la piel enrojecida de la muchacha, quien respiró hondo varias veces, como alguien privado de aire. No obstante, inclinó la cabeza con aire majestuoso y estudió al hombre durante un largo momento. Luego contestó:

—Puedes ayudarme y luego no volverás a acercarte a mí.


—Pss. ¡Rosie! ¿estás despierta?

Intentó hacer caso omiso de sir Danny, intentó no salir del sueño, pero el comediante era conocido por su persistencia.

—Rosie, ¿cómo te sientes?

Sin abrir los ojos, preguntó:

—¿Cómo debería sentirme?

—Bueno, con el brazo roto y todo, igual no estás en condiciones de subir al escenario. —La estudió—. Pero tampoco es tan grave como para lamentarse, ¿eh?

¿Un brazo roto? Rosie abrió los ojos, miró a su alrededor por la lujosa alcoba y soltó un gemido.

Vaya, lo había hecho. Había intentado meterse a hurtadillas en la casa solariega y había conseguido lo que merecía. Un brazo roto y el orgullo destrozado. Lo último que recordaba era haber vomitado en una palangana, con la cabeza sostenida por el honorable sir Anthony Rycliffe. Ahora estaba echada en una cama, la cama más cómoda en la que jamás se había encontrado. Había tantas almohadas apiladas contra el cabezal que se había escurrido poco a poco hasta quedarse hecha un ocho en medio del colchón. La chimenea relucía con las llamas vivas que calentaban la habitación. Por todas partes había candelabros. Nada de velas baratas de sebo apestoso, sino velas de cera que desprendían una luz tan pura que se inquietó sólo de pensar en el gasto.

Al lado de la cama, sir Danny parecía más angustiado aún que cuando de niña tuvo pestis sudorosa.

—¿Duele?

¿Que si dolía? Todo le dolía. Le dolía el hombro donde Ludovic le había alcanzado, la espalda por el impacto contra las escaleras, le dolían las piernas y también la garganta de tanto llorar. Había habido gritos, además, aunque sin duda no había sido ella. Y el brazo... por todos los difuntos, su brazo palpitaba con un dolor punzante.

¿Que si dolía? Sí, todo en ella, por eso aún era más necesario un embuste.

—No demasiado.

—¿Puedo traerte algo? ¿Vino, cerveza, agua?

—No, sólo quiero irme a casa. Contigo —se apresuró a añadir cuando él fue a poner alguna pega.

Sir Danny, balanceándose sobre sus talones, enganchó sus dedos a los galones del jubón.

—¿Qué casa?

—La carreta —respondió ansiosa la muchacha. Al ver que no respondía, continuó—: Podemos recoger nuestras cosas e ir a Londres. Me ocultaré y tú podrás representar *Hamlet* para Tío Will. Harás casi tanto dinero como chantajeando...

—Se ocuparán mejor de ti aquí.

—¡No! No puedo quedarme aquí.

—Si sir Tony dice que puedes, es que puedes. —Sir Danny sonrió y le dio una suave palmada, tratándola como una inválida por primera vez en su vida y asustándola en serio—. No duermes cada día en la alcoba de un señor.

—Ésta no es la alcoba principal. —Descartando los músculos que casi rechinaban al moverse, usó la mano buena para indicar—: Es la de al lado.

—No, ésa es la antecámara.

—No, ahí es donde duerme el señor —insistió—. ¿No recuerdas? Cuando...

¿Cuando qué? ¿Qué le hacía pensar que ésa era la alcoba principal? Ni siquiera había subido antes aquí. ¿Era su convicción parte de la locura —o premonición— que la dominaba?

—Nada —continuó—. No te preocupes, he estado soñando. —*Soñando que había explorado cada centímetro de la gran casa*—. Entonces, ¿podemos irnos ya? Él me encajó el brazo y lo vendó, y apenas duele.

—Yo sé hacer desaparecer cualquier dolor —dijo sir Danny con voz tranquilizadora—. ¿Te gustaría que lo hiciera?

Le gustaría, sí, claro, pero tenía sus recelos.

—¿Luego me llevarás de vuelta a la carreta?

—Si te encuentras mejor...

Siempre se sentía mejor después de uno de los tratamientos de sir Danny.

—Por favor —insistió ella.

Sir Danny le cogió la mano y la acarició.

—Mírame. Piensa en que durmiendo el dolor desaparecerá. Imagina tu hueso, entero y fuerte, y que el descanso lo soldará.

Mirándole a los ojos, Rosie hizo lo que le decía. Pensó en el sueño y el descanso, luego imaginó el hueso curándose. Relajarse con el hechizo de sir Danny no era tan fácil como había sido en el pasado. Pero poco a poco la familiaridad y la rutina la conquistaron y cerró los párpados mientras escuchaba su voz tranquilizadora.

Tocándole un poco el rostro, él murmuró.

—El sueño te mece en sus brazos, te mantiene abrigada y segura, te da alivio y consuelo. Vas a dormitar aquí hasta mañana, y cuando te despiertes...

Rosie percibió la trampa demasiado tarde. Había prometido llevársela si se sentía mejor. Pero ¿cómo podía decirle que se sentía mejor si estaba dormida? Con esfuerzo, se libró del hechizo de su voz e intentó sentarse, pero al moverse todos sus músculos protestaron. Cayó hacia atrás y dos pares de manos la cogieron.

Las de sir Danny. Y las de Tony.

Miró a Tony y advirtió la inteligencia que afinaba sus rasgos, luego cerró los ojos. Tal vez si fingía que él no estaba ahí, desaparecería. Tal vez no hubiera oído sus divagaciones. Y tal vez no recordase su desgraciada enfermedad. Más importante todavía, tal vez pudiera ella olvidar su expresión decidida, tan similar a la expresión en su rostro justo antes de besarla al lado de la carreta.

Unas manos la levantaron y ahuecaron las almohadas bajo su cabeza, y entonces ella preguntó:

—¿Sir Danny?

—Haz lo que diga sir Anthony.

La voz sonaba aún más distante, volvió a abrir los ojos de golpe. El desdichado sir Danny se deslizaba hacia la puerta, la dejaba sola, a solas con él. Todo porque pensaba que estaba demasiado enferma para el insignificante y mísero carromato de gitanos.

—¡No te vayas!

—Volveré a verte mañana, Rosie. Pórtate bien. —Era una advertencia a un niño pequeño—. Y no llores.

—¡No lloro nunca!

Sir Danny cerró la puerta, dejándola con esta persona que la asustaba, en todos los sentidos.

Desde el instante en que había bajado del escenario, Tony se había comportado con indiferencia consumada. No obstante, todo eso parecía haber cambiado. Ahora la observaba con una sonrisa contagiosa mientras se recostaba en una silla al lado de la cama. Se había quitado la gorguera y el jubón, y llevaba la camisa de fino lino abierta por el cuello. Un destello de oro en el pecho captó la luz de las velas, creando una ondulación sobre la piel y el músculo.

—Parece que estamos condenados a estar juntos —dijo.

Rosie no estaba segura de cómo responder. El frío desconocido de las últimas jornadas parecía haberse desvanecido, igual que el seductor seguro que había conocido el primer día. De hecho, el seductor se había desvanecido del todo, tanto que ahora ella sospechaba que nunca regresaría... gracias a Dios.

—Me cae bien tu sir Danny. Es todo un bribonzuelo, ¿verdad?

—Tiene buen corazón.

—Oh, excelente. —Tony se mostraba alegre, para nada criticón—. Y te quiere como si fueras de la familia. Está pendiente de ti, también, porque nos ha encontrado antes de que hubiera acabado de ponerte el brazo en cabestrillo. Lleva horas rondando por aquí. He intentado convencerle de que lo mejor para ti era dormir, pero en cuanto le daba la espalda, te despertaba.

Eso quería decir que él había permanecido ahí también mientras ella dormía.

Tony se pasó la mano por su pelo corto, como si aquella circunspección en ella le tuviera un poco perplejo.

—Te llama Rosie.

—Diminutivo de Rosencrantz.

Él asintió con solemnidad.

—Eso sospechaba.

Al percatarse de su tonto comentario, Rosie sintió la tentación de responder al brillo en su mirada. Pero se resistió. ¿Quién era este sir Anthony Rycliffe de todos modos? ¿El amante gallardo o el aristócrata distante? ¿O era un embaucador que, como ella temía, ocultaba una inteligencia perspicaz tras la fachada cordial?

—Nunca se me habría ocurrido un apelativo tan noble para un hijo mío. —Alzó una ceja—. ¿Eres hijo suyo?

—Sí, hijo suyo. —Repitió para dar énfasis—: Hijo suyo.

Inclinó la cabeza y frunció el ceño.

—Extraño, pensaba que eras adoptado.

—Ah. —De modo que no estaba cuestionando su género, sino la línea de sangre. Por algún motivo, parecía más seguro afirmar que sir Danny era su progenitor, pero ¿acaso Tony no había advertido ya la verdad? Intentó recordar. ¿No había hecho algún comentario sobre sir Danny y cómo la quería casi como si fuera de la familia? Confundida, dolorida, miró por la ventana y advirtió la oscuridad.

Antes de que Rosie pudiera preguntar, él dijo:

—Son las doce. La hora de las brujas.

Lo dijo con tal énfasis que ella dirigió otra mirada afuera, medio esperando ver el semblante del diablo con una sonrisita lasciva a través del cristal.

—No debería mantenerte despierta cuando tendría que estar soñando en los brazos de Morfeo. ¿Quieres que te cante una nana para ayudarte?

Avergonzada, ella negó con la cabeza.

—Ah, me has oído cantar.

Consiguió arrancarle por sorpresa una risita. Rosie se tapó la boca con la mano como si quisiera retenerla.

Tony se puso en pie y empezó a apagar las velas, luego hizo una pausa.

—Sir Danny dice que te da miedo la oscuridad.

Sir Danny hablaba demasiado. No quería que Tony conociera sus puntos vulnerables, no quería tener ninguna vulnerabilidad.

—Los hombres no tienen miedo.

—No. —Desplazándose por la habitación, fue apagando todas las luces menos una, la vela de noche ajustada a un aplique tallado en el gran cabezal—. Los hombres, no.

El fuego de la chimenea danzaba como las lenguas de un dragón, absorbiendo la luz y transformándola en sombras. La oscuridad fría y hambrienta de noviembre estaba próxima, y Rosie se tapó con las mantas hasta el cuello.

Tony no parecía afectado por su inquietud.

—Mi cocinera, la señora Child, ha traído una infusión de corteza de sauce y jugo de amapola para aliviar el dolor, y me dará un azote si se entera de que te dejo sufrir.

Se le escapó otra risita. Rosie se percató de que debía de estar más cansada de lo que pensaba. ¡Pero la idea de la alta y digna mujer zurrando a sir Tony!

—Eso es una buena razón para no bebérmela.

—Cuánta maldad —aprobó él.

Se inclinó sobre ella de súbito provocándole un susto. La luz de la única vela alcanzaba el pelo dorado de Tony y lo transformaba en plata. Sus ojos brillaban como amatista pulida, y sus labios destellaban igual que dos piedras lisas que ella había recogido una vez en el arroyo y conservado como un tesoro. Él murmuraba preocupado como la madre que nunca había tenido, y luego se reía como el padre que no conseguía recordar.

¿Y había esperado Rosie ver al diablo fuera?

¡Qué mema era! El diablo estaba dentro de la alcoba, con ella, transmutándose en metales preciosos, recuerdos preciosos, expectativas preciosas de una chica que nunca podría convertirse en mujer.

—Bebe esto —le instó él.

Sobre el principio de una barba dorada, sus pómulos relucían como dos albaricoques sonrosados, perfectos en simetría. Sus orejas tomaban forma de ostras con revestimiento de concha de perla rosada. Su aliento tenía matices a menta y limones, su piel parecía miel en perfecta concordancia.

—Bebe esto —repitió— y te traeré un poco de caldo. Me miras como si pudieras comerme.

Con un sobresalto, se percató de que la cuestión no era si Tony era tan tentador sino que estaba muerta de hambre. Eso explicaba su fascinación. Eso explicaba por qué quería lamer su piel y ver si sabía tan bien como parecía.

Él le acercó la taza a la boca, y un fuerte olor la invadió nada más tocar el líquido sus labios. Intentó rechazarlo, pero Tony le sostenía el cuello y tuvo que tragarlo todo, no porque quisiera sino para escapar de su contacto.

Su contacto la quemaba, como el fuego, y de nuevo le vino a la cabeza el diablo.

—Qué espanto, ¿verdad? —dijo, y Rosie se preguntó cómo lo sabía. Pero estaba hablando de la poción.

—Te traeré el caldo de inmediato. Ayudará a que pase el mal sabor.

Se apartó de la cama y ella sintió un escalofrío. ¿Por qué si se quemaba con su contacto, se helaba con su ausencia? ¿Era su fuego una adicción, buscando adeptos con su belleza?

—¿Cómo consiguió sir Danny su distinción? —preguntó.

—¿Distinción?

Tony llegó con un cuenco humeante y ella se concentró en sus manos de ancha palma y dedos largos. Era un hombre grande, aun así sus manos parecían más grandes de lo normal, capaces de obras de beneficencia, pero concebidas para la tiranía.

—El señor Danny Plympton. ¿Quién le concedió ese tratamiento de honor?

Apoyó la cadera en la cama y le dio una cucharada, una grande.

Cuando ella recuperó el aliento, respondió sin pensar.

—Se lo inventó.

Tony soltó una fuerte risotada.

—Sí, me cae bien tu sir Danny.

Otra enorme cucharada, y Rosie se preguntó si podría arrebatarle la cuchara. ¿Se alimentaba él también de ese modo o todo esto era porque fingidamente era ella un jovenzuelo?

—¿Y cómo fue que te adoptó?

—Me dejaron al borde de un camino. —Extraño. Admitirlo le quitó el hambre; porque era verdad. Por lo tanto, le apartó la mano con firmeza—. Cuando tenía unos cuatro años.

—¿Te acuerdas?

¿Se acordaba? Sólo en sueños, y esos sueños eran demasiado dolorosos.

—No recuerdo nada.

—¿Ni a tus padres?

—¿Merecen llamarse padres? ¿Qué tipo de padres dejarían a una criatura morirse de hambre?

Él pareció meditar sobre su pregunta.

—¿Qué clase de madre se llevaría a un niño de su hogar querido?

¿A qué se refería? ¿Se atrevería ella a preguntar?

—¿En serio no quieres más? —Y agitó el cuenco bajo su nariz.

—No quiero más.

No más preguntas... ni a ella, ni planteadas por ella.

Tony no supo interpretar sus palabras.

—Llamaste a Hal *papi*.

—¿Hal?

—El hombre que te sujetaba mientras yo ajustaba el hueso.

¿Hal? Sí, se llamaba Hal, y había algo en él que la asustaba. Algo que esta noche era incapaz de afrontar.

—No recuerdo.

—Vamos. Puedo creer que no recuerdes a tus padres, pero hace muy pocas horas que te entablillamos el brazo. Debes recordar por qué le has llamado *papi*.

Tal vez nunca encontrara las fuerzas para explorar esos misterios. Tal vez sólo quería dormirse y no despertar hasta tener fuerzas para huir de este lugar.

—¿Por qué no le pregunta a Hal?

Tony examinó su rostro, luego apartó el cuenco. Enredó por la habitación mientras ella cerraba los ojos deseando que se fuera, porque la asustaba, y deseando que se quedara, porque tenía miedo si él no estaba.

—¿Rosie?

Rosie a secas, pero al pronunciar Tony su nombre casi pudo oler la primera rosa de la primavera y ver el rojo de su capullo. Su voz, tan cerca de su oído, la animó a abrir los ojos, a volverse despacio y mirarle a la cara. Él la observaba con relucientes ojos azules, labios un poco separados y la lengua tocando sólo el extremo de su boca, como un niño concentrado en una maicena deliciosa.

Ella también tenía los labios separados. Rosie recordó su única lección de besos y quiso otra. Él se inclinó hacia delante; ella se inclinó también hacia delante. Entonces Tony le hizo coger con los dedos algo frío y pesado, y susurró:

—Te concederé cierta intimidad para que puedas prepararte para ir a dormir.

Se alejó y cerró la puerta mientras ella observaba como una estúpida el vacío que él había dejado. Luego bajó la vista al regalo que le había dado.

Un orinal. Le había dado un orinal.

# Capítulo 7

Este amigo tiene la cordura suficiente para hacerse el loco:
Pues ingenio requiere cumplir sin tropiezos ese papel.
—NOCHE DE EPIFANÍA, III, i

*U*n orinal! Tony cerró la puerta con un ruidito seco. ¡Le había dado a Rosie un orinal!

Se dio con la cabeza con tal fuerza contra la sólida puerta de roble que se estremeció. ¿Dónde estaba el meloso seductor de hacía un año? El viejo Tony nunca habría dado un orinal a una mujer a la que deseara. Pero el viejo Tony nunca habría conocido a una mujer como Rosie. Una mujer que vestía atuendo de mujer y le atraía, y luego atuendo de hombre y le atraía.

Siempre le habían gustado las mujeres. Adoraba a las mujeres. Adoraba observarlas con sus faldas mientras caminaban con afectación por las calles. Le gustaba aprovechar su altura para asomarse por sus corpiños y ver las bellezas que sostenían. Le encantaba imaginar lo que había debajo de los petos y verdugados que alteraban su cuerpo. Le fascinaban las pelucas onduladas y sus zapatitos de tacón y el carbón que empleaban en las pestañas y los perfumes que se aplicaban sobre las extremidades. Le encantaban porque se comportaban como mujeres; mujeres que vivían para atraerle.

Ahora descubría que apreciaba a Rosie no por las cosas que hacía o las cosas que vestía, sino por la propia Rosie. Rosie contoneándose como un muchacho. Rosie dolorida con un brazo roto. Rosie con ropas de hombre.

Caramba, le gustaría aunque no llevara nada.

Gimió. Le encantaría que no llevara nada.

Y le había dado un orinal como muestra de su deseo; porque no quería que padeciera la incomodidad de tener que pedirlo, de tener que echarle de la habitación para poder usarlo. ¿Qué clase de hombre se preocupaba con tal consideración por una mujer?

Se dio con la cabeza en la pared, luego frotó la carne maltratada con los dedos. Qué carajo, ¿se estaba convirtiendo en un hombre sensible, la criatura más patética de todas?

Se alejó de un salto de la puerta como si quemara y enderezó los hombros. ¿Sensible? ¡Desde luego que no! Lo iba a demostrar ahora. Encontraría a algunos de los hombres de armas, bebería más de la cuenta, se reiría demasiado fuerte y soltaría todo tipo de ruidos corporales vulgares. Luego cogería el mejor caballo del establo y cabalgaría demasiado deprisa, se buscaría una camarera pechugona, le levantaría las faldas hasta las orejas y...

—Voy a entrar.

—Señora, de eso nada.

Iluminado sólo por las velas, el corto pasillo trasladó aquel conflicto hasta los oídos de Tony, pese a mantenerlo oculto a sus ojos. Se estiró y miró hacia la escalera que llevaba a la planta inferior, pero no alcanzaba a ver. Los dueños de las voces debían de encontrarse en la escalera, y la oscuridad que les envolvía también le mantenía a él encubierto.

—Exijo saber por qué sir Rycliffe ha estado toda la noche en su habitación.

Tony reconoció la actitud antes que la voz. Lady Honora.

—Pero ¿qué derecho tiene para tal exigencia? —dijo sir Danny.

—Soy la prometida de Tony —oyó decir de nuevo a lady Honora.

Tony se quedó boquiabierto.

—¿De verdad? —soltó sir Danny; sonaba pensativo.

Tony dio un paso en dirección a la escalera.

La respuesta de lady Honora le detuvo.

—Tal vez me haya apresurado en cuanto a este anuncio. Vamos a prometernos en matrimonio.

Tony retrocedió tambaleante. ¿Lady Honora? ¿Decir un embuste, verse descubierta y reconocerlo? ¿Qué le pasaba?

—Mejor que cambie de planes —dijo sir Danny en un tono tan noble y desdeñoso que incluso superaba al de lady Honora.

—¿Qué quiere decir con eso?

Tony repitió para sus adentros la pregunta de lady Honora. Sí, ¿qué quería decir con eso?

—Sólo una loca se prometería a sir Anthony Rycliffe ahora. Y usted, señora, no es ninguna loca.

Con gesto altivo, lady Honora ordenó:

—Explíquese.

Tony avanzó en la oscuridad con todos sus sentidos alerta.

—La posición de sir Anthony Rycliffe como favorito de la reina está en peligro; él mantiene la titularidad de estas tierras sólo por la gracia de Su Majestad, y entre la nobleza circulan rumores sobre el regreso del verdadero heredero a Odyssey Manor.

Tony se quedó helado.

—¿El regreso del verdadero heredero? —Lady Honora sonaba enfurruñada—. Yo no he oído ese rumor.

—Tal vez debiera hacer algunas indagaciones —contestó el actor—. En un asunto de tal importancia para su futuro, señora, sería prudente contar con todos los datos.

El silencio que siguió a esta afirmación era más elocuente que cualquier palabra. Lady Honora tal vez no le creía del todo, pero le hizo caso. Tony retrocedió cuando la aristócrata hizo aparición sosteniendo una sola vela. Luego se detuvo ante la puerta de su alcoba y miró el lugar donde supuestamente se encontraría sir Danny, entró en el dormitorio y cerró la puerta tras ella.

Desde su posición en el hueco de la escalera, Tony oyó una risa socarrona y triunfal, luego el golpeteo de los pasos de sir Danny descendiendo por las escaleras.

Mejor que el actor se hubiera marchado, reflexionó Tony con tristeza. Si se hubiera quedado, le habría cogido por aquel pescuezo escuálido para zarandearlo hasta oírle chillar como un pollo.

¿Quién era este sir Danny Plympton? ¿Era de verdad un actor, como afirmaba, o era un espía de la reina?

¿O peor, un espía de los enemigos de la reina?

¿O era un oportunista de la peor calaña, curtido en los bajos fondos, que tramaba sacar tajada aprovechándose de un hombre muerto y su hija desaparecida?

Tony miró la puerta de su propia alcoba y apretó los dientes con tal fuerza que la mandíbula crujió. ¿Explicaba eso la identidad de la mujer que ocupaba su dormitorio? ¿Era ella la clave de este misterio?

Porque si lo era, era su deber vigilar de cerca a la joven Rosie. Vigilar y controlar a la mujer que interpretaba a un hombre que interpretaba a una mujer... ¿que interpretaba a un heredero?


—Tony.

Tony echó una ojeada por la terraza donde el desayuno estaba servido y enfriándose. La brisa apenas levantaba el mantel blanco en esta zona protegida; la sal y la plata relumbraban con el sol de media mañana y los criados permanecían en pie con cuchillos y cucharas, esperando a que los invitados menos madrugadores se acercaran para comer algo.

Nada más oír la exposición insidiosa de sir Danny acerca del heredero perdido, Tony había ordenado personalmente la preparación de un festín deleitable. Sabía lo rápido que se propagaban los cuchicheos y sabía también que lady Honora seguiría concienzudamente el consejo de sir Danny e inquiriría sobre cualquier rumor. No obstante, lo cierto era que no habría tenido tiempo durante la noche y seguro que nadie más se había enterado aún... Eso esperaba.

—Tony.

Volvió a oírlo, un siseo entre los arbustos. Se acercó, apartó las ramas del acebo espinoso y vio el rostro surcado de lágrimas de una de las muchas candidatas a matrimonio.

¿Cómo se llamaba? Ah, sí. Blanche, la del puchero arrebatador y sonrisa demasiado fácil.

—Lady Blanche, ¿qué está haciendo ahí merodeando? Venga a comer algo.

—No puedo. Me marcho. Sólo he venido a comunicárselo. —Su barbilla tembló—. No creo una palabra, y aunque sea verdad siempre le amaré.

A Tony se le erizó el vello de la nuca. No podía ser. No podía haberse difundido tan pronto.

—¿El qué no se cree?

—Esa historia. —Ella levantó un pañuelo de encaje para secarse los ojos inundados en lágrimas—. La del heredero.

De pronto el aire pareció más enrarecido, y Tony tuvo problemas para inspirar hondo, pero sonrió con todo su encanto.

—¿Heredero?

—El verdadero heredero de Odyssey Manor. Le dije a papá que sólo era un rumor y que la reina seguía adorándole, ¿y cómo no iba a hacerlo? Y que aunque eso fuera cierto, podríamos casarnos y mi familia nos mantendría, pero no ha querido escuchar.

Gimió como una criatura a la que retiran la teta mientras Tony le daba unas palmaditas en la mano sin parar de maquinar. Maquinaba con la eficiencia y velocidad de un general ante una batalla que se altera mientras la observa.

Estalló en risas. Risas sonoras, divertidas... y forzadas, pero lady Blanche no se percató de eso.

—¿Otra vez circula esa vieja historia? —Se puso en jarras y soltó unas estruendosas carcajadas, de las que atraían la atención. El tipo de risa que sacaría a los invitados de sus escondites para poner la oreja—. ¿Y quién es el heredero esta vez? —continuó a gritos—: ¿Tal vez mi lechera? ¿Alguna noble empobrecida? ¿O alguna mujerzuela de Londres que ha oído la historia y quiere sacar algunas monedas?

Los invitados empezaron a salir por las puertas abiertas, atraídos por la comida y la explicación.

—Buenos días, hermano —le saludó Jean con un beso en la mejilla—. Estás pletórico esta mañana.

—Sí, he oído mi cuento favorito. —Sin duda había acudido a su lado porque también había oído los cuchicheos. Agradeciendo su apoyo, la abrazó efusivamente—. Una vez más.

—Buenos días. —Lord Hacker salió estirándose y bostezando como si en realidad no hubiera estado agazapado tras los tapices—. ¿Contando cuentos de buena mañana, Tony?

—Sí, este chisme del heredero perdido. ¿Quieres oírlo? —Tony se acercó y cogió un plato—. Lo he oído tantas veces que me lo sé de memoria.

Dos parejas más salieron, seguidas de un grupillo de candidatas todas vestidas con trajes de viaje. ¿Todos los invitados habían planeado escabullirse sin decir palabra?

—Fue una tragedia, Tony. —Jean también cogió un plato y lanzó una mirada instructiva a los sirvientes fascinados. Se pusieron tiesos al instante, sosteniendo las cucharas como soldados blandiendo mosquetes. Continuó hablando mientras se servía huevos y jamón en lonchas—: Lord Sadler y su hermana pequeña huyeron de su casa de Londres cuando un lacayo murió víctima de la peste, ¿no fue así?

—Sí.

Tony ofreció a lady Cavilham un plato, una inclinación y una sonrisa, y se sintió aliviado al ver que ella se la devolvía sin proponérselo.

Bien. Al menos no había perdido su encanto durante la noche.

Tomó el hilo:

—Huyeron a toda prisa, planeaban regresar aquí y cogieron sólo lo esencial que entrara en un carruaje. —Hizo una pausa dramática animando al resto de invitados a salir al exterior—.

Y desaparecieron; nadie volvió a verlos vivos.

—Me acuerdo. —Lady Caustun-Oaks, una mujer mayor cuyo rostro reflejaba una larga vida, asintió—. Encontraron el coche más tarde, ¿verdad?

—Despojado de sus guarniciones y sin caballos, con los cuerpos en descomposición de lord Sadler y la niñera de la pequeña en el interior, y el cochero no muy lejos.

Aquellos graves hechos libraron a la mente de Tony de sus preocupaciones personales.

El grupo de jovencitas gimoteó.

—Les ruego me perdonen —se disculpó—. Este relato sobre nuestra propia mortalidad no es una conversación para el desayuno.

—¿Les asesinaron? —preguntó una chica.

—Lo recuerdo también —dijo Jean, asintiendo a lady Caustun-Oaks—. Fue la peste lo que les mató, pero nunca entenderé cómo alguien tuvo coraje de exponerse al contagio y robar el equipaje, el dinero e incluso las joyas que los cuerpos llevaban encima.

—La reina quedó muy afectada por la pérdida. —Lady Honora salió a la terraza entonces, correcta y erguida—. Lord Edward era uno de sus cortesanos favoritos, y quería su anillo, el anillo que ella le había regalado, para guardarlo como recuerdo. Pero no estaba, había desaparecido igual que el ladrón que se llevó todo lo demás.

—Ojalá se esté pudriendo en el infierno.

Tony lo dijo de un modo que no sabría explicar. Cierto, el ladrón se había llevado una historia trágica y la había convertido en un misterio que seguiría desquiciándole el resto de su vida. Pero por encima de eso, el soldado que llevaba dentro despreciaba a cualquiera que se atreviese a robar los objetos de valor a cadáveres de difuntos honorables.

—¿Encontraron a la pequeña? —dijo lady Blanche, quien por fin había salido de entre los arbustos para participar en la conversación con la misma curiosidad atroz que las demás.

Tony le tendió un plato.

—Mejor que coma algo antes del viaje, lady Blanche. —Ella lo aceptó con una sonrisa vacilante, y él dijo—: No, nunca la encontraron ni tampoco su cadáver. Se supone que se perdió andando y murió.

Jean sacudió la cabeza.

—Es culpa del ladrón. Yo conocí a esa niña. Adoraba a su padre y él a ella. Nunca se habría apartado de su lado, ni siquiera tras su muerte. El ladrón tuvo que llevársela con él.

—¿Por qué? —preguntó lady Blanche, que agrandó mucho los ojos, e invistió de horror aquella incógnita.

—Tal vez la niña no estaba contagiada y él la vendió a la prostitución. —Lord Bothey apareció por la puerta y fulminó con la mirada a su hija—. Es lo que pasa a las chicas que no obedecen a sus padres.

Lady Blanche se quedó pálida, pero lady Honora se estiró cuanto pudo.

—Yo obedecí a mi padre cuando me casé y, para el caso, bien podría haberme vendido él a la prostitución. —El grupo soltó un resuello y los ojos de lord Bothey igualaron a los de su hija en tamaño y horror—. Por lo tanto, mejor que no asuste a la chica con esa amenaza, Freddie. Son unas tácticas de acoso muy desagradables.

—Cuanta razón, padre. —Meneando la cabeza, lady Blanche replicó—: Por lo tanto, voy a quedarme aquí.

—¡No lo harás! —rugió su padre—. Nos vamos de inmediato. Si la heredera huérfana ha regresado, este advenedizo de Tony perderá la finca y yo cargaré con un yerno indigente.

La compañía desplazó la mirada de lord Bothey a Tony, y no se sintieron defraudados por éste.

—Lord Bothey, olvida algunas cosas.

—¿Eh?

Consciente de que había sobrepasado los límites, lord Bothey se puso como la grana del bordado de su camisa y le fulminó con la mirada.

—Un criado regresó vivo de Londres: mi encargado, Hal. Le dejaron en Londres para traer los caballos, y dice que cuando lord Sadler y la niña partieron, ésta ya estaba enferma. Aunque se hubiera recuperado, y todos sabemos lo poco probable que es eso, no podía haberlo hecho sin los cuidados de alguien. Su padre murió, la niñera murió, el cochero murió, y nadie se habría llevado a una niña enferma de peste. Nadie está tan loco. Por lo tanto, el destino de la niña es un misterio. —Tras hacer una pausa, dejó que sus invitados asimilaran eso, luego añadió—: Nuestra bondadosa reina se quedó sumamente desconsolada por la pérdida de lord Edward y ordenó su búsqueda, sin abandonarla en años. Cinco años en concreto, lord Bothey. La finca estuvo vacía durante quince años en total. Sólo cuando quedaron despejadas las incertidumbres más profundas de Su Majestad, me transfirió esta propiedad. Imaginar la existencia de un heredero es dudar de la sabiduría de nuestra reina.

—Pues yo lo hago —farfulló lord Bothey—. ¡Ya está dicho!

—Por ese motivo —Tony se le acercó todo cuanto permitía el estómago voluminoso de lord Bothey sin fajas—, y sin que su hija tenga culpa alguna, no puedo pedir a lady Blanche que sea mi esposa. Un advenedizo como yo no se atreve a aliarse con una familia cuyo patriarca no confía en la monarquía.

Se oyó un silbido colectivo cuando la concurrencia contuvo la respiración y lord Bothey se quedó blanco:

—¡Nunca... me ha faltado la confianza en nuestra bendita reina! Jamás he mencionado que el trono de Inglaterra no debiera ocuparlo una mujer ni que vaya en contra de las leyes divinas y humanas. Nunca he sugerido tal cosa.

—Oh, papá.

Lady Blanche gimió desesperada.

—Yo de usted, lord Bothey —intervino Jean—, regresaría a Londres de inmediato y reiteraría a nuestra bendita soberana su confianza en ella. No le agradará enterarse de la resurrección de este rumor. Y no hace falta recordarle que usted no es precisamente su cortesano favorito. *Y mi hermano sí lo es* —añadió sin necesidad de pronunciar las palabras.

Tony miró a su alrededor, a los nobles consternados.

—Vamos, comamos y deseemos buen viaje a lord Bothey y a su familia. ¿El resto, supongo, se quedan?

Todo el mundo asintió al unísono, como una oveja muda que no se atreve a oponerse a su esquilador. Tony había contenido su huida con astucia y miedo, pues nadie se atrevería a provocar la cólera de Isabel dando validez a la charla del regreso de la heredera. Pero no conseguiría mantenerles aquí eternamente, lo sabía. Uno a uno inventarían excusas para escabullirse, deseosos de ver su caída, pero ansiosos de no verse implicados.

Este maldito rumor se había propagado muy deprisa. Demasiado deprisa. ¿Llevaría los últimos días corriendo o se habría propagado como la pólvora tras la sola mención de sir Danny la noche pasada? ¿Estaba repitiendo sir Danny algo que había oído antes o era el instigador de la historia?

La reunión social en su casa había llegado a su fin, pero la compañía de actores tendría que quedarse; hasta que Tony llegara al fondo del asunto. Y eso podía suponer un par de semanas o cuatro... Pensó en Rosie tumbada arriba en su cama y sonrió. Doce meses.

—¡Buenos días a todos! ¿No deberíamos agasajarnos mientras conservamos el buen apetito?

Ajena al trasfondo, Ann se hallaba en el umbral de la puerta y sonreía a la concurrencia.

—Desde luego que sí —reconoció Tony—. Y encuentro que mi apetito es muy bueno.

Aunque no se refería precisamente a los alimentos. Ansiaba saber más y, ¿no sería Rosie la mejor manera de obtener información? Por interés propio, ¿no tendría que interrogar a quien sospechaba que era el eje central de toda esta trama? Y si ella demostraba ser inmune a su interrogatorio sutil, ¿no tendría que torturarla para sacarle la verdad?

Oh, no literalmente, por supuesto. Él no torturaba físicamente a las mujeres. Las convencía con las armas de que disponía. Y en tal caso, la mejor arma a su disposición era... sus manos.

Bajó la vista a sus dedos, ahuecados de nuevo con la forma memorable del pecho de Rosie.

# Capítulo 8

Aquí traigo romero, que es bueno para recordar.
—HAMLET, IV, v

$N$o entiendo a Ofelia. Esta mujer da pena. —Rosie se puso un brazo sobre el vientre y lo sostuvo ahí como si hubiera comido demasiadas manzanas—. Quiero hacer de Laertes.

—Laertes es un papel importante en *Hamlet*, pero Ofelia es el eje central. La compañía necesita que encarnes a Ofelia, igual que ya has hecho de Beatrice y Hermia. —El cálido sol acariciaba a sir Danny y su pupila, sentados en la terraza, pero su explicación no atemperó la actitud defensiva de Rosie, y sir Danny rectificó—: Necesitamos que pongas más pasión que cuando interpretaste a Beatrice y Hermia. Es fácil convencer al público de que eres una mujer si eres una mujer en realidad. Es incluso fácil dilucidar correctamente, hacer gestos solemnes y captar su atención, pero has dicho que quieres hacerles reír y llorar.

—Así es.

—Llorarán por Ofelia. El príncipe que ella creía que la amaba la rechaza del modo más brutal, luego mata a su padre. Siente sus emociones: desesperación, angustia, incertidumbre.

Rosie le observó con solemnidad, escuchando, intentando absorber su conocimiento de actor, resistiéndose de todos modos a la tradición popular enraizada. Y a él eso le frustraba; era como intentar verter su sabiduría en un contenedor cerrado.

Acercándose más a ella, hasta que sus rodillas chocaron, tomó el rostro de Rosie entre sus manos.

—Es tan fácil, Rosie, para ti sobre todo. ¿No recuerdas cuando te rescaté de...?

—¡No! —dijo Rosie y apartó la cabeza de sus manos.

—...de ese carruaje pestilente en el que...

—¡No! —repitió, dio un brinco y se fue hasta el extremo de la terraza. Llevaba el brazo en cabestrillo, pero se agarró a la baranda con la mano libre y observó los campos. La mayoría de invitados de Rycliffe se había ido escalonadamente durante las tres últimas semanas, impulsados por las habladurías propagadas por el propio Danny, y la tranquilidad ahora era casi opresiva.

El rumor de cada hoja era audible al caer al suelo, igual que los pájaros llorando la llegada del otoño. Rosie también parecía lastimosa, pensó. Lloraba por una forma de vida que ahora llegaba a su fin. Ella lo sabía, aunque no lo admitía. Sólo sir Danny, el grande, el magnífico, entendía cómo iba a producirse ese cambio.

Detestaba hacerle daño, siempre lo había detestado, y por ello había dejado pasar sin explicaciones todos estos años de pesadillas, fingiendo que no sabía lo que las provocaba. Pensaba que las cosas mejorarían con el tiempo, y de hecho habían mejorado, pero las pesadillas existían aún para ella, rondaban en los extremos de su memoria, creaban sombras en su mirada. Y a veces regresaban con tal intensidad que se despertaba gritando.

Y se estaban produciendo con más frecuencia últimamente, desde la llegada de la compañía a Odyssey Manor. Sus interpretaciones también habían empeorado, como si temiera que los demonios de su mente fueran a apoderarse de su vida.

Sir Danny había acabado por pensar que tal vez, sólo tal vez, los demonios que ella encerraba la tenían a su vez cautiva. Habría que liberarlos para que Rosie fuera libre.

Había más cosas en juego que su interpretación sobre el escenario. Su vida estaba ahora en juego.

—Rosie. —Se fue junto a ella y le dio un apretón en el hombro.

—Hablemos de Ofelia, ¿te parece?

—Ya conozco la historia.

Nunca había estado tan cortante con él. Quizá lo hiciera porque le dolía el brazo, pero no lo creía. Probablemente fuera el temor profundo provocado por su primer roce con el deseo. Contuvo una sonrisa. Tal vez Dios aún considerara necesario castigarlo a él por su pecado de negligencia, pero también era un consuelo saber que Dios no le había infligido ninguna desgracia importante a Rosie.

O tal vez ella se sintiera desgraciada cuando Tony la observaba con concentración provocativa. El instinto femenino, sin duda, revelaba a la joven cuál era el motivo de su inquietud. Pero él la había protegido de los hombres y sus designios con la misma valentía que..., sir Danny se echó el pelo hacia atrás y arqueó el cuello: con la misma valentía con que el gran Zeus protegería a su propia hija. Por lo tanto, Rosie le creyó cuando él le dijo, movido por la desesperación, que los toqueteos de Tony no significaban necesariamente que se hubiera percatado de que era una mujer.

Tony se había percatado. Tony la deseaba. Pero por algún motivo desconocido, no la había delatado. No se lo había dicho a nadie, lo cual significaba que jugaba a su propio juego.

Cualquiera estaría preocupado por sus intenciones, pero no era su caso. Para él la incertidumbre sólo despertaba más el interés. ¡Qué instructivo ver cómo pensaba Rycliffe! ¡Qué estimulante jugar con un competidor tan excelente!

Por supuesto, saber que guardaba un as en la manga le daba aún más satisfacción.

—Ofelia es la hija de Polonio, el ministro del rey —dijo sir Danny—. Quiere a su padre, y también quiere a Hamlet, el príncipe.

—El amor le ha jugado una mala pasada —dijo Rosie.

—En verdad ha sido así. —Sir Danny dio la espalda al paisaje y se colocó sobre la baranda para sentarse donde pudiera ver el rostro de Rosie—. El príncipe Hamlet la toma con ella cuando descubre que su madre se ha casado con el hermano de su padre y asesino de éste.

—Típico de los hombres —masculló—. Culpar a una mujer de la perfidia de otro.

Sir Danny se levantó de repente.

—¿Te refieres a alguien en concreto?

—No. —Siguió una veta del mármol con su dedo—. ¿Todos los hombres sonríen con la boca en vez de con los ojos?

—¿Por qué lo dices?

—Parece que sir Tony y Ludovic lo hacen cuando están juntos, al menos cuando yo estoy con ellos.

—Ah, Ludovic. —Estaba resultando ser una complicación. Él jugaba con Tony, pero Ludovic era salvaje, el factor desconocido de la baraja. Aunque nadie le había invitado a la partida, hacía notar su presencia y también dejaba ver que conocía la verdad.

Conocía el secreto de Rosie, y la deseaba. Tal sospecha le hizo decidirse a llevar a cabo lo que tantos años antes hubiera debido hacer. Pero aún no encontraba el momento de revelar lo que había descubierto, y Ludovic pensaba que podía conseguir a Rosie.

Sin embargo, no era así, ella nunca estaría a su disposición. Era buena y pura, se encontraba tan por encima de Ludovic que para él era como atrapar una estrella. El mercenario también era consciente de ello en sus momentos de cordura, pero él había empezado a inquietarse por la cordura de Ludovic, o al menos por su fanatismo. Su hostilidad hacia Tony podría desembocar en una batalla.

Rycliffe era un hombre grande y musculoso, rebosante de salud, y además disfrutaba de una posición de poder, pero eso no quería decir que pudiera imponerse a un guerrero cruel como Ludovic que, como bien sabía él, peleaba para vencer. Igual que Tony.

Escogiendo con cuidado las palabras, sir Danny dijo:

—Ludovic quiere protegerte de cualquier amenaza. Tony quiere ser tu amigo. Ludovic no entiende que tú puedas hacer migas con Tony, por lo tanto, le preocupan sus intenciones.

—¿Cómo al hermano de Ofelia?

A veces le sorprendía su intuición.

—¿Qué?

—¿No es Ludovic como Laertes? Advierte a Ofelia que no se crea las declaraciones de amor de Hamlet. Ludovic me ha dicho que los aristócratas como Tony sólo fingen cuando mantienen una amistad con un actor. —Le dirigió una mirada—. ¿Es eso cierto?

—No siempre. —Sir Danny se animó—. Como bien sabes, el conde de Southampton es amigo de Will Shakespeare.

—Es su mecenas —contestó Rosie—. Y no hay duda que auspicia a Tío Will.

—Sí, bien. —Sir Danny se esforzó por dar con otro ejemplo, pero no se le ocurría ninguno—. ¿No crees que puedes fiarte de Tony? A mí me parece depositario de todas las virtudes.

—Eso es lo que me preocupa.

—¿Mmm?

—A mí también me lo parece.

Sir Danny volvió la cabeza para ocultar su expresión esperanzada.

—En mi opinión quizá Tony sienta cierta responsabilidad por ti después de ajustar tu brazo. El tiempo que has pasado en su habitación ha permitido que su afecto por ti arraigue y crezca. Es un caballero admirable. ¿No estás conforme? —Si todas las esperanzas más optimistas de sir Danny para Rosie hubieran cobrado vida se habrían encarnado en el propio sir Anthony Rycliffe.

Pero Rosie negó con la cabeza.

—No sé. Es muy refinado, pero bajo esa fachada presiento que hay un hombre diferente. Un hueso duro de roer. No es ningún tonto, sir Danny. Es como Hamlet; conoce la trama asesina que mató a su padre, no obstante se reserva esa información que lleva hacia el asesino.

—¿Y tú eres Ofelia debatiéndose entre tu amor por Hamlet y el amor hacia tu padre? —sondeó sir Danny.

—No quiero a Tony...

Sir Danny observó la ofuscación de la chica y pensó: *Pero estás a punto, querida mía.*

—...pero a ti sí te quiero, y puedo decirte que si insistes en llevar a cabo este plan de chantaje, Tony se parecerá a Hamlet más de lo que me gustaría.

—¿Quieres decir que matará a tu padre igual que Hamlet mató al padre de Ofelia?

—Temo por ti.

No dudaba de la sinceridad de Rosie, pero al señor Danny Plympton le protegía un destino divino.

—¿Y te volverás loca por no poder conciliar tu amor por tu padre y tu amor por el padre del asesino?

—Te lo digo, no quiero a... —Inspiró para recuperar la calma—. Si no queda otro remedio que realizar este chantaje maligno, ¿por qué no hacerlo de inmediato y acabar con el asunto? Una vez que los guardias de Tony nos expulsen de la finca, podremos arreglar las cosas y regresar a la vida normal.

¿Por qué no hacerlo de una vez? Un movimiento captó la atención de sir Danny, observó inmóvil a tres mujeres, dos morenas y una rubia, paseándose sobre el césped antes de entrar en el jardín.

—¿Danny? —Rosie sonaba un poco ansiosa, un poco confundida. La tranquilizó:

—Lo haremos pronto.

—¿Cómo de pronto?

—Pronto. —Se apartó de la baranda y la cogió de la mano—. En cuanto puedas hacer algo más que sólo *recitar* el papel de Ofelia.

Rosie soltó su mano.

—Ya no quiero ensayar más.

Se dio media vuelta echando chispas y descendió los escalones.

Desde el jardín, Tony estaba observando. La observaba, pero ella parecía no darse cuenta en absoluto.

A Tony no le gustaba aquello. Quería que ella estuviera pendiente de él todo el rato.

Parecía lo apropiado al fin y al cabo. Sus criados tenían instrucciones de informarle de cualquier movimiento de Rosie. Por lo tanto, aunque no se lo comunicaran, él conocía su ubicación aproximada en todo momento. Sólo con echarle una mirada, sabía qué pensaba Rosie, de qué humor estaba. Y le gustaba todo. Admiraba su carácter, respetaba su mente, deseaba su cuerpo y le gustaba ella.

A excepción de sus hermanas, no conocía a ninguna otra mujer que le gustara de este modo.

Era peligroso aunar admiración, respeto y deseo.

—Tony.

Volvió a mirar a las damas sentadas en el jardín. Sus dos hermanas y lady Honora le observaban como si fuera un especimen interesante, un animal importado del Nuevo Mundo, y él les devolvió la mirada.

—¿Sí?

—Has estado merodeando por tu casa y por tu propia finca como un visitante que no ha sido invitado —dijo lady Honora.

—¿Te asustan los rumores de regreso del heredero? —indagó Ann.

La ceja morena de Jean parecía aún más oscura:

—Porque has elegido un método seguro para convencer a todos tus detractores de sus recelos.

Cada una de ellas por separado era una mujer formidable, juntas formaban una fiel representación de las Furias griegas. Y no quería oír sus profecías catastrofistas. Empezó a alejarse, ansioso por ir tras Rosie.

—¿Por qué no has regresado a Londres para ver a la reina? —quiso saber lady Honoria.

—Porque la reina le ha prohibido aparecer en su presencia hasta que ella le llame —respondió Jean por él.

—¿Cuándo ha seguido las normas Tony? —preguntó Ann—. ¿A dónde va?

Luego oyó débilmente a Jean decir:

—Debe de estar siguiendo a ese actor otra vez. La compañía ha sido el catalizador de su extraño comportamiento. Tendrán que irse, ¿no lo cree así, lady Honoria?

Tony aguzó el oído, pero no oyó respuesta alguna.

—¿Lady Honora? —dijo Ann perpleja.

La curiosidad llevó a Tony a demorarse para descubrir qué falsedades había estado lanzando sir Danny en esos encuentros «fortuitos» con lady Honora. Si Danny también había estado sometido a vigilancia.

Pero Rosie andaba rápido, parecía saber dónde iba, aunque era la primera vez que se alejaba tanto de la casa solariega. La siguió por una subida, luego colina abajo y después por un camino apenas visible. El sendero serpenteaba sobre la hierba bien cortada por las ovejas y a través de las piedras que cruzaban un arroyo, hasta adentrarse en un bosque despojado de hojas. Rosie se salía del camino en ocasiones y volvía a encontrarlo sin aprensión.

Y él conocía su destino.

Una cascada. Un balsa. Un lugar donde surgía la magia.

La cascada se estremecía con la gélida brisa y rompía la luz del sol en arco iris individuales. Rosie dio un salto hacia delante como si pudiera atrapar los arco iris extendiendo la mano. Sonreía cuando metió los dedos en la balsa y hablaba con una entidad desconocida. Y él escuchó.

¿Recibió Rosie alguna respuesta?

Tony no la oyó, pero Rosie se quedó mustia. Luego, decaída, se acurrucó contra una roca iluminada por el sol y absorbió su calor.

A Tony no le gustaba la ternura que evocaba en él. Si Rosie iba a desempeñar el papel de heredero —y casi esperaba que así fuera, para descargar su venganza sobre ella—, no debería estar observando sus vulnerabilidades, y desde luego no debería verse afectado por éstas. Un hombre más débil podría encontrarse en el umbral de alguna pasión inapropiada, pero no él.

Tony se quitó los zapatos y los dejó al lado de un roble. Con cuidado de no hacer ruido, se despojó de su jubón. No, él no. Era un hijo ilegítimo, y era cruel, pero nunca olvidaba sus principios. No iba a aprovecharse de ella como le gustaría y no iba a engendrar otro bastardo que vendiera su alma por un poco respetabilidad.

El viento que soplaba por encima de su cabeza ofrecía un zumbido de acompañamiento a la caída del agua sobre las rocas planas.

En vez de eso, lo que pretendía era tentarla. Cuando la confusión dominara la mente de Rosie, cuando ella revelara la confabulación que amenazaba sus tierras, él la liberaría de la farsa que la coartaba.

Le estaría haciendo un favor. Se soltó la lazada que ajustaba el cuello de la camisa. La chica estaba confundida por su propia situación. A veces mujer, demasiado a menudo una niña, ofrecía a Tony un entretenimiento interminable cuando se esforzaba por conciliar sus instintos femeninos con el papel de jovenzuelo que le habían asignado. Pero Tony quería desterrar al muchacho y animar a crecer a la niña. Quería que la joven se fijara en él y que pensara en él como un hombre. Quería que nunca le mirara sin ver en él a un amante... por la confabulación, por supuesto.

Con las manos en el dobladillo de la camisa, vaciló un segundo. ¿Podría resistirse a ella si lo viera como un amante? ¿Si llevara ropas de mujer y le sonriera con sonrisa de mujer, si coqueteara como una mujer enamorada?

Se despojó de la camisa y la echó a un lado. El viento cortaba con algo de frío otoñal, pero le refrescó...

Porque estaba que ardía.

Se adelantó y tocó el hombro a Rosie.

—Voy a meterme —le dijo—. ¿Te apuntas?

Con un chillido, ella se levantó de un brinco.

—¡Sir Anthony! —Contuvo la respiración—. No le he oído acercarse.

—He hecho ruido.

Hizo girar los hombros para aliviar la tensión de los últimos días y para exhibirse como un pavo real paseándose ante su pava.

—Supongo que estaba en otro mundo.

Como él sospechaba.

Pero ya no estaba en otro mundo. Con ambos pies plantados, literal y figurativamente, en la tierra de la finca Odyssey, Rosie se quedó mirando con los ojos muy abiertos la amplia expansión de pecho que él lucía. Observó cada inspiración con fascinación y siguió cada músculo con la mirada. Y Tony se encontró metiendo el abdomen ya estrecho de por sí.

Sin mirarle al rostro en ningún momento, la joven dijo:

—Creo que debo regresar.

—¿Por qué? —preguntó y la empujó para que volviera a sentarse al lado de la roca, y ella se hundió como si sus rodillas tuvieran natillas en vez de cartílagos. Tony se permitió una sonrisa triunfal mientras llevaba las manos a las lazadas de sus ligas.

Toda la vida había empleado su encanto para salirse con la suya y también la fuerza para ganar sus batallas. Era gratificante saber que podía emplear el cuerpo para embelesar a una mujer o al menos a esta mujer.

—¡Válgame Dios, mira qué sol hace!

Pero ¿cómo podía ver ella el sol si continuaba con la mirada pegada a cada uno de sus movimientos?

—He prometido a sir Danny que ensayaría mi parte y ya llego tarde. Si me disculpa... —Medio se levantó.

Por Dios, no iba a irse hasta que viera la mejor parte. Por lo tanto, Tony preguntó:

—Me siento incapaz de decidir, ¿cómo encajan las mujeres en tu plan de vida?

Ella volvió a desplomarse.

—¿Las mujeres?

—Se me ocurre pensar que eres un joven que no da salida a sus impulsos naturales. No te he visto dar la monserga a las criadas, lo cual debo agradecer. ¿Es que tal vez prefieres disfrutar de relaciones más íntimas con el sexo débil pero sin los inconvenientes de establecer vínculos?

—¡Los inconvenientes de establecer vínculos! —soltó Rosie—. ¿En qué piensa?

—Una visita al burdel de Londres. Hace ya demasiados meses que no voy allí y tengo una dama muy experimentada esperándome. Estoy seguro de que podrá encontrarte alguna damisela igual de encantadora y experimentada. Fue en esta casa donde descubrí por primera vez los secretos de una mujer, no lo olvido. —Tony no sólo había ahuyentado las sombras de los ojos de Rosie, sino que también había descartado cualquier posibilidad de huida. La consternación y la expectación retenían a Rosie de manera tan férrea como unas ligaduras—. ¿Pasa algo, hombrecito? Parece que nunca antes hayas estado con una mujer. —Tuvo problemas para contener una carcajada al ver el puro pánico en el rostro de Rosie. Con estupefacción fingida añadió—: ¡Nunca antes has estado con una mujer!

Asintiendo con la cabeza, ella admitió con vigor.

—¡Tienes razón! ¡Nunca antes he estado con una mujer!

—¿No te ha llevado sir Danny a una casa de putas?

—Con toda sinceridad no creo que se le haya pasado por la imaginación —respondió Rosie atragantándose.

—Entonces yo te llevaré. —Casi se compadece de ella mientras se despojaba de las medias, pero no lo bastante como para detenerse. Ahora atraía su atención, toda su atención, y su intención era mantenerla.

—Te lo aseguro, Tiny Mary lleva el mejor burdel de Londres... no, de toda Inglaterra.

—¿Tiny Mary? —Con una media sonrisa, Rosie admitió llena de asombro—. Ya he estado en el local de Tiny Mary.

—¿Ah, sí? —Maldición, ¿cuándo había sucedido eso?—. Tuvo que ser de lo más interesante.

La sonrisa desapareció del rostro de Rosie.

—Oh, desde luego.

—Cuéntamelo.

—Se me aceleró la sangre.

Tony prefirió no saber. Recordó su primera visita.

—Bien, cuando tenía trece años, mi padre me pagó toda una noche con la española más ardiente del burdel. —Hasta aquí era cierto—. Y eso sentó las bases sobre las que me he apoyado desde entones: lo que me agradaba a mí, lo que le agradaba a ella, cómo hacer perder la paciencia a una mujer, cómo dominar la propia. He empleado cada recurso que ella me enseñó y creo poder decir, sin ánimo de alardear, que mis amantes lo han agradecido.

Tony rememoró de forma intencionada, rememoró para construir una imagen en su mente, y dada la reacción inquieta de la joven, sabía que había logrado su propósito.

—Fue una lección inolvidable. Pues, ¡hecho! —Se dio una palmotada en la rodilla con decisión—. Visitaremos juntos el local de Tiny Mary. ¡No esperemos más! ¡Mañana mismo! —anunció y agitó las cejas con expresión sugerente preguntándose cómo saldría de esto la inventiva mujer.

No le defraudó.

—No tengo dinero.

—Yo pagaré —replicó él—. Insisto. Será un honor pagar la iniciación de nuestro querido actor.

Ah, incluso esta pequeña represalia sabía bien. Saltó sobre un pie y otro mientras se desprendía de sus medias calzas, quedándose sólo con sus pequeños —muy pequeños— suspensorios.

—¿Estás seguro de que no quieres darte un baño conmigo?

Rosie apenas pudo negar con la cabeza y se tocó el cabestrillo envuelto en lino blanco.

—Mi brazo —susurró, luego dejó descender la mirada a sus manos. Metiendo los dedos en la tierra, creó una carretera que discurría entre las primeras hojas caídas del otoño.

La fragancia a fértil mantillo ascendía en oleadas desde la tierra tostada con los últimos coqueteos del sol. Le hizo pensar a Tony en el placer de plantar simiente y verla crecer. Nunca había disfrutado de ese placer; el coitus interruptus le había resultado siempre útil. ¿Sería igual de útil si Rosie fuera la mujer que gimiera debajo de él?

La imagen casi le hace arrodillarse ante ella. Sería tan fácil aquí, en este lugar recluido: despojarla de su ropa y defensas y hacerla suya. Sería venganza y placer, todo en uno.

Pero el coitus interruptus, lo sabía, no siempre funcionaba. Demasiados bebés habían nacido de parejas que nunca llegaban a disfrutar siquiera del último placer. No obstante, si él y Rosie hacían una criatura, la emoción le estremeció, tendría que casarse con ella.

Volvió a mirar otra vez la cabeza baja de la muchacha. Advirtió sus ropas variopintas, la porquería alrededor del cuello y las muñecas. Recordó cómo mezclaba el inglés de clase alta que había aprendido como actriz y el acento barriobajero de las calles de Londres, y cómo sacaba de vez en cuando un oscuro dialecto de provincias.

Casarse con Rosie. Una doña nadie. Peor que nadie, una actriz. Una mujer que se vestía de hombre. Sería el hazmerreír de Londres, y una Isabel furiosa reclamaría sus tierras con el comentario justificable de que Rycliffe se había vuelto loco.

Sus tierras. Todo por lo que había luchado.

No, no podía tener un hijo con ella, y desde luego no podía casarse.

Aparte de eso —soltó una risita consciente de su autoengaño— si alguna vez se metía en las carnes de Rosie, no saldría a tiempo.

Ella alzó la cabeza al oír su risa, y Tony examinó esos ojos grandes y esa boca un poco abierta. No, con Rosie no habría control.

Tan empalagoso como una camarera que tienta a su cliente, se acarició los suspensorios.

—Ah.

Se estiró, cada centímetro desnudo de él expuesto al radiante sol. Ella se sonrojó de un modo encantador.

—¿Cómo encontraste este lugar?

Planteó la pregunta por curiosidad a la vez que movido por una compulsión. Una joya oculta en la finca, la cascada caía en una balsa lo suficiente profunda como para nadar dentro y tan clara como para recoger monedas del fondo arenoso. La primera vez necesitó unas instrucciones claras y buena parte del día para encontrar el sitio; ella había venido directa hasta aquí. ¿Cómo? ¿Qué instinto la guiaba por Odyssey Manor y su entorno con tal conocimiento previo? ¿Y por qué aquella percepción parecía sorprenderla constantemente?

—¿Rosie?

—Sabía... —Su mirada le examinó de arriba abajo—. Sabía que estaba aquí, así de sencillo.

Tal vez esto no fuera tan buena idea. Ella se sentó; él se levantó. Ella se quedó boquiabierta; él se acicaló. Ella se maravilló; él deseó.

—¿Tal como sabías que... —Tony tosió para despejar el deseo detectable en su garganta— mi antecámara solía ser la alcoba principal?

—La principal. Es un error natural pensar que la del señor será grande. —Su mirada centelleó con lo que podría ser un desafío femenino.

Mudo, se percató de que así sería esta mujer, coqueta, descarada, insinuante y más deseable que una tentadora en las sombras, si alguna vez le permitían serlo.

—Maldición.

Con una presteza que no había planeado, se metió andando en línea recta dentro del frío arroyo. Había planeado exhibirse ante ella, mostrar sus mercancías a los compradores involuntarios, pero sus mercancías habían adquirido tal dimensión que consideró que corría peligro de desmayarse por falta de sangre en el cerebro.

Qué lástima necesitar el cerebro.

—¿Tienes algo de jabón? —preguntó mientras se salpicaba el agua que le llegaba hasta la cintura, esperando que el gélido abrazo cobrara efecto.

Ella musitó algo, luego sacó el jabón de la cartera que llevaba en la cintura.

—Aquí está. —Lo arrojó hacia el riachuelo y él intentó cogerlo—. Devuélvamelo cuando acabe.

—Lanzas como una mujer —refunfuñó él, y se llevó la barra deforme a la nariz. Olía a claveles.

Se sumergió en el agua bajo el efecto de la seducción de la flor. Un aroma tan femenino la traicionaría de inmediato, pero no lo usaba, y el hecho de que lo llevara con ella era revelador.

Tanto, de hecho, que nadó por debajo del agua gélida hasta que tuvo que salir a la superficie y cantar como un soprano:

—Me encanta bañarme. —Se restregó el pelo con la barra de jabón y le dirigió una mirada furtiva—. Deberías meterte, también. Te librarías de es olor a moho.

Ella olió con cautela su ropa.

—Es olor a hombre —dijo con firmeza.

—Tontadas —respondió él—. Yo no huelo. ¿No soy un hombre?

Con total control de sí mismo, salió hasta el borde de la balsa y, con el agua hasta las rodillas, extendió del todo sus brazos. Rosie tenía la mirada fija en él, pegada como un mejunje de ama de casa.

—Tú... tú no tienes que rellenar tus calzas con un saco de alubias —murmuró ella.

Tony agachó la cabeza hasta el agua para aclararse el jabón del pelo, para ocultar su sonrisa y, como si tal cosa, ofrecerle una visión ininterrumpida de su espalda. Cuando logró contener lo suficiente su regocijo, se levantó y llamó:

—Déjame tu manto como toalla.

Nadie respondió.

Se había ido, y en el montículo donde estaba antes sentada, sólo quedaba un aro de hierba aplastada. Sólo la hierba aplastada y el recuerdo de sus ojos de ámbar, llenos de consternación, vivos de curiosidad involuntaria y el comienzo del reconocimiento femenino.

# Capítulo 9

La fresa crece bajo la ortiga.
—ENRIQUE V, I, i

Sir Danny se hallaba de pie sobre el escalón de entrada a la carreta que era su hogar. Se asomó al interior poco iluminado y atiborrado de cosas.

—¿Rosie?

—Estoy aquí dentro.

—Quédate, Ludovic —ordenó sir Danny. Luego entró poco a poco. Dos pequeñas camas estrechas con montones de mantas ocupaban casi toda la habitación, dejando un estrecho paso entre ambas. De las paredes colgaban disfraces y accesorios de utilería, las piezas de andamiaje llenaban el único espacio disponible en el suelo. Rosie estaba sentada en la cama absorta en alguna tarea y él le preguntó:

—¿Dónde has estado?

—Mi saco no lleva suficientes alubias. —Cogió otro puñado de judías anchas y las metió como pudo en la bolsa. Luego, con la mano sana, se la enseñó a sir Danny—. ¿Es así más realista? ¿Qué crees?

Sir Danny estaba más perplejo que nunca.

—¿De qué hablas?

Al percatarse Rosie de que Ludovic se hallaba justo delante de la entrada, vaciló. ¿Debía proseguir? ¿Debía provocar a sir Danny mientras les escuchaba su lugarteniente, infinitamente más peligroso que el actor? Pero sí, debía, pues siempre había sabido que podía depender del inquebrantable instinto paternal de sir Danny. No obstante, le veía cambiado últimamente. Pensó que si acosaba en vano a sir Danny, Ludovic facilitaría el incentivo añadido para pasar a la acción, para marcharse, proseguir con su plan o con sus viajes. Ella quería acción y la quería ahora, e iba a provocar con sangre fría a sir Danny para actuar de una vez o recoger sus cosas.

Por supuesto, no podían regresar a Londres, el conde de Essex no se habría olvidado de ellos tan pronto. Pero podían viajar por otros condados. Hablando con una inocencia que no engañaría a nadie, dijo:

—Deberías haberme explicado que mi paquete era más pequeño de lo normal, me habría ocupado del tema.

Un repentino sudor brilló en la frente de sir Danny.

—Nunca se me había ocurrido comparar... —Echó una ojeada por encima del hombro en dirección a Ludovic, y se aproximó un poco más—. ¿Por qué crees que tu... ah, paquete es más pequeño de lo normal?

—El de Tony es mucho mayor. —Sacudió el saco—. Pero no puedo meter más.

Sir Danny dio un brusco paso hacia delante.

—¿Que Tony qué...?

—¡Su paquete!

—¡Te he oído! —replicó sir Danny.

Tras él, Ludovic gruñó.

Sir Danny pareció recordar la ferocidad de Ludovic y dijo:

—Ha sido un error, Ludovic. No compliques las cosas. —Tomando aliento, se frotó el pecho igual que un hombre calma un caballo rebelde—. Rosie, me sorprendes. Por un momento he pensado que de hecho has visto su paquete, cuando en realidad simplemente has observado sus calzas.

—Tony me ha llevado a nadar.

Las mejillas de sir Danny se pusieron granates, toda su figura se infló como un bombacho con la lluvia, y su grito ahogó la reacción de Ludovic:

—Nunca hasta ahora te he azotado, pero lo haré a menos que me cuentes la verdad. ¿Has ido a nadar con sir Anthony?

—Hace unos momentos era Tony —comentó.

—¿Te quitaste la ropa?

—No.

Suspiró aliviado.

—Él sí.

Sir Danny entrecerró los ojos.

—¿Del todo?

Sir Danny dio un puñetazo en la fina pared. Fuera, oyó una letanía de maldiciones en extranjero, y también un poderoso golpe de Ludovic.

Rosie observó con excitación creciente a sir Danny recorriendo el minúsculo pasillo. No era su vocación de actor lo que le hacía dar vueltas por la carreta, sino la furia. Aquella reacción sincera dio ciertas esperanzas a Rosie.

El atrevimiento de Tony enfureció a sir Danny, pero su indecisión había enfurecido a Rosie. Añadiendo leña al fuego, dijo:

—Mañana, según dice, va a llevarme al local de Tiny Mary.

Agitando la mano con la que antes había dado el puñetazo, preguntó:

—¿Tiny Mary? ¿La madama? ¿Por qué?

—Por supuesto, para tener mi primera experiencia con una mujer.

—¿Con una mujer? ¿Va a llevarte a fornicar con una mujer?

—Ésa es su intención.

Con un grito de furia, sir Danny lanzó otro ataque contra la pared, golpeándola con ambos puños antes de cerrar la puerta de golpe en las narices de Ludovic. Lanzándose por el cofre que guardaba debajo de la cama, lo sacó. Rosie metió unas alubias más en el saco mientras observaba con curiosidad al hombre arrojando a un lado su deteriorado manto de piel, el cetro cubierto de fragmentos de vidrio roto y, envuelta en tela áspera, su corona dorada. Eran sus posesiones más preciadas, los accesorios que le transformaban de actor vagabundo en rey.

Pero los ignoró como si fueran objetos de mal gusto y hurgó hasta llegar al fondo.

—¿Qué buscas? —preguntó.

—Esto.

Retiró un papel amarillento del revestimiento del cofre.

—¿Y qué vas a hacer con eso?

—Esto. —La cogió de la mano y la arrastró de un tirón hacia la puerta.

La bolsa de Rosie derramó las alubias, que cayeron en cascada sobre el suelo mientras la chica gritaba.

—¡Espera! Aún no me he preparado para actuar.

Guardando el papel en el hueco del jubón, sir Danny inquirió.

—¿De verdad piensas que sir Anthony va a fijarse en tu paquete? Así que iban a ver a Tony.

—Pues, de hecho, sí —respondió ella—. No parece mirar otra cosa.

Sir Danny abrió de golpe la puerta y la arrastró por la pendiente.

—¿Como si buscara algo? —Sir Danny volvió la cara tan de repente que Rosie se dio contra él—. ¿O nada?

La furia de la muchacha rivalizaba con la del actor.

—No entiendo por qué estás tan enfadado. Me dices que me comporte como un joven gallito, y me he pavoneado por ahí como me has ordenado. Tony está tan convencido del engaño que se ha bañado delante de mí.

Las cuerdas del cuello de sir Danny sobresalían marcadas sobre la piel tirante.

—Voy a matarle.

—No. —La voz de Ludovic sonaba espesa como una papilla—. Yo voy a matarle.

Habían olvidado que seguía ahí, pero parecía un árbol foráneo de madera noble, con los pies arraigados en el suelo y el alma chupando la fuerza de su rabia.

Sir Danny continuó protestando:

—Es tarea mía.

Ludovic se burló:

—Un hombrecillo contra ese vicioso de Tony. Déjamelo a mí.

Rosie sintió ganas de protestar ante el desafío a la virilidad de sir Danny.

—Acaso no hayas oído antes el viejo dicho inglés, Ludovic, pero permíteme que te ilumine ahora. —Sir Danny se levantó de puntillas y miró con hostilidad a la cara de Ludovic—. Si metes el nabo donde no ha sido invitado, lo más probable es que te lo corten. Ahora —hizo un amplio gesto—, volvamos al trabajo.

Ludovic bullía como una tetera de agua hirviendo.

—Trabajaré a mi manera.

Chulito como un gallo en miniatura, sir Danny replicó:

—Hasta que yo me muera tú no decides cómo trabajas.

Elevándose sobre él, Ludovic contestó.

—Eso tiene fácil arreglo.

Rosie se entrometió y gritó:

—¡Al diablo los dos! Dejad de pelear. ¡Tú! —Señaló con un dedo a Ludovic—. Que la compañía empiece a recoger. De un modo u otro, nos vamos de este lugar.

Ludovic vaciló y ella repitió el gesto. Con una inclinación, el gigante se fue.

—¡Y tú! —indicó a sir Danny—. Ven conmigo. Tenemos un chantaje en marcha ¿no?

—¿Me has estado manipulando, Rosie? —Ella no respondió, y sir Danny puso una mueca—. Vaya, no te creía tan llena de recursos. Es la hora de las revelaciones, por lo visto. —Cogiéndola de la muñeca, tiró de ella por el césped a buen paso. Casi suben corriendo los escalones de entrada a la casa—. Debemos desafiar a sir Anthony Rycliffe en su guarida. —Llamó a un criado—. ¡Buen hombre! ¿Puede decirme dónde podemos encontrar a sir Anthony?

El sirviente se inclinó con cierta incertidumbre.

—Está en el estudio. Si espera aquí un momento, haré que alguien le acompañe.

El criado se fue andando hacia el final de la larga galería, pero sir Danny dijo con desdén:

—Va a guardar la plata. Pues, bien, no voy a esperar a que me den permiso para vengarme de ese bellaco lameculos. Vamos, querida mía. —Se colocó la mano de Rosie en el hueco del brazo—. Encontremos a sir Anthony nosotros mismos.

Ya se encaminaba hacia el extremo opuesto de la galería cuando Rosie le detuvo.

—El lacayo ha dicho que se encuentra en el estudio. El estudio está aquí mismo —e indicó una alta puerta abierta en la pared revestida de paneles, enfrente de la entrada principal.

—No —dijo sir Danny—. ¿Por qué el señor de la casa iba a tener su estudio en un lugar tan expuesto a corrientes de aire?

—Le gusta saber quién va y quién viene —respondió Tony abriendo la puerta de golpe.

Un sarcástico «Adelante» constató que le habían encontrado.

Rosie dirigió una mirada triunfal a sir Danny, luego pensó, *Vamos a acabar con esto*. Nada podía lastimarla en este despacho, y no podrían marcharse hasta que liquidaran el asunto, por lo tanto, había que hacerlo.

—¡Adelante! —repitió Tony.

Entró con aire majestuoso... y se detuvo en seco.

*Oculta en la oscuridad en el hueco del secreter, acurrucada escuchando mientras todos la buscaban.*

—*¿Dónde está Rosie?*

—*No lo sé. Quizá se ha ido a Londres a ver a la reina.*

—*¿Dónde está Rosie?*

—*No sé. Acaso un hada la secuestró y está bailando bajo la luna.*

—*¿Dónde está Rosie?*

*Surgiendo a la luz de la vela:*

—*¡Aquí estoy!*

*Unas manos fuertes levantándola en lo alto, un rostro querido sonriente, una voz profunda gritando:*

—*Aquí está. Aquí está mi niña.*

—Vamos, mi niña —le dijo sir Danny en voz baja mientras la agarraba del brazo de nuevo para entrar en el despacho, empujándola hacia delante. Tony estaba sentado con la pluma en la mano, detrás de un escritorio con altas pilas de correspondencia.

—Sir, tenemos asuntos que discutir.

Habló sin rodeos, con ganas de venganza. Sir Danny debía de estar enfadado de verdad para pasar por alto las formas de expresión elegante, pero sería un breve lapsus. Había imaginado esta escena durante meses, Rosie lo sabía, escribiendo y rescribiendo su guión mental, intentando asegurarse de que tenía respuesta para cada posible variación.

Confiaba en que ella se limitara a permanecer en silencio y que lo hiciera por propia voluntad.

Tony se recostó en su silla de madera tallada y les estudió. Su limpia camisa blanca y su jubón negro le conferían un aspecto puritano, el de un hombre versado tanto en el mundo de los negocios como en las maneras en que se presenta el pecado.

Pecado. Pecados como ser actor, hacer chantaje... ¿Por qué esa talla que reposaba en el enorme escritorio le resultaba tan familiar?

—¿Así que tenemos asuntos que discutir? —preguntó Tony.

—Desde luego que sí.

—¿Desea hablar con esta gente, sir Anthony?

Rosie reconoció aquella voz áspera y se volvió para ver al hombre de pelo cano bien cortado de pie en el umbral. El administrador. El hombre que la había sostenido mientras Tony le entablillaba el brazo, quien luego se introdujo en sus pesadillas.

—Hablaré con ellos —contestó Tony—. Cierre la puerta al salir.

Hal hizo una reverencia como muestra de respeto, pero Rosie se estremeció. Había algo en Hal, algo que no estaba del todo bien. Su pelo gris, sus arrugas, su expresión, retrataban a un viejo golpeado por la vida. Pero ¿cómo de viejo era en realidad?

Sir Danny le tocó el codo para que volviera la atención a la escena que debían interpretar.

—Han puesto en mi conocimiento, sir, que esta finca le ha sido otorgada por la reina Isabel.

Tony asintió con reconocimiento austero.

—La reina Isabel, en efecto, me otorgó la finca.

La talla atraía suplicante la atención de Rosie. Casi podía imaginar su peso, la madera lisa y su veteado... Aunque la talla miraba a Tony, ella sabía que era una sencilla representación de la Virgen con el Niño, más vieja de lo imaginable.

—¿Y todas las pertenencias de la familia Bellot?

—Sí, todas las pertenencias de la desaparecida familia Bellot.

En ese momento, el drama arrastró a sir Danny. Soltando el brazo de Rosie, gesticuló con solemnidad, aplicando profundidad y expresión a su voz:

—La familia no ha desaparecido.

—Eso he estado oyendo en los últimos días. —Tony se levantó poco a poco, empujando hacia atrás la silla sobre el suelo con un chirrido—. ¿Debo darle las gracias por esos rumores insidiosos?

—No son rumores, señor, sino la verdad.

Como por iniciativa propia, la mano de Rosie se deslizó sobre el escritorio y cogió el adorno. No era tan pesado como esperaba, pero empleó tanta fuerza para alzarlo que todos los ojos se centraron en ella.

Tony observó a Rosie, que dio un brinco cuando volvió las caras hacia ella: las caras de la Virgen y el Niño. Entonces le preguntó:

—¿Te gusta, Rosencrantz? Por lo que me han contado, era una de las posesiones más preciadas de Edward, lord Sadler. Rescatada de la destrucción de una abadía ubicada en estas tierras: es anterior a la invasión de esta nuestra isla por los normandos.

Sir Danny puso una mano tranquilizadora en el hombro de la muchacha, pero pronunció las palabras según el guión:

—El joven Rosencrantz tal vez la recuerde de su infancia.

—Ah, ahora entramos en materia. —La mirada aguda de Tony en ningún momento se apartó de Rosie que, tras dejar la estatua en el borde del escritorio, recorrió la superficie de la figura con los dedos de su mano sana, memorizándola con la concentración de una mujer ciega—. ¿Qué está diciendo, sir Danny?

Tony también parecía haber leído el guión.

Con un movimiento dramático, sir Danny contestó:

—Estoy diciendo que...

Rosie hizo sitio en el extremo opuesto del escritorio y puso la talla en aquel nuevo emplazamiento. Parecía el lugar correcto para ello.

—...Rosencrantz es el heredero perdido.

—¡No! —Con consternación exagerada, Tony se agarró la garganta con ambas manos—. Entonces tendré que abandonar Odyssey Manor de inmediato para que el joven Rosencrantz tome posesión de su herencia.

Rosie movió el tintero, luego las plumas afiladas. Volvió a arreglar la pila de papeles y encontró una vieja mancha de tinta. La tocó y se miró los dedos, pero la tinta no le manchaba. Al menos esta vez no. Ajustó el lacre, y buscó el sello que debería de hallarse en el hueco a su lado. No estaba ahí. Y entonces miró a su alrededor. Tampoco sobre el escritorio. Poniéndose de rodillas, buscó en el suelo. Tampoco en el suelo.

¿Dónde estaba...?

*Yo no lo he cogido, papi.*

*Papi no va a enfadarse, pero deberías decirme dónde está.*

*Yo no me lo he guardado.*

*Papi lo necesita. Dime. Dime, Rosie.*

—¿Rosie? —Tony se puso en cuclillas a su lado—. ¿Te encuentras mal?

Aquella cara no era la que correspondía, algo no andaba como debería. ¿Estaría enferma?

—No. —Tal vez—. No, estoy bien.

Sir Danny la levantó poniéndole la mano bajo el sobaco y le retiró el pelo de la frente. La compasión puso freno a su histrionismo; parecía haber olvidado sus frases.

Rosie echó una mirada a Tony, quien se levantó del suelo y se sacudió las rodillas; luego miró a sir Danny. La misteriosa sensación de familiaridad la dominaba, quería largarse de inmediato de allí. Hizo una sugerencia a toda prisa:

—Aceptaremos una compensación.

El cinismo de Tony enseguida volvió a hacer aparición. ¡Qué bien interpretaba el papel de niña desconcertada! ¡Qué manera de ablandarle y hacerle aceptar las exigencias monetarias! Apoyando una cadera en el escritorio, dobló los brazos sobre el pecho.

—Generoso por su parte, considerando que no tienen prueba alguna.

—¿Requiere pruebas? —Sir Danny indicó a Rosie con un gesto—. Como puede ver, Rosencrantz tiene la edad adecuada para ser el heredero.

—Y tiene el pelo marrón, también. Como el heredero de lord Sadler —se maravilló Tony—. Vaya parecido. ¿Por qué no me habré dado cuenta antes?

Estaban todos demasiado cerca: sir Danny, Rosie y Tony. Ella se sintió rodeada, superada por los hombres, un peón en la partida de ajedrez que ellos mantenían.

—Sólo hay un problema. —Tony le sonrió a la cara—. El heredero...

Rosie se preparó para una impresión imprevista.

—... era una niña.

No se había preparado lo bastante.

—¿Qué? —Rosie retrocedió un paso y empujó a sir Danny a un lado.

—Una hija —aclaró Tony, observándola para detectar indicios de traición—. El único vástago de lord Sadler era una niña. Y no eres una niña, ¿verdad?

Con el pelo retirado de la frente y sin cosmética que camuflara su cutis, el rostro de Rosie quedaba totalmente expuesto: su horror y consternación y la sensación de haber sido traicionada lo dejaron tan blanco como la harina bien molida.

—Un error. —Rosie cogió a sir Danny del brazo con la mano libre—. Ha habido un error. Nos vamos ahora.

—¿Por qué tanta prisa? —Tony se enderezó, elevándose por encima de Rosie y de sir Danny—. Quédense.

—Tenemos que irnos, sir Danny. —Volvió a tirarle del brazo—. Vámonos.

Se agitaba frenéticamente, como un faisán haciendo frente a la flecha del cazador. O de verdad desconocía que el heredero era una niña o era una actriz magnífica, y eso ya había demostrado no serlo.

Pero ¿a qué jugaba sir Danny? ¿Por qué no retrocedía hacia la puerta? ¿Por qué sonreía a Rosie como un padre sonreiría a su hija asustada entregándola a un esposo encantador?

—Danny, te lo ruego, Danny...

Ella susurró aquello con aspereza, era obvio que atragantada por algún tipo de emoción, pero sir Danny tomó ambas mejillas en sus manos y besó su boca, la besó como si se despidiera de ella.

—Confía en mí —le murmuró y sacó un papel que guardaba dentro del chaleco. Mientras se lo tendía a Tony, dijo—: Si quisiera leer esto, sir, comprenderá la verdad de este asunto. Y son noticias que es mejor recibirlas sentado en una silla sólida.

Siguiendo su consejo, Tony se sentó. Apoyó la espalda con firmeza en los cojines para que el golpe no tuviera tanto impacto, porque la ansiedad obvia de Rosie y el ostentoso aire de júbilo de sir Danny advirtieron a Tony que se enfrentaba a la verdad incluso antes de que su mirada pasara al documento.

Escrito con letra temblorosa, confiaba la niña lady Rosalyn Elizabeth Ann Katherine Bellot al cuidado del actor Danny Plympton. Daba instrucciones a quien leyera esta carta de que permitiera y ayudara al tal Danny Plympton a dejar a la niña Rosalyn bajo la tutela de Su Real Majestad, la reina Isabel. El documento recordaba que la niña Rosalyn era la heredera de un fortuna y una propiedad, y que la propia reina pagaría con sumo gusto por el regreso de dicha niña para que creciera como correspondía a las circunstancias de su nacimiento. Finalizaba invocando una maldición divina para cualquiera que se atreviera a interferir en la misión sagrada de Danny Plympton o en el destino que correspondía a la niña Rosalyn.

Tony quería expresar su escepticismo, aquello clamaba al cielo, era una falsificación. Era parte del plan para desposeerlo. Era traición en toda regla. No podía ser cierto.

Así pues, participaría en la comedia, despojaría a Rosie de su disfraz y pondría en evidencia la falsedad de sir Danny.

—Un documento interesante. —Tony lo arrojó con desprecio sobre el escritorio—. Pero ¿a quién pertenece?

—Sí. —Rosie se puso un puño en la cadera y se arqueó hacia atrás como un gallito. ¿Qué documento es éste, sir Danny, y a quién pertenece?

—Es el testamento de un hombre fallecido. —Sir Danny miró entonces a Rosie directamente—. Y te pertenece a ti. Niña querida...

—¿Niña? —Tony se burló.

—¿Niña? —Rosie contuvo la respiración de forma audible.

La sonrisa de sir Danny se endulzó.

—Sir Tony se mofa de nosotros. Ningún hombre pondría las manos en el pecho de una mujer sin percatarse de lo que sostiene.

El puño de Rosie descendió por la cadera como si tuviera mantequilla.

Tony no habría pensado que fuera posible, pero se estaba divirtiendo:

—¿Es eso lo que le dijo? ¿Qué yo no me había percatado de que sostenía el seno de una mujer en la mano?

Con profunda trascendencia, sir Danny explicó:

—Es una inocente.

Rosie, con el rostro despejado, antes tan pálido, se ruborizó ahora. Agarrándose el brazo herido, les dio la espalda y se fue andando hasta la ventana desde donde miró los terrenos.

¿Sus terrenos? ¿Los terrenos de él? ¿Qué había tramado sir Danny? ¿Y por qué? Más crucial todavía...

—¿Por qué? —quiso saber Tony en voz alta—. ¿Por qué, sir Danny?

Sir Danny se peinó el bigote ondulado con la punta de los dedos.

—Hay muchos porqués en esta situación, sir. Tendrá que especificar...

—Si este documento es verdadero, no una miserable falsificación, ¿por qué no hizo lo que lord Sadler ordenaba y llevó a la niña Rosalyn con la reina?

Con muestras de clara incomodidad, sir Danny confesó:

—Yo... no sé leer, y el caballero... se estaba muriendo, una muerte de lo más horrible. Sólo podía hablar un poco y no demasiado claro, se desvanecía con la fiebre una y otra vez.

—¿Era la peste?

Todo el mundo conocía el aspecto de la peste negra; se había convertido en un visitante habitual de Inglaterra. Por lo que Tony en ningún momento dudó de sir Danny cuando dijo:

—Desde luego. El caballero tenía bubones púrpuras en el cuello, los sobacos y la entrepierna hinchados.

—¿Y aún así permaneció allí? —Había desprecio en la voz de Tony.

Sir Danny se estiró cuanto pudo y lo miró a la cara.

—Lord Sadler sufría como un maldito, de tan preocupado que estaba por su hija. ¿Cree que iba a abandonarle? ¿Piensa que podría dejar que la criatura muriera?

—La peste negra era casi sin duda el destino que esperaba a la pequeña, y por consiguiente también el suyo. ¿No obstante se quedó?

Desde la figura inmóvil situada ante la ventana llegó una afirmación en voz baja.

—Sir Danny Plympton siempre ha hecho cuanto ha podido para ser buena persona, y siempre obrará con rectitud.

Tony echó una ojeada a la figura perfilada contra el sol. Apoyaba la mejilla en los vidrios tallados con diamante, y observaba fijamente algo: el alféizar, el muro de piedra, el fragmento de exterior que alcanzaba a ver. Sus hombros caídos, la expresión transida de sufrimiento denotaba un dolor más allá de lo soportable, y no obstante defendía a sir Danny. No le sorprendió; ella creía que la compasión de este hombre era superior a su miedo a la peste. El propio Tony lo creía.

Cambiando de enfoque, Tony preguntó:

—¿Se quedó hasta que lord Sadler murió?

—Sí.

—Y después, ¿por qué no llevó a la niña con la reina?

Sir Danny movió los pies.

—Lord Sadler musitaba sobre la reina y la niña, pero creí que sus ruegos eran producto del delirio. El carruaje no tenía arreos, era un vehículo rápido. Los dos asistentes que llevaba ya estaban muertos. No me creí que conociera de verdad a la reina.

—¿Se trataba tal vez de un carruaje de carreras? —reflexionó Tony.

—Me pregunté si no intentaba ser más veloz que la muerte. Después, una vez conseguí que me leyeran el testamento, he intentado recordar... —Con ojos entrecerrados, sir Danny intentaba regresar al pasado—. El carruaje no tenía arreos opulentos. Nada. Ninguna manta calentaba a los ocupantes, nada dorado decoraba el interior.

—¿Los caballos? —preguntó Tony.

—No estaban.

Asqueado, Tony manifestó.

—Entonces los ladrones se le adelantaron.

Sir Danny mostró el mismo asqueo.

—Sólo confío en que estuvieran enfermos de fiebre mientras colgaban del extremo de la cuerda.

Hasta ese punto, el rescate de sir Danny tenía sentido, de un modo atroz, y Tony temió que continuara así. Poniendo énfasis en el tono interrogante, preguntó:

—¿Aceptó hacerse responsable de la niña?

—Sí.

—¿Estaba enferma?

—Pensé que iba a morir.

El gesto compungido en la boca de sir Danny alertó a Tony.

—¿Confiaba en que muriera?

La mueca compungida se agrandó.

—No. Confiar, no, nunca lo esperé. Pero yo sólo tenía cuarenta años, era libre, sin trabas, y no quería tener a la pequeña ni siquiera el breve tiempo que consideraba que la tendría. —Echó una ojeada a la figura junto a la ventana—. Estaba muy enferma y enclenque, un impedimento para llevar una vida despreocupada.

—Una vez quedó claro que sobreviviría, ¿por qué no hizo ningún intento de llevarla a Londres y seguir las indicaciones de lord Sadler?

—Londres no había resultado un entorno sano para mí. —La mirada de sir Danny se desplazaba de un lado a lado—. La peste, ya sabe.

De nuevo, Rosie demostró que les escuchaba.

—¿Fue cuando te tirabas a la esposa del alcalde y te pillaron?

Sir Danny desplazó la mirada de nuevo, esta vez para fulminar la espalda de Rosie.

—Pudiera ser. Lo he olvidado. Una vez en provincias, encontrar a alguien que supiera leer y además dispuesto a leer para alguien de mala reputación como un actor, superó mi capacidad. Lo intenté, créame, lo intenté.

El carácter de sir Danny iba perfilándose cada vez con más claridad; Tony nunca había conocido un vagabundo más desenfadado.

—¿Cuánto tiempo? —desafió Tony.

—Bueno... —Sir Danny parecía considerar el tiempo, luego dijo en tono alegre—: Durante un periodo largo. Pero como es natural, a medida que pasaba el tiempo, mis esfuerzos disminuían. Recuerde, no tenía ni idea de que Rosie fuera una heredera. Para mí, era sólo una niña asustada que se aferraba a mí con desesperación aduladora.

—¿Cuánto tiempo buscó a alguien?

—Hasta que...

Ladeando la cabeza a un lado y a otro, buscó una respuesta.

—¿Cuánto tiempo? —preguntó Rosie.

Sir Danny soltó un suspiro.

—Hasta que te abriste paso en mi corazón. Hasta que la idea de perderte se hizo insoportable. —Miró a uno y a la otra, esperando oír un desafío, pero ninguno de los dos dijo una palabra—. Entonces, ¿mantienen la fe en mí?

Tony respondió por ambos.

—Por desgracia, sí. —Acercando un candelabro, sostuvo la carta cerca de la llama—. Pero ¿qué puede impedir que yo queme este papel?

Sir Danny se estremeció.

—Nada puede impedir que queme la carta, ni que nos asesine a Rosie y a mí y a toda nuestra compañía, y que nos entierre en los terrenos de Odyssey Manor. Sabía eso desde el principio. Es el motivo de que le investigara a fondo antes de ofrecer nuestros servicios a su reunión campestre.

¿Investigarle? ¿Un actor barato de medio pelo le había investigado a él, jefe de la Guardia de la Reina, hijo de Alfred, lord Spencer? El extremo de la carta se volvió marrón y un débil rizo de humo se alzó hacia el techo.

La mirada de sir Danny no se apartaba del papel.

—Hablé con varios hombres que estuvieron a sus órdenes en la Guardia de Su Majestad. Hablé con los criados de su residencia en la ciudad. La manera en que un hombre trata a la gente de menor posición, señor, ofrece a menudo claves de su carácter, y le agradará saber que su carácter ha pasado la prueba. Cuenta con la lealtad de sus criados. Me aseguraron que reúne todas las cualidades de un hombre honorable, y ahora dependemos de ese honor.

Tony se quedó mirando su mano, sosteniendo el papel. Más cerca. Más cerca. Tan fácil prenderle fuego, enviarla al olvido. La prueba no existiría, su finca sería suya para siempre. Sir Danny ya no sería nada más que un actor itinerante y Rosie... tendría que hacer algo por Rosie. Tal vez pudiera trabajar en su propiedad de doncella o de...

—Maldito sea, sir Danny. Váyase al infierno. —Dominado por la furia, Tony volcó el candelabro, que cayó al suelo. El impacto hizo que Rosie se diera la vuelta mientras él apagaba cada vela con el tacón de la bota. Calmándose, estudió a la mujer cautelosa que iba a desposeerle—. ¿Por qué ahora? ¿Por qué ha encontrado ahora a alguien que lea esto?

—Ludovic.

Pasándose una mano temblorosa por la frente, sir Danny intentó ocultar su alivio y miedo.

—¿Ludovic es la causa de esto?

Rosie también tembló, pero no de miedo ni de alivio.

Tony no entendía por qué oían la aspereza del aliento de Rosie, por qué todo su cuerpo estaba en tensión como si fuera a huir o pelear.

—Ludovic me desafía para obtener el control sobre ti. —Sir Danny la observó con un ceño desconcertado—. Te desea, pero él no es lo bastante bueno. Incluso antes de saber quién eres, yo sabía que no lo era.

—Por lo tanto, vas a hacerme reemplazar a Tony, como señora de Odyssey Manor.

Sir Danny levantó las palmas para indicarle que parara el carro.

—En absoluto. Creo que ninguno de los dos me está entendiendo. Por mi... irresponsabilidad, Rosie, careces de la formación necesaria para gestionar una finca como ésta. Por no mencionar la fundición Sadler...

—Ah, está enterado también de eso.

Tony hizo una mueca.

—...y la residencia Sadler en la ciudad. Nuestra bendita reina ha concedido a Tony acciones en la industria naviera y el derecho a vender paños de seda, cuyos ingresos deben de ser considerables.

Tony volvió a hacer una mueca.

—Bien, tendrá que aconsejarle la mejor manera de gastar esa riqueza, ¿cierto?

Sir Danny censuró el escepticismo de Tony.

—No sería lo más conveniente para ella que yo la aconsejara, ni puedo creer que usted desee que le retiren todos los privilegios por los que tanto ha trabajado.

—¡Ah! —Tony abrió los brazos fingiendo ir a darle un abrazo—. Quiere contratarme para que me ocupe de mis antiguas posesiones.

—En absoluto —dijo sir Danny con brusquedad—. Quiero que se case con Rosie.

En algún lugar los niños jugaban. En algún lugar las mujeres se reían. En algún lugar los hombres gritaban. Pero en el estudio de Odyssey Manor, el silencio reinaba. Un silencio que no rompía ni el movimiento, ni el aliento, ni siquiera los latidos. Un silencio tan completo que podía abrir un agujero en el tiempo.

Luego Tony dejó caer de golpe los brazos, tirando documentos al suelo, y Rosie le dio a la ventana con el codo. Los papeles se agitaron como un acompañamiento encantador al toque del vidrio.

Con una mirada comprensiva, Tony absorbió las emociones de la joven. Atracción, miedo, asombro y algo más. ¿Furia? No podía ser. ¿Qué derecho tenía ella a estar furiosa?

Como muestra de intercambio equiparable, él permitió que ella absorbiera sus emociones. Furia, furia y deseo. Y... furia. De verse atrapado así. De tener que casarse con una actriz de buena cuna criada en los bajos fondos. De perder la posición que tanto le había costado obtener.

De tener que ser un bastardo sin otras perspectivas.

Poco a poco, Tony se puso en pie.

—Como dice, sir Danny, el matrimonio es la solución perfecta a nuestro problema. —Paseándose hasta la ventana, rodeó la figura tiesa de Rosie con los brazos y le rozó el cuello con insolencia—. Me casaré con la heredera vagabunda en cuanto sea posible.

Pero había olvidado que Rosie era una niña de la calle. Un puño huesudo le partió el labio y un zapato puntiagudo le alcanzó la pantorrilla. Mientras se tapaba la boca y saltaba sobre un pie, ella se enderezó con desdén.

—Si soy la heredera, ¿por qué necesito a Tony? ¿Por qué necesito casarme? Recuperaré mis tierras y mi título y que él se queme en el infierno.

# Capítulo 10

¿Qué es el matrimonio forzado sino
un infierno, un largo periodo de lucha
y un combate sin fin?
—ENRIQUE VI, PARTE PRIMERA, V, v

*H*ombres estúpidos, ahí parados mirándola como pelícanos priva-
dos de su pescado.

Estúpido sir Danny, por montarle una escena de efecto y dramatismo y pensar que ella le daría las gracias por planificar toda su vida y
luego abandonarla.

Estúpido Tony, por imaginar que le hacía un favor casándose con
ella y sacándola de una existencia humilde. Por hacerla quedar como
una tonta al fingir que no sabía que era una mujer, riéndose en todo momento para sus adentros.

Y estúpida ella, por sus fantasías, como si de verdad fuera la heredera Rosalyn y hubiera podido vivir aquí en este lugar con un padre
que la quería y criados que la adoraban. Como si pudiera pertenecer a
algún otro sitio que no fuese una estrecha caravana de gitanos y un
pueblo diferente cada semana.

Estúpida, y crédula.

—Y luego dices que hueles a hombre —refunfuñó Rosie —. Apes-
tas a jabón de clavel.

Sir Danny parecía confundido. Tony no. Bajó la mano y se pasó la
palma ensangrentada por sus medias calzas.

—Yo huelo a clavel y tú peleas como un guerrero. Seremos la pareja ideal.

¿Se había tomado a broma su afirmación de que no iba a contraer matrimonio?

—No seremos pareja, en absoluto.

—¿Cómo crees que vas a librarte de mí? Estoy al cargo de estas tierras. Podríamos decir que —Tony sonrió aunque ella habría jurado que estaba furioso— llevo las riendas con firmeza.

Indignada por la indirecta, ella soltó:

—¿Por qué no regresar al plan original? Con cierta modificación, desde luego. Yo tomaré posesión de las tierras de Sadler y tú puedes casarte con alguien de la nobleza y vivir de tu esposa. Lady Honora no para de mirarte la entrepierna.

Tony rugió como un toro acosado, y sir Danny cogió a Rosie de la muñeca, llevándosela a un lado como si temiera una embestida. Pero Tony recuperó de inmediato el control —o tal vez nunca lo había perdido— y sonrió con desdén insolente.

Sir Danny estrechó en sus brazos la figura rígida de la muchacha sin dejar de vigilar a Tony.

—Estás dolida, estás furiosa. Hablas sin considerar las ventajas que esto representa para mí.

—¿Ventajas?

Rosie apenas conseguía entenderle, pero no le importaba.

Aguantando la mirada, Tony pasó la mano por el alféizar junto al que ella había permanecido en pie y frotó la opulenta madera marrón.

—Aún está caliente —dijo.

Sir Danny seguía con su cháchara:

—Tendrás un título y con eso serás capaz de patrocinar mi compañía de teatro.

Rosie observó a Tony acariciando la madera y recordó el momento en que se conocieron. Cómo la provocó, se burló y la tocó.

—¿Te gustaría ser nuestra benefactora?

Sir Danny intentaba convencerla.

—No quiero que *él sea* benefactor tuyo.

Sir Danny insistió con paciencia, a pesar de la aversión de Rosie:

—Podré actuar en Londres por derecho propio, igual que hace Tío Will. Tendré dinero para trajes y cuando sea demasiado mayor para desplazamientos, contaré con un sitio donde retirarme.

—Bien. Pero todo esto es mío, no me hace falta casarme.

Tony, al observar el rechazo incesante de ella, preguntó:

—¿Una mocita ingrata, parece ser?

Rosie apartó a sir Danny de un empujón y se fue directamente hacia aquel presuntuoso detestable y desdeñoso:

—No cuentas con el favor de la reina. Eso pude oír entre los invitados a la reunión en tu casa, y dado el ser detestable que eres, entiendo el porqué. Reclamaré mi posesión ante Su Majestad, y ella me la concederá de inmediato.

—¿Y cómo planeas acceder a un encuentro con la reina? —Tony la cogió por las lazadas de la camisa y la hizo girar como un pez—. Estás aquí y puedo retenerte.

Ella bajó la vista a los nudillos próximos a su barbilla y a continuación le miró; parecía más alto, ancho y duro que cualquier hombre que hubiera conocido. ¿Iba a retenerla aquí como prisionera?

—He salido de situaciones más complicadas.

—¿Sola? ¿Sin ayuda de sir Danny? —Rycliffe entrecerró sus hermosos y grandes ojos—. ¿Con mis fieles sirvientes y mis fieles soldados vigilando todos tus movimientos?

Tony estaba convencido de que simplemente por pagar a sus soldados y criados cumplirían sus deseos, y ella temía que estaba en lo cierto. Dijo:

—Creo que todavía quedan algunos criados de los días en que la pequeña Rosalyn jugaba aquí, y creo que me ayudarían.

—No está mal pensado —asintió Tony—. Gracias por advertirme. Tomaré medidas para frustrar esa pequeña escapatoria.

Este desafío, se percató Rosie, exigía una respuesta apropiada.

Por desgracia la vida de actor la había preparado para la injusticia. No obstante, no significaba que fuera a gustarle. Intentando que Tony dejara de asirle por la camisa, dijo:

—Puedes retenerme, pero no me casaré.

—Como quieras. —Hubo un forcejeo de dedos entre ambos, tanteando, estirando, deslizándose. Pero Tony podía superarla fácilmente incluso con una sola mano. Ella lo sabía, él lo sabía. Rosie estaba que echaba chispas, pero él no paraba de sonreír sin dejar los insultos—: Serías una mujer totalmente inapropiada para mí. No has sido educada para comportarte como una dama de la nobleza.

Herida, Rosie se soltó de su asimiento.

—Tengo sangre noble —chilló—. Aprendo muy rápido y soy una actriz que ha interpretado muchos papeles de dama noble. No soy yo quien carece de lo necesario para ser noble.

—Rosie —advirtió sir Danny.

Pero ella continuó imparable sin hacerle caso:

—He oído rumores sobre tus orígenes. Eres un bastardo. Tú sí que no eres digno de ser un noble.

Tony bajó la cabeza a su altura y preguntó:

—¿De verdad eres una mujer?

Con igual agresividad, ella adelantó la cabeza y sus narices quedaron casi pegadas.

—Sí.

—Mejor lo demuestras entonces, porque como seas un hombre voy a romperte la crisma.

—¿Que lo demuestre? —chilló sir Danny.

—Ahora —declaró Tony, y entonces la agarró por la entrepierna.

Furiosa, acuciada, ultrajada, le imitó y le agarró también. Ninguno de los dos se intimidó: se quedaron mirándose a los ojos, respirando con dificultad. Al final Tony susurró:

—¿He demostrado de forma satisfactoria mi hombría?

—Sí —susurró como respuesta—. ¿Ha quedado demostrado que soy una mujer?

—Sí.

¿Sabía él que esas leves pulsaciones alimentaban la excitación en las entrañas de Rosie? ¿Sabía con exactitud Rosie lo que significaba aquello?

—Creo —continuó él— que deberíamos casarnos pronto.

—No.

Por primera vez durante esta espantosa entrevista, la sonrisa de

Tony era caprichosa, una curva de felicidad que pedía suplicante un beso.

—Por favor, mi dama, ¿por qué no?

—¿Por qué no? ¿Por qué no? —Lady Honora se encontraba de pie en el umbral, roja de indignación—. ¡Porque vas a casarte conmigo!

Tony y Rosie se separaron de un brinco, y lady Honora entró majestuosamente, con su amplia y rígida falda enganchándose a los lados de la puerta. Se liberó con una sacudida.

—Explícate, Tony.

Tony se colocó discretamente detrás del escritorio y se sentó, y Rosie sabía por qué.

—¿Cómo se ha enterado de todo esto? —quiso saber él.

Sin inflexión, lady Honora dijo:

—El administrador cumplió con su deber y me lo contó.

—¿Hal? —Tony echó un vistazo a su alrededor, luego gritó—: ¡Hal!

—¿Sir? —respondió Hal y se apresuró a entrar.

—¿Apenas me he enterado de las noticias yo mismo y ya haces correr la voz como un mensajero real?

Repitiendo una inclinación, Hal tartamudeó:

—No, señor, sólo me mantenía junto a la puerta porque el pestillo no va bien.

—¿Qué el pestillo no va bien?

Tony le observó fijamente, con expresión de furia impresionante.

El color desapareció de la frente de Hal para concentrarse en su abultada mandíbula. Abría la puerta una y otra vez con pequeños movimientos nerviosos.

—Sí, la puerta ha empezado a dar problemas con el... ah... —Renunció y se inclinó ante lady Honora—. Esta dama exigió conocer los sucesos que tuvieran lugar aquí dentro y, señor, cuánto lo siento, pero no he sido capaz de resistir su interrogatorio.

—Por supuesto que no.

Lady Honora le mandó salir con un ademán.

—Por supuesto que no —reconoció Tony—. Recibirás el merecido castigo por poner la oreja. Sal de mi vista y no vuelvas a aparecer. Voy a substituirte como administrador.

—No, señor —imploró Hal.

—... a menos que puedas demostrarme tu lealtad, a mí y a Odyssey Manor.

—Sí, lo haré. Juro que lo haré.

—Hay otros disputándose tu puesto. Ahora sal de aquí.

Rosie cerró los ojos para bloquear la visión de Tony, inmóvil, callado y tan furioso que la asustaba. Pero algún sonido hizo que los volviera a abrir, y se encontró a Hal de rodillas ante ella.

—Milady. —Le cogió la mano caída y la sostuvo como si fuera un cáliz sagrado—. Es un honor servirla de nuevo. Esta vez...

—¡No la toques! —dijo Tony, que se situó a su lado sin darle tiempo a pestañear y le liberó la mano del asimiento de Hal, sosteniéndola con tal fuerza que los nudillos le crujieron.

—¡Tony, cuánta violencia! No es más que un ignorante —le reprendió lady Honora mientras Hal se levantaba como podía y salía corriendo—. Él cree que es la heredera.

—Lady Honora —llamó sir Danny, pero el alto cuello almidonado de lady Honora le impedía volver la cabeza. El actor se puso en la línea de visión de la dama y prosiguió entonces—: Lady Honora, ella es la heredera.

—¡Usted! —Ignorando a Tony con un desdén impresionante, lady Honora miró al actor desde su impresionante nariz—. Me ha mentido en todo.

Sir Danny sacudió su impresionante cabellera.

—Mírelo desde otra perspectiva. Podría haberle contado la verdad sobre todo.

—¿Por qué iba a creer a un actor? —preguntó ella.

—Porque —con coraje impresionante, sir Danny puso su índice entre las finas cejas depiladas de la dama— su capacidad para juzgar el carácter es excelente.

Lady Honora se quedó inmóvil, como si no pudiera creer que la había tocado, y él aguantó su mirada hasta que se abrió otra puerta de golpe, con un nuevo golpetazo contra la pared.

Jean y Ann se abrían paso a codazos como niñas pequeñas, ambas ansiosas por entrar la primera en la habitación.

—Tony —dijo Jean—. ¿Qué es este cuento que explican los criados?

Ann acabó:

—¿Que la heredera perdida ha regresado y que vas a casarte con ella?

Tony miró a través de la puerta al grupo de criados que se arremolinaban excitados.

—Las noticias corren que vuelan por lo que veo.

—¿Quieres decir que es cierto? —Jean se agarró la peluca roja como si fuera a salir volando con el fuerte viento de los cambios.

En silencio, Tony tendió el testamento amarillento de lord Sadler a Jean, pegándose Ann y lady Honora a ella para leer por encima de su hombro. Cuando acabaron, Jean se lo devolvió sin decir nada.

Ann fue la primera en recuperarse.

—Lady Honora, ¿qué piensa?

La duquesa respondió, pero no a la pregunta en cuestión.

—Sir Danny estaba diciendo que mi capacidad para juzgar el carácter es excelente, y yo digo que esto es verdad.

—Fantástico —murmuró Tony—. La tiene encantada del todo.

Lady Honora continuó:

—Pero por verdadera que sea una afirmación, esto es imposible. Una mujer de condición inferior no puede convertirse en heredera.

Sir Danny fijó en ella su mirada más hipnotizadora.

—Rosie... Rosalyn no es una mujer de condición inferior. Yo personalmente he supervisado su preparación en todo momento, despierta y dormida. Pasa de mis manos a las manos de su esposo, intacta e inocente.

Tony, llevándose la mano de Rosie a la boca, depositó un beso delicado y prolongado:

—Eso ya lo sabía.

Ella le clavó los dedos en la mano y él se apresuró a soltarla.

—La reina Isabel es por encima de todo una monarca práctica, y la verdad sobre la pureza de Rosalyn, incluso sobre su herencia, parece nimia comparada con su vergonzosa educación. ¡No! —Lady Honora atravesó el aire—. Lamento informarle, sir Danny, que no es digna. Pero —levantó el dedo— estaría encantada de ofrecerle cobijo en una de mis casas. La hija de sir Edward Sadler merece ser rescatada de las cloacas en las que ha caído y recibir la educación conveniente para comportarse como una dama.

—Tengo una idea mejor. —Una mejilla de Tony se agitó con gesto divertido—. Enséñele aquí a comportarse como una dama. —Rosie le dio un codazo en las costillas y él soltó un gruñido. Frotándose el costado, continuó—: Enséñele a no atacarme. Enséñele a comportarse en la mesa, a llevar una casa, a ser una esposa correcta para un noble de mi talla. —Sujetándola por los brazos, Tony la levantó y alejó sus piernas pataleantes de él—. Es un reto a la altura de las tres, ¿cierto?

Tony las tenía bien caladas. Jean examinó con avidez a la muchacha forcejeante.

—Tiene posibilidades.

Lady Honora escuchaba las maldiciones barriobajeras que lanzaba.

—Necesita que le enseñen cuándo hablar y cuándo guardar silencio.

—Sobre todo —Ann olisqueó— necesita un baño.

—¿Un baño? —Sir Danny se estremeció—. Qué concepto tan desagradable.

—¿Un baño? —Rosie chilló—. Sir Danny, quieren ahogarme.

Jean se fue hasta la puerta y ordenó que prepararan de inmediato una bañera con agua caliente arriba en la habitación de invitados más espaciosa, de inmediato. Ann arrojó una manta sobre la cabeza de Rosie para sujetarla. Lady Honora ordenó:

—Silencio, muchacha. Vamos a darte un baño. —Cogiendo escrupulosamente entre los dedos un fragmento de la capa corta de Rosie, lo frotó y lo soltó a continuación con asco.

—Probablemente dos. Ponedla en manos de las doncellas, y tratad su brazo con cuidado.

Todo el mundo observó mientras se llevaba a cabo la transferencia, las mujeres y Tony con gesto de aprobación, sir Danny con consternación, y el bulto aullante era sacado.

Lady Honora se sacudió las manos con energía.

—Te haremos saber cuando hayamos concluido nuestra labor.

Tony escuchó las llamadas a gritos a sir Danny y las exigencias aulladas por la escalera, luego volvió al escritorio y se sentó, preparándose para retomar el trabajo interrumpido por su compromiso de boda. La fundición exigía buena parte de su atención; pronto debería estar funcionando con maquinaria modernizada y por fin recuperaría el dinero que había invertido con tanta generosidad.

Un dedo tembloroso apareció bajo su nariz y alzó la vista a un horrorizado sir Danny.

—No puede hacer esto —dijo el actor—. Se dio un baño el verano pasado, y todo el mundo sabe que un baño en invierno acaba con cualquiera.

Tony cogió la pluma y la contempló.

—No la matará un baño.

—¡Déjese de cuentos! Si va a atormentar a la pobre muchacha, me la llevaré y encontraré otro método de recuperar la propiedad.

Sir Danny se dio media vuelta para dirigirse hacia la puerta.

—Como quiera —replicó Tony—. Pero si sube al dormitorio para rescatarla, es mi deber advertirle: lady Honora ya ha mencionado que usted necesitaba un buen restregado.

Sir Danny retrocedió y le miró aterrorizado. Tony asintió con un gesto amable de confirmación. Sin Danny salió huyendo, no hacia el dormitorio, sino buscando la seguridad que el exterior de la casa le brindaría.

Tony miró hacia el vestíbulo, a la línea de doncellas que trasladaban cubos llenos de agua hirviendo. Alzó la vista al techo, al lugar donde sabía que lady Honora y sus hermanas restregaban a Rosie. Luego bajó la vista a su mano, ya no estaba ahuecada con la forma del pecho de Rosie, sino con la forma de su feminidad.

Y sonrió.


Sir Danny recorría la galería oyendo los gemidos de Rosie y recordando cómo, en el pasado, siempre había acudido veloz en su auxilio. A veces, los «otros» chicos la atormentaban como si fuera un «mariquita». A veces había estado enferma. Pero sobre todo, tenía pesadillas. Él siempre había estado ahí a su lado, y ahora había perdido ese derecho. Sin consultarle siquiera, la había devuelto de súbito al pasado que tanto la asustaba, y ahora los acontecimientos, y Tony, la arrastraban.

Un chillido especialmente fuerte acabó con una sonora salpicadura.

¿Cuándo acabaría este tormento?

Hal estiró las manos hacia las llamas del fuego en la cocina. Teñían su piel de escarlata y dotaban de un relumbre transparente su carne mientras se preguntaba si las llamas del infierno le devorarían vivo. ¿Vería su carne consumida a través de la eternidad como pago por sus pecados? ¿Le clavarían los demonios sus horquillas?

¿O había muerto ya y el diablo le atormentaba con ese fuerte dolor en su cerebro? ¿Tendría que intentar eternamente redimirse y eternamente encontrarse condenado por Dios, Jesús, María y todos los santos, y por sus congéneres?

¿Cuándo acabaría este tormento?

Ese necio de sir Danny había sido más hábil que él. Acurrucado entre los arbustos bajo la terraza, Ludovic maldecía y observaba la finca. El viejo insensato y el joven señor. Juntos habían conspirado para colocar a Rosie tan por encima de su posición que ahora tenía tantas posibilidades de alcanzarla como de tocar las estrellas.

Pero ella no estaba contenta. Sus gritos le destrozaban el corazón y la risa de las criadas crispaba sus nervios. Incluso desde el exterior de la casa, alcanzaba a oír los tonos fríos y precisos de las tres mujeres, esa brujas que dirigían la tortura.

¿Qué clase de hombre imaginaban sir Danny y ese lord presumido que era él? No era un necio cortés como esos ingleses, sino un verdadero guerrero del norte. Se lo demostraría.

Cayó la noche, las luces relumbraban en las altas ventanas y todavía continuaba el baño cruel.

¿Cuándo acabaría ese tormento?

—¡No soy la heredera! —farfullaba Rosie. Estaba de pie en la bañera mientras las doncellas la enjuagaban con abundante agua limpia que le tiraban por la cabeza.

—Tony está convencido de que sí. —Jean cogió una bata de un baúl—. ¿Qué piensas, Ann? Tú tienes vista para el color.

Ann consideró la seda amarilla, luego negó con la cabeza.

—No, su cutis oscuro quedaría cetrino. Intenta encontrar un rojo vibrante de verdad.

Jean sacudió una bata de terciopelo carmesí, ribeteada de galones enrollados.

—Sí, eso quedará estupendo —aprobó Ann.

—Tengo unos puños ribeteados de hilo negro y rojo que realzarán las manos de Rosalyn. —Lady Honora examinó las uñas de Rosie, luego hizo un gesto a la doncella que esgrimía un cepillo usado—. Restrégaselas.

—No voy a ponerme esas ropas. —Rosie dio un respingo al sentir el cepillo en las uñas, y se preguntó a qué venía aquel agravio. Hasta ahora había hecho todo lo que esas tres mujeres, esas brujas, le ordenaban. No había tenido otra opción.

No le hicieron tomar un baño, sino dos. La habían despiojado, restregado con una especie de lija y lavado hasta creer que iba a encontrar tiras de piel en el fondo de la bañera. Habían pasado por alto sus protestas, se habían reído de sus amenazas. Era obvio que las dos hermanas de Tony se habían ocupado antes de niños recalcitrantes, que era lo que la consideraban a ella. Y lady Honora... bien, a lady Honora nunca se le ocurriría tener miedo a nada.

—Por supuesto que te pondrás esas ropas o tendrás que ir desnuda. —Jean sacó varias fajas hasta encontrar una que recibiera la aprobación de Ann—. Quemamos los andrajos que llevabas. Aparte, aunque estas prendas lleven tal vez veinte años pasadas de moda, son tuyas.

Una toalla de lino envolvió la cabeza de Rosie, y cuando se la retiraron, con el pelo enredado, preguntó:

—¿Mías?

Jean explicó:

—Eres la hija de Edward.

—No lo soy.

—Los cofres estaban aquí cuando Tony tomó posesión de Odyssey Manor.

Instándola a salir de la bañera, Ann le sostuvo el brazo entablillado mientras las doncellas la secaban de pies a cabeza.

—Por supuesto que eres la heredera. Todas conocíamos a Edward, era un favorito de la reina. Y nosotras éramos damas de honor de Su Majestad.

Rosie se sujetó las toallas, intentando protegerse de lo que parecían miles de ojos. De hecho, no se había percatado de que existieran tantas mujeres en esta finca, pero todo el mundo quería presenciar el baño de la nueva heredera, y las tres brujas parecían aprobarlo.

—Los testigos acallarán cualquier rumor, querida mía —había dicho Jean cuando protestó por la vergüenza que suponía todo aquello—. Todas han visto tu transformación del actor en heredera, y no habrá más rumores sobre un cambiazo.

Las doncellas retiraron las toallas y Rosie se encontró seca y desnuda como una criatura. Intentando disimular con bromas la incomodidad de la situación, dijo:

—¿Ahora vais a decirme que me parezco a él?

—En absoluto. —Los tonos profundos de lady Honora desaprobaron su falta de seriedad—. Te pareces a ella.

—¿Ella?

—Tu madre.

¿Su madre? Nunca había pensado en una madre.

—Tenías una madre, desde luego —replicó Jean apretando los labios.

Desconcertada por el trasfondo, Rosie preguntó:

—¿No le caía bien?

—Casi supone la ruina de Edward.

Ann le puso a Rosie un blusón de batista por la cabeza, le ayudó a meter el cabestrillo por la manga y ató las lazadas sin apretarlas.

—¿Su ruina?

—A la reina no le gusta que sus cortesanos se casen —entonó lady Honora—, y Edward era uno de sus favoritos.

—Nunca entendimos qué fue lo que vio en ella. —Jean rodeó a Rosie con un petillo cubierto de seda y, cuando dio su aprobación, una doncella se lo sujetó al cuerpo—. Era flacucha como tú.

—Y morena como tú.

Uno a uno, lady Honora le probó gorros hasta que uno negro ribeteado de perlas ganó la aprobación general.

—Sin encanto alguno, pero para Edward era irresistible. Construyó esta casa para ella; entonces se llamaba residencia Sadler, por supuesto. —Ann tendió a la doncella unas enaguas de moquette negra, seguidas por otras de sarga roja, y la doncella sujetó las puntas al petillo—. Luego se casó con esa mujer sin permiso de la reina.

—Por supuesto, la había dejado embarazada. —Jean estudió a Rosie—. De ti. Edward estaba entusiasmado con tu nacimiento y te presentó a la reina como su futura dama de honor.

—Tenía un encanto insolente.

Ann suspiró y sonrió.

—Tú estabas enamorada de él —acusó Jean.

—Igual que tú, hermanita.

Lady Honora puso fin a la riña.

—Todas lo estábamos.

—¿Qué le sucedió a mi madre? —inquirió Rosie.

Las hermanas se sonrieron entre sí con picardía, conscientes de que acababa de reconocer la herencia Sadler, pero lady Honora dijo:

—Murió.

—Oh.

Todo el mundo moría, todo el mundo abandonaba a Rosie. ¿Por qué había preguntado siquiera?

—Edward nunca miró a otra mujer, excepto a la reina, y todos sabíamos que cuidaba la amistad con Su Majestad por ti. —Jean sujetó a las caderas de Rosie un pequeño miriñaque redondo para el trasero—. Por suerte, la reina Isabel nunca supo cuánto te adoraba o habría tenido celos también de ti.

—Todo sea dicho, Isabel ordenó tu búsqueda diligentemente cuando desapareciste y lloró a Edward con verdadero dolor. —Ann se secó una lágrima de la mejilla—. Dijo que le había prometido ocuparse de ti si algo le sucedía, por lo tanto creía que no había cumplido con su obligación. Tu llegada a la corte debería hacerla feliz.

—Si conseguimos hacer de ti una dama —declaró Jean.

Lady Honora sentenció el destino de Rosie:

—Haremos una dama de ella, merecedora de un matrimonio con un noble... aunque no será Tony. Es mío.

—Y lo haremos por Edward.

Jean extendió las manos ante sus conspiradoras, y la demás colocaron las suyas encima.

—Por Edward —acordaron.

# Capítulo *11*

Vedla, viene ataviada como la primavera.
PERICLES, I, i

*E*h, sir Danny! Mira qué traje. —Rosie se fue saltando por la galería en dirección a su tutor. Los conjuntos de velas creaban un relumbre sobre la pared encerada y pulimentada de paneles e iluminaban los colores vivos de las tapicerías. Los altos ventanales centelleaban, negros y brillantes por la noche invasora, pero en cada extremo de la galería rugía un fuego enorme con una conflagración que arrojaba calor hacia la fría atmósfera desafiando a la oscuridad.

Sir Danny se volvió desde las llamas y abrió los ojos ante el espectáculo que ofrecía Rosie dando vueltas ante él.

Una sola mano en el codo la hizo detenerse de golpe.

—Las damas no corren ni dan brincos —dijo lady Honora con tono de reproche.

—Se deslizan —explicó Jean.

—A menos que se les levanten las enaguas con el aire o se tropiecen con los tacones altos. —Ann caminaba con afectación sobre sus altos zapatos—. Algo embarazoso, pero demasiado común entre mujeres desatinadas.

—Tampoco solicitan comentarios elogiosos de sus amigos acerca de su vestimenta.

Tiesa y pomposa, lady Honora dobló las manos delante de ella.

Rosie torció el labio, y Jean le pellizcó la mejilla.

—Las damas no se encorvan.

—Al fin y al cabo tienes una responsabilidad. —Lady Honora hizo un ademán para saludar a sir Danny—. Debes aprender a comportarte o serás una desgracia para nosotros.

Inclinándose con elegancia, sir Danny proclamó:

—Estas damas llegan refrescantes como los primeros capullos de la primavera, que con su estallido de color y gloria parecen proclamar: «El invierno ha sido vencido. Vayamos pues a retozar con la brisa y bailemos bajo el sol».

—Igual te excedes un poco —murmuró Rosie, pero Ann se rió disimuladamente, Jean inclinó la cabeza e incluso lady Honora sonrió con cordialidad.

Sir Danny lanzó una mirada triunfal a su pupila, luego dijo graciosamente:

—Estás encantadora, y me gusta en especial el cabestrillo, a juego con el vestido, Rosie.

Lady Honora se aclaró la garganta y frunció el ceño.

—Y sí que estás limpia. —Sir Danny devolvió el ceño a lady Honora—. Confío en que este baño no haya afectado a su salud.

Con mirada igualmente severa, lady Honora entonó:

—Un baño nunca hace daño a nadie, mientras se administre en una habitación bien caldeada, con las adiciones de hierbas adecuadas, y no más de cuatro veces al año. Pero sir Danny, debo prevenirle que no llame a Rosalyn por ese nombre espantoso.

—¿Nombre espantoso? —dijo sir Danny confundido.

—Rosie. —Lady Honora hizo que sonara como un insulto.

Sir Danny, perplejo, preguntó:

—¿Y cómo debo llamarla?

—Su nombre de pila es Rosalyn. —Lady Honora lo pronunció con cuidado, como si quisiera educar su oído—. Y ya que es hija de un conde, todo el mundo debería llamarla «lady Rosalyn», excepto los más allegados.

Sir Danny y Rosie intercambiaron miradas elocuentes.

—Puesto que usted no es más que un simple actor —continuó lady Honora—, debería tener la precaución de dirigirse a ella por su título.

Rosie se percató de cómo intentaban ya separarla del hombre que más significaba para ella. Podría estar enfadada con él por el arbitrario dominio de su fortuna, pero, maldición, sería ella quien decidiera su castigo y no su rango inferior. Furiosa, lanzó una pregunta:

—¿Acaso su posición como mi salvador no cuenta nada?

Ann cogió la mano sana de Rosie.

—Suena frío, lo sé, pero debes percatarte de que ahora el relato de tu vida debe modificarse en buena medida. Creo que será preferible contar que lady Honora te encontró viviendo a cargo de una de sus bondadosas y ancianas tías.

—No tengo tías bondadosas —replicó lady Honora.

—¿Por qué eso no me sorprende? —musitó Rosie.

Jean mostró paciencia con su poco imaginativa amiga.

—Lo fingiremos.

—Nosotros sí sabemos fingir, ¿verdad... Rosie?

Sir Danny suavizó su desafío con una sonrisa encantadora y ofreció el brazo a la muchacha. Rosie se adelantó para cogerlo, pero lady Honora dio un paso al frente apoyada en ella y lo aceptó como si fuera derecho suyo.

Ann se encargó de explicar el orden del rango a la boquiabierta Rosie:

—Vamos de uno en uno por orden de nobleza. Lady Honora va la primera, desde luego, pues aparte de ser una duquesa viuda, ha heredado un título de baronet propio. Jean es la siguiente. Es una marquesa viuda e hija de un conde. Tú y yo coincidimos en rango, pues las dos somos hijas de condes. No obstante, yo me casé con alguien de rango inferior. Mi esposo es sólo un barón, por lo tanto el tratamiento apropiado en mi caso es lady Ann, hija del conde de Spencer, ya que el segundo es mi título superior. Puesto que tú eres más joven y además soltera, yo seré la siguiente en entrar. —Observando el asombro en los ojos abiertos de Rosie, Ann inquirió con amabilidad—. ¿Tienes alguna pregunta?

Rosie tragó saliva.

—¿Cómo recuerdan todo eso?

Ann se rió, con un sonido cristalino y joven.

—Espera a ir a la corte. Allí, tendrás que recordar el título de todo el mundo y el orden de precedencia.

—Vas a asustarla, Ann. —La voz cálida de Tony rompió el trance horrorizado de Rosie. Le hizo dar media vuelta cogiéndola por la cintura—. Déja que te vea.

¿Verla? Verle a él, de cuerpo entero, con un elegante atuendo de terciopelo negro ribeteado de encaje en cuello y mangas, con bordados de hilo rojo y una pequeña gorguera almidonada. Un atuendo así no lo toleraría bien un hombre menudo, pero Tony sí. Tal vez porque ella recordaba su aspecto esa tarde: orgulloso y desnudo.

¿Qué pensaba él de ella? Permaneció quieta, con los hombros hacia atrás, repitiéndose que la mirada de Tony no difería en absoluto de la del público. En todo caso, podría aceptarla con ecuanimidad. Pero de algún modo, la mirada de Tony no parecía diferente a la mirada del público. La piel de Rosie estaba demasiado limpia, seca y desnuda, aún no estaba preparada para desprenderse del camuflaje de polvo y mostrarse sin más. O tal vez no fuera su piel sino su espíritu el que se hallaba expuesto al escrutinio de Tony, esperando su veredicto.

Pero cuando llegó el veredicto, no fue un soliloquio elocuente, sino un simple y jadeante:

—Estás resplandeciente como una moneda nueva de cinco peniques.

Rosie se consoló pensando que él no se percataba de cómo la desarmaba. Tenía el aspecto aturdido de un hombre borracho de buena suerte, ciego a los matices. Ella contestó con la misma simpleza.

—Sí. Siempre he pensado que resultaría una mujer atractiva. —Con gesto prosaico dio un pellizco a su falda e hizo su primera declaración de libertad—. Pero no es mi intención vestirme como una mujer todo el tiempo.

Ann gimió:

—¡Pues debes hacerlo! ¿Por qué no?

El agudo chillido de consternación pareció sacar a Tony de su trance, recuperando el juicio a una velocidad que no auguraba nada bueno para Rosie.

—¿No has quemado las prendas que llevaba puestas, Annie?

—Oh. —Ann se llevó una mano al pecho, suspirando como si su corazón intentara escapar por la estructura sustentadora de marfil del petillo—. Las quemamos, cierto, las quemamos. Tendrá que llevar faldas, lady Rosalyn. Quemamos las asquerosas ropas de actor.

Incapaz de resistir el agitado tono conciliador de Ann, Rosie suplicó:

—Por favor, llámeme Rosie, o al menos Rosalyn.

—Oh, cielos. —Ann dio una palmadita a Rosie en la cabeza, pese a ser esa cabeza más alta que la suya—. Sería un honor, pero debemos quedarnos con Rosalyn. Es un nombre adecuado para una dama de su talla. Y me llamarás hermana Ann, aunque supongo que no vas a ser mi hermana.

Parecía preocupada, pero Rosie le dio una palmadita en la espalda para tranquilizarla.

—¿Por qué no va a ser tu hermana? —preguntó Tony.

—Porque Jean y lady Honora han decidido que va a casarse con otra persona.

—Y yo he decidido que se casará conmigo. —Tony lo dijo inclinándose hasta quedarse a la altura de los ojos de Ann—. ¿Y quién crees que ganará?

—¿Tú? —Ann le señaló—. ¿O lady Honora? —Indicó hacia el comedor, luego apuntó hacia él, luego otra vez hacia el comedor.

Podría haber seguido así eternamente, pero Rosie cogió el dedo índice estirado de Ann y lo rodeó con sus dedos.

—No se inquiete. Nadie me ha consultado todavía.

Tony puso una mueca.

—Acabarás de mi lado, y entonces nadie nos detendrá.

Ann chilló como un ratón.

—No quiero estar aquí cuando eso suceda.

—No es probable que ocurra. —arrojó Rosie el reto como si tal cosa, con la esperanza de que Tony tomara nota.

Él inclinó la cabeza con el respeto concedido a una oponente de valía, pero si el enfrentamiento le preocupaba, lo ocultaba bien.

—Hueles muy bien. —Olisqueó con ostentación—. Encuentro que un cuerpo limpio debajo de una bata de seda es como un potente afrodisíaco.

Rosie también le olisqueó.

—Si arriba hay un baúl con ropas de dama de la época de lord Sadler, seguro que también habrá un baúl con ropas de caballero, por lo tanto no tendré problemas en cambiarme de nuevo.

Tony admiró sin disimulo su buen juicio, luego reflexionó:

—Me preguntó qué pensará la reina Isabel cuando hagas una reverencia ante ella vestida con unas mallas llenas de alubias y un jubón y le presentes tu petición para recuperar la finca Sadler. Creo que se quedará impresionada, ¿no te parece hermana?

Ann movió la boca, pero no articuló palabra. Y si Ann se agitaba de tal modo, Rosie podría imaginar el horror de la reina. Desafiante, dijo:

—Me vestiré de mujer cuando presente mi petición.

Pero casi pudo oír la réplica sin necesidad de que él dijera palabra. Se limitó a pensar, por lo visto de forma audible.

Para reclamar Odyssey Manor, necesitaba la formación que le ofrecían lady Honora, Jean y Ann, y no se la proporcionarían a una mujer vestida de hombre.

—Oh, cielos. —Ann se retorció las manos—. Oh, cielos, esto no va a funcionar.

—Entrad y tomad asiento. —Tony guió a su hermana hacia el comedor—. Rosie y yo estaremos aquí dentro de un momento.

—Pero necesito explicarle que...

Tony dio un empujoncito a Ann.

—Lo haré yo.

—Oh. —Ann le dedicó una mirada recelosa, luego se le iluminó el rostro—. ¡Oh! Se lo vas a explicar tú.

—Sí.

—Escucha a Tony, querida. —Ann habló por encima del hombro mientras entraba en el comedor—. Tony siempre sabe qué es lo mejor.

La fe ciega de Ann en las capacidades persuasivas de su hermano irritó a Rosie casi más que la seguridad petulante de Tony. Entonces cruzó los brazos sobre el pecho y dijo:

—Estoy escuchando.

Dirigiéndose hacia las puertas, Tony las abrió de golpe y salió a la terraza. La oscuridad en el exterior era absoluta, entró con la brisa y casi apaga las velas de la galería.

Tan poca luz. Tanta oscuridad.

—Puedes salir —llamó Tony—, voy a acompañarte, no temas.

Sabía cuánto detestaba ella la oscuridad, pero la desafió con su tono, sus palabras, su acción. Ella quería ser mejor que Tony, hacerlo todo mejor. Al fin y al cabo, la verdadera heredera no tendría miedo a nada.

Por otro lado, la verdadera heredera debería aprender a comportarse, y sus instructoras continuaban en el comedor. Por otro lado, si dejaba solo a Tony, podría pensar que le rehuía por su capacidad seductora. Por otro lado... respirando hondo, atravesó el umbral de la terraza.

La oscuridad la rodeó como un manto, bloqueando todo pensamiento en su mente.

—Estoy aquí.

La voz de Tony la guiaba hacia la esquina situada a su izquierda, y Rosie se adelantó poco a poco con las manos estiradas. Mejor no ir corriendo y darse con los bancos y mesas colocados de cara al sol, cuando el bendito astro relucía.

—Me sentiría honrado por tu muestra de coraje si por casualidad no supiera —Tony sonaba irónico— que mis hermanas pueden ser abrumadoras, y lady Honora es... lady Honora.

Los ojos de Rosie empezaron a adaptarse a la oscuridad. La luz de las ventanas iluminaba los obstáculos en su camino, y Tony se perfiló bloqueando la luz de las estrellas.

—Enfrentarse a la oscuridad conmigo tiene que ser más divertido que aprender la ceremonia formal en la mesa.

—Sí, desde luego.

Ella llegó a su lado sin incidencias, y jadeó como si hubiera atravesado una gran distancia. El petillo debía de quedarle demasiado ajustado. Los tacones demasiados altos. Debía de sentirse demasiado tensa, esperando que Tony le mirara de frente como se temía.

Pero él no dijo nada. Era sólo una forma a su lado. Miraba a los terrenos de la finca, y ella también miró, intentando ver lo que él veía.

No había nada. Sólo los perfiles del terreno alejándose ondulantes hasta el horizonte, y luego el gran cielo negro vivo con cintas de estrellas que centelleaban como las joyas de la reina Isabel.

—Mira ahí. —Tony susurró como si se encontraran en una iglesia—. Es el punto más bonito en toda Inglaterra.

—Sí.

Sí, lo era. Un paisaje de ensueño, diferente a cualquiera que hubiera imaginado, con brumas ocultas en los huecos y grandes robles susurrando a las estrellas.

—Algunas noches salgo aquí yo solo y me quedo sentado. Casi puedo oír la hierba y las cosechas tomando fuerza del suelo. Algunos días salgo y cada ondulación del terreno canta con gran belleza y una sensación atemporal.

Le rodeó la cintura suavemente con el brazo y ella se puso rígida. ¿Iba a empezar a seducirla ahora?

—¿Lo oyes?

—Creo que sí.

Oía el cántico de una sirena y, aunque la voz pertenecía a Tony, la melodía y los versos olvidados tiempo atrás la encandilaron.

—La tierra ha estado siempre aquí, tostándose bajo el sol y disfrutando de la lluvia. Tenerla es poseer un pedazo de eternidad.

Ella respiró el aire nocturno y sus nervios ardieron expectantes, más incluso que en el momento de salir a un escenario. Ella, que nunca había poseído nada, que ni siquiera creía en su reivindicación de este patrimonio, se estiró y abarcó la tierra.

La mano le estrechó aún más la cintura.

—La quieres, ¿verdad?

Ella le clavó las uñas hasta hacerle aullar y apartarse de golpe.

—Es mía.

La dentadura de Tony centelleó entre las sombras de su rostro:

—Es mía, y si la quieres tendrás que casarte conmigo para conseguir tu parte.

Seducción. Le había preocupado que fuera a seducirla físicamente. Pero no. Él seducía sus sentidos, exponía las necesidades que se había ocultado a sí misma. Era natural que hubiera reivindicado Odyssey Manor, pero no la había anhelado, deseado, codiciado. Ahora aí.

El hombre era listo. Más listo de lo que había imaginado. Mejor no lo olvidaba, y de paso descubría una manera de combatirlo.

Y por eso le besó.

Y aplastó sus labios contra los de él, saboreó su asombró y luego su diversión. Se separó y estudió la situación, hizo las correcciones necesarias en la inclinación de los rostros y la presión de los labios, y lo intentó otra vez.

Esta vez pareció colocarse mejor. Él la rodeó con los brazos cuando ella le mordisqueó la oreja, y dejó de respirar cuando Rosie deslizó la lengua entre sus labios. Las rodillas de Tony cedieron; se sentó contra la amplia baranda e intentó atraerla más. El miriñaque y las voluminosas enaguas eran un obstáculo, y ella se permitió un momento de triunfo.

Seducirla con palabras, ¿eso quería? Bien, le seduciría ella a su vez. Las mujeres de las obras de teatro siempre reducían a los hombres a ruinas temblorosas de pasión, y ella quería ver a Tony estremeciéndose como un cuenco de gelatina de anguila. Quería que perdiera el sentido a causa del deseo. Le quería a él.

—Tengo que entrar ahora —dijo, consternada al notar el temblor en su propia voz.

—Aún no.

—Se estarán preguntando...

—Pues que se pregunten.

Tony bendijo su buena visión nocturna. Era capaz de ver el rostro de Rosie bajo la luz tenue de las estrellas, distinguía que su expresión vacilaba entre el júbilo y la prudencia. Ansiaba la tierra, pero ese anhelo la enardecía. Le quería a él de rodillas ante ella, pero temía dar los pasos para someterle. Sus pasiones la confundían, y planeaba utilizar aquella confusión.

—Encajas bien en Odyssey Manor porque naciste aquí. —La levantó del suelo, le dio una vuelta por los aires y la dejó sobre la baranda donde él estaba sentado antes—. Encajas bien en mis brazos porque naciste para esto.

Ella forcejeó cuando la inclinó hacia el aire enrarecido del otro lado de la baranda, pero susurró:

—Ten cuidado. No quiero caer por el borde contigo. —Se quedó quieta y él le besó la garganta sonriendo—. Los arbustos pararían nuestra caída, pero me gusta más estar aquí arriba donde poder besarte. ¿A ti no?

La invadió la frustración. Él había neutralizado con efectividad las habilidades de pelea de Rosie. Se le escapó una risita cuando ella soltó:

—Prefiero la terraza a una caída desagradable, pero ponme otra vez en el suelo, por favor.

—Tu pasión me tiene subyugado —respondió, y la besó.

Dios, ella le besaba como si hubiera inventado el beso en el inicio de los tiempos. Demostraba su teoría; cuando ella se resistía a la fuerza que la atraía hacia él, la fuerza respondía arrastrándola al remolino. Las estrellas volaban a su alrededor en círculos cada vez más cerrados; el corazón de Tony latía a un ritmo cada vez más rápido.

—Rosie. —Intentó tocar todo su cuerpo, pero el rígido petillo impedía la exploración—. Rosie —gimió con exasperación, y empezó a coger grandes cantidades de falda y enaguas en sus manos.

—¿Qué estás haciendo? —quiso saber ella.

—Intentar meterme bajo tus faldas.

Por algún motivo su sinceridad la exasperó, y cuando él liberó sus piernas de tanto armazón, ella aprovechó la oportunidad para darle una patada en la rótula. Tony maldijo y la cogió por el tobillo.

—Nunca he tenido que pelear con una mujer para conseguir sus favores.

Con sarcasmo, ella dijo:

—Cómo me inquieta el daño a tu orgullo masculino.

Tony se detuvo. ¿Su orgullo? ¿Y ella no se disgustaba? No mentía al decir que nunca había peleado con una mujer porque siempre había mantenido el control. Se enorgullecía de las melosas declaraciones de devoción, sus suaves métodos de seducción. Con toda certeza nunca antes había colgado a una mujer sobre un precipicio para conseguir su cooperación, ni la había inducido a la violencia.

¿Qué estaba haciendo Rosie con su disciplina?

Bajándola de la baranda, la dejó de pie.

*Con galantería, se dijo. Recuerda tu disciplina. Ella anhela una relación romántica, como cualquiera, y tal vez la merezca más que nadie.*

—Mis disculpas, lady Rosalyn.

Intentó arreglarle las faldas pero esta vez le dio un golpe en el hombro.

—Déjame en paz.

—No puedo. *Sé galante, romántico* pensó. Y poniéndose de rodillas, se llevó una mano al corazón—. Tu cara, tu cuerpo, tu dulce semblante me conmueven con tal ardor que pierdo el control. Vivo por una sonrisa, suspiro por una mirada, sueño con tu...

—He oído fingir pasión mejor en legiones de actores —dijo ella con impaciencia—, y tú has dejado tus ambiciones claras, cada una de ellas. Lo he sabido a través de cada uno de los criados de la finca. Quieres conseguir una virgen noble y rica como esposa, y yo he arruinado tus planes.

—Vaya. Eres noble, eres rica. —Le cogió la mano cuando ella intentó esquivar su pregunta—. ¿No eres virgen?

—¿Y cambia eso las cosas? —Soltó su mano—. No deseas otra cosa de mí que la titularidad clara de esta propiedad.

—¿Te has convencido de eso? —Tocándole los nuevos anillos que decoraban sus largos dedos, Tony dijo—: ¿Crees que estas galas cambian algo entre tú y yo? Somos los mismos cuando nos despojamos de nuestra ropa.

—Tengo que entrar.

La verdad la inquietó, y a Tony le complació ver que no quería discutir aquello.

—¿Tampoco crees en mi pasión cuando ni siquiera sabía tu nombre? ¿Recuerdas qué juré aquel día antes de haberte visto en el escenario? Pedí saber el nombre de tu padre. Te dije que debíamos casarnos.

Ella miró con anhelo hacia la puerta que llevaba a la galería.

—¡No!

Él no cejó en su objetivo.

—Quería meterme en tu dormitorio y enseñarte los métodos de la pasión.

—Te enfureciste cuando sir Danny me presentó como la heredera —respondió segura al menos en esto.

—Y sigo enfurecido. —Levantándose, retuvo su mano—. Soy,

como bien me recordaste con amabilidad, un hijo bastardo. Me han insultado un centenar de hombres, los mismos a quienes he enseñado a respetarme con los puños y la punta afilada de mi espada. Cuando me case contigo, empezarán de nuevo las insinuaciones taimadas, las miradas de soslayo o las calumnias directas.

—No entiendo.

Él podía ver su confusión y aclaró la situación con toda la calma que pudo.

—Los rumores propagarán que esta propiedad no es mía, sino de mi esposa, y que vivo de su caridad.

Ella se apartó como si se sintiera amenazada.

—Ganaste esta finca con tus esfuerzos, por lo tanto deberías encontrar consuelo en la verdad.

—La verdad no es siempre la cuestión que importa —la injusticia de todo esto le ponía furioso—, porque a menudo las falsedades entretienen más a la gente.

—Entonces deberías negar mi... —tragó saliva—, mi herencia.

—Es tu herencia. Eres la heredera. Por mucho que desee negarlo, sé que eres la heredera y debo ser fiel a la verdad. —Se acercó un poco y sonrió al rostro receloso de Rosie—. De modo que, ya ves, si te debo el derecho a esta finca, tú me debes lo que yo deseo.

—No te debo nada.

—Te debes a mí.

Rosie se levantó las faldas y se volvió para salir corriendo, y él la cogió en volandas por la cintura. Ella pateó y chilló; él se rió y se dirigió a zancadas hacia la puerta. Al infierno el control. Al infierno el romanticismo. Al infierno todo excepto Tony y Rosie, desnudos en una cama hasta la siguiente luna llena.

Luego escuchó el sonido de la cuerda de un arco y se arrojó al suelo.

# Capítulo 12

*Mi buena voluntad es grande, pese a mi don pequeño.*
—PERICLES, II, iv

*E*ra una flecha sencilla, elaborada con un astil afilado de fresno y una aleta de pluma de ganso. Todos los hombres de Inglaterra sabían hacer una flecha así. Pero ¿quién había hecho ésta?

Tony se hallaba de pie junto a la ventana de su estudio y hacía girar la saeta bajo el sol matinal. Una flecha así no habría matado a nadie. Se corrigió; probablemente no habría matado a nadie. En términos generales una flecha necesitaba una punta de acero para clavarse con profundidad en su víctima. Así pues, ¿por qué disparar esa flecha?

La noche anterior se puso frenético al oír que había alcanzado a Rosie. Ella le aseguró que se encontraba bien, pero quiso desnudarla y examinar cada centímetro de su cuerpo para verificar que su estado era satisfactorio.

Ahora la miraba sentada ante el escritorio con un vestido sencillo. Rosie había permitido que sus tres mentoras le arreglaran el pelo y había acudido al despacho al recibir aviso de Tony con una obediencia que podría ser un buen augurio de su futuro si él no supiera el motivo de su acatamiento. Ella quería respuestas, y no había obtenido ninguna la noche anterior.

Ninguna respuesta anoche, y ninguna esta mañana.

Desplazándose hasta la puerta, Tony inspeccionó el pestillo; estaba bien cerrado. Ajustó también el pasador, no quería que se repitieran las escuchas «accidentales» del día anterior.

—Confío en que entendieras los motivos para pedirte que no contaras a nadie lo del incidente de anoche; mejor si quedaba entre nosotros. No nos interesa que nadie entre en pánico.

Los ojos de Rosie brillaron con humor adusto.

—¿Quieres decir aparte de mí?

¿Pánico? Sí, había mostrado pánico, pero no al principio. Primero se había mostrado furiosa, intentando saber qué le había cogido a él para tirarla al suelo; y tirarse él mismo. Luego, al enseñarle Tony la flecha, había actuado con suma frialdad, instándole a entrar en la casa pese a que él prefería inspeccionar los arbustos en busca de un hombre con un arma. Sólo cuando se encontraron a salvo había entrado ella en pánico. Aquel instinto de supervivencia explicaba más cosas de las que ella quisiera sobre su educación. Pero no parecía ser consciente. Ella creía que todo el mundo experimentaba situaciones en las que se jugaba la vida, y sabía reaccionar. Tony se enojó al imaginar a Rosie en peligro, no obstante, al mismo tiempo admiraba su actitud.

—¿Quién te enseñó a pelear?

Desconcertada por la pregunta, tartamudeó:

—¿Q... qué?

—Sabes defenderte con los puños y se te dan bien las patadas. ¿Quién te enseñó?

—Sir Danny, sobre todo. Le asustaba la idea de que me metiera en riñas con los otros... chicos. Pensaba que era mejor repartir en vez de recibir. —Alzó la barbilla—. A veces la gente de la feria de una ciudad se negaba a pagarnos y, como remate, intentaban pegarnos, matarnos y robarnos los caballos. —Sin inflexión, añadió—: Si yo hubiera disparado esa flecha, estarías muerto.

Tony se apoyó en la puerta y rizó las plumas de la aleta.

—Eres la única que sé con seguridad que no la ha disparado.

—¿Qué quieres decir?

Se mantuvo inexpresiva, por cautela, pero él supuso que no le gustaba la dirección que tomaban sus pensamientos. Tampoco a él le agradaba, pero tenían que descubrir juntos —él y Rosie— el origen de esta amenaza. Juntos. Si lo hubiera planeado no habría dado con una maniobra mejor para forzarles a seguir juntos.

—Estuvimos fuera en la terraza, disfrutando de la noche, digamos que... ¿una hora? Luego permanecimos tirados en el suelo de la terraza intentando mantenernos vivos durante unos pocos minutos más. —Sonrió a su compañera de horrores—. Aunque se hizo tan largo como una hora, estoy seguro, no pudieron pasar más de cinco minutos.

Ella le devolvió la sonrisa, reviviendo el susto con la misma curiosidad divertida pese a la gravedad del asunto.

—Cinco minutos.

—Subimos como pudimos al piso superior, evitando el comedor y a cualquier criado, para entrar en la antecámara del dormitorio principal, donde nos recuperamos y comprobamos no estara heridos. Luego te fuiste a tu habitación y te encerraste, y yo bajé a excusarme ante nuestros invitados.

Ella se inclinó hacia delante.

—¿Y?

—Y todos ellos se habían marchado por turnos a descansar.

Observó a Rosie mientras seguía su lógica. El oro apagado de ese sencillo vestido realzaba su cabello y reflejaba la frescura de su cutis y el brillo de esos ojos color ámbar. Le gustara o no, era toda una mujer.

No el tipo de mujer que había conocido hasta entonces. Sus otras candidatas matrimoniales no habrían respondido como ella en estas circunstancias. Rosie hacía frente a los hechos sin rechistar. Le ayudaría a deducir el plan y querría ayudarle a dar con el culpable.

No dejaría que él solo se ocupase del culpable. Se pasó las manos por el pelo. Por consiguiente, ahí tenía un problema: ¿cómo mantener a Rosie en su posición de dama?

—¿No sospecharás en serio que se trata de sir Danny? —preguntó. Él replicó:

—¿No puedes sospechar en serio de mis hermanas? ¿Y de lady Honora?

Se miraron un largo instante y luego estallaron en risas.

—La idea de lady Honora agazapada entre los arbustos...

Imitó una rígida figura estirando un arco, pero él se puso serio.

—He visto a lady Honora en alguna cacería y es una experta en el manejo del arco. —Rosie se puso seria también, y él se inclinó hacia delante—. ¿Lo ves? Todos ellos tienes sus razones.

—Pero ¿quién corre peligro?

Ésa era la cuestión, y los dos lo sabían. La flecha había alcanzado directamente el lugar donde había estado él en pie, pero sin conocer la habilidad del tirador, no había manera de saber a quién apuntaba. El dilema había tenido desvelado a Tony la mayor parte de la noche. De algún modo, la idea de resultar él lastimado le parecía menos preocupante que la de pensar en Rosie herida. La había visto antes sufriendo con la rotura del brazo; no soportaría verlo otra vez.

—Eres un señor popular. Tus sirvientes hacen lo que les ordenas. —Rosie se miró la punta de los dedos—. ¿Podría ser que uno de tus criados o arrendatarios deseara eliminarme para que no reclamara la propiedad?

Tony también había pensado en eso, pero no lo creía. Sin duda todo el mundo sabía que él era capaz de manejar a Rosie y su reivindicación. Pero alguien había intentado separarla de él de la forma más drástica. Sospechó del más simple de los crímenes: el crimen de la pasión.

—¿Te persigue algún pretendiente poco apropiado?

Ella pestañeó ante aquella brusca pregunta, pero ni se inmutó.

—¿Aparte de ti?

Insolencia. Casi la habían matado y le miraba con ojos claros y brillantes burlándose de él. Bien, ella podía ser insolente, pero él podía ser intimidante. Se fue hacia la silla, se situó ante ella, con los pies firmes sobre el suelo, y la miró.

—Un pretendiente. Un amante. Alguien lo bastante celoso como para apuntarnos con un arco y una flecha y así impedir que te cases conmigo.

—¿Es ésa la mejor explicación que se te ocurre? —Se dirigió a su estómago en vez de alzar la vista y reconocer su altura superior—. ¿Que alguien nos disparó por amor frustrado? Qué adulador.

Por lo tanto no la intimidaba. No se sorprendió.

—¿De modo que no tienes ningún pretendiente? —insistió.

—¿Cómo podría tener un pretendiente si hasta ayer era un actor itinerante? —respondió, pero luego su mirada se desplazó a la flecha en la mano de Rycliffe, estiró el brazo y se la cogió.

—Eres el tipo de mujer que encanta a todos los hombres.

—Lo han estado disimulando muy bien.

Inclinándose, Tony apoyó las manos en los brazos del sillón y ella quedó atrapada.

—Es ese Ludovic, ¿cierto?

El sobresalto de la joven bastó como respuesta. Él recordó la descarada mirada posesiva de aquel tipo durante la primera representación que la compañía de sir Danny había dado.

—¡Lo sabía! Me desafió antes incluso de saber que iba a tenerte.

—Tú no vas a tenerme.

Lo dijo con convicción, pero respondía a un hombre que nunca había concebido una derrota.

—Cada noche te tengo en mis sueños, y anoche te habría tenido de verdad de no ser por la flecha.

Se regocijó al ver cómo le subían los colores y su respiración se aceleraba. El petillo la estrujaba, y Tony se estremeció sólo de pensar en la forma de los pechos aplastados contra su cuerpo. Imaginó cómo liberarlos y pensó en la gratitud de Rosie por sus desvelos. Tomaría un pecho en su mano y pondría la boca encima para lamerlo hasta que ella...

Rosie le agarró por el pelo y tiró hacia arriba de su cabeza.

—¿No habrás enojado tú a alguien como para desear tu muerte? —Levantando la flecha, la apuntó a su corazón—. Por lo que dijiste anoche y la manera en que actúas hoy, es posible. Más que posible: probable.

Tony hizo una mueca al oír la violencia de la amenaza, y algo en él se tranquilizó. Aunque la mente de Rosie estuviera convencida de que él no la tendría, su cuerpo respondía al suyo en perfecta armonía.

—Es poco probable que mis enemigos utilicen una flecha sin punta para asesinarme.

—Ah, de modo que te enfrentas a una clase superior de asesinos —asintió con aire entendido y aflojó el asimiento del pelo—. Tal vez debiera preguntar yo también si tienes pretendientas, y por qué las tienes. Quizá no sea un hombre quien dispare tan bien sino una de las damas.

—Ninguna de las damas que conozco me dispararía una flecha.

—Todas las que yo conozco lo harían.

Tony echó otra ojeada a su pecho acalorado, y luego a su rostro furioso.

—No después de haberme conocido bien. —Acercando un taburete bajo, que colocó de nuevo directamente ante ella, se sentó. Con la cabeza más baja que Rosie, ésta se sentiría menos amenazada. Eso, combinado con su atractivo, sin duda le facilitaría algunas respuestas.

—¿Estás segura de que no has vuelto a hacerte daño en el brazo al darte contra el suelo?

—Se zarandeó un poco, eso es todo. —Observándole con cautela, levantó la tablilla sujeta por el cabestrillo—. Eres tú quien debería estar herido.

—Tengo magulladuras por todo el costado. —Intentó sonsacarle una sonrisa—. ¿Quieres examinarlas? Te permitiré curarlas a besos.

Ella negó con la cabeza.

—No sabes lo que te pierdes —replicó él.

—Y no es probable que lo descubra.

Se miraron fijamente, luego él estiró el brazo para pasarle el pulgar por el labio inferior.

—Podría besarte y mostrarte cómo se hace.

—Ludovic no habría fallado.

Como distracción, funcionó. Le cortó el placer, dejó caer su mano.

—Estuvo de soldado en el continente, y gracias a él escapamos de esos lugares donde querían robarnos y matarnos. Cuando pelea, no comete errores —dijo ella en serio, y era obvio que aliviada por haber desviado su atención.

Pero también él podía distraerla.

—Tengo un regalo para ti —le soltó y se fue hasta el escritorio; ella se levantó también para alejarse de la silla y quedarse en el centro de la habitación donde no tendría oportunidad de acorralarla.

¡Necia mujer! No tenía posibilidades contra sus artimañas.

Buscó a tientas en el cajón con los ojos puestos en ella. El tirador que buscaba le eludía, oculto entre las tallas intrincadas del escritorio. Tuvo que mirar para encontrarlo, luego abrió el cajón y sacó su regalo.

—Una cartera.

No pareció muy impresionada.

—¿Una cartera?

Dos piezas redondas de una tela fuerte de tapicería estaban cosidas juntas. Un cordón resistente introducido por unos agujeros en lo alto formaba una larga tira.

—Aquí tienes. —Se la tendió—. Cógela.

Ella sonrió con cortesía.

—Agradezco tu amabilidad, pero ya tengo una. —Por supuesto, una bolsa grande y mugrienta que no pegaba con su espléndido atuendo.

Él le acercó esta cartera más elegante a la mano y la soltó, luego sonrió cuando a ella casi se le cae.

Sorprendida, Rosie la sopesó en la mano.

—¿Qué hay aquí?

—Un trozo de mármol.

—¿Qué quieres que haga con eso?

—Conservarlo contigo en todo momento.

—¿Conservarlo conmigo? —Le miró como si hubiera enloquecido—. ¡Debe de pesar trescientas libras!

—Exagerada. No pesa más de ciento cincuenta —Estiró el brazo para comprobar el estado de la musculatura con la palma—. Pesa siete libras y te ayudará a recuperar la fuerza.

—¿Qué se supone que tengo que hacer con esta «cartera»?

El tono era desdeñoso.

—Si te sientes amenazada, la sacudes.

Se colocó tras ella para situarse con el pecho a la espalda de Rosie, luego la cogió por la muñeca y le hizo girar el brazo en círculo.

La cartera osciló a toda velocidad, un arma de contrapeso, y ella entendió el propósito sin más explicaciones.

Retrocediendo un paso, Tony la observó practicar unos movimientos. Esta adición a su arsenal femenino le daba a él una tranquilidad sobre su seguridad. Con sus habilidades, no resultaría fácil llevársela a la fuerza. Pero ella no obstante se mantenía impasible a su seducción; la desilusión de Tony no tenía límite. Tenía que haber una manera de mantenerla a su lado, al menos hasta que las barreras se desmoronaran y Rosie languideciera a sus pies como cualquier mujer. Añadiendo una nueva carnaza en la trampa, sugirió:

—Vas a ser una mujer muy rica cuando nos casemos.

La cartera se balanceó un poco.

—Seré muy rica cuando Su Majestad me recompense con las tierras —corrigió, pero dos palabras habían captado su atención—. ¿Muy rica?

Tony podría haberse frotado las manos con deleite por el éxito de su estratagema.

—Sí. ¿Has pensado qué vas a hacer con tanto dinero?

—Probé una fresa una vez. —Abrió mucho los ojos—. ¿Podré permitirme tomar fresas?

—Incluso en diciembre.

Ella resopló y dijo con su acento de barriobajera:

—Algunos granjeros muy listos cultivan fresas en interiores, con ventanas por todas partes, y las recogen a lo largo de todo el año.

Entonces separó los labios, con ojos enormes; parecía la imagen viva de una niña famélica abandonada.

—Sir Danny solía comprarme pasteles de miel.

—Le pediré a la cocinera que los prepare esta noche.

Rosie se pasó la lengua por el labio inferior.

—¿Y qué hay de...? —Se concentró, pero le falló la imaginación.

—¿Leche de almendras? ¿Pollo relleno con manzanas sazonadas y avena? ¿Naranjas? ¿Carpa?

Eso pareció subyugarla.

—¿Carpa fresca?

La sensación de triunfo que experimentaba Tony quedó empequeñecida por el asombro y sobrecogimiento de Rosie. Aunque adoraba a sir Danny, pues había hecho cuanto podía por ella, habían pasado por épocas malas. Había pasado hambre. ¿Habría comido pescado pasado o migajas para mendigos? Notó un calambre en el estómago sólo de pensarlo y quiso concederle todos los deseos.

—Carpa fresca, desde luego, y preparada a tu gusto.

—Oh. —Hizo un gesto con la mano derecha, pero aún llevaba la cartera colgada. Se rió de sí misma y se la pasó a la otra mano, a la vez que cogía la de Tony para llevársela a los labios y besarla—. No había imaginado tal generosidad. Me pondré gorda como la mujer de un ahumadero en menos de un año.

Él estrechó sus dedos y Rosie le miró: encantadora, feliz, totalmente natural. Le había besado con espontaneidad, pero era el tipo de beso que da un criado a su amo. Él retuvo la mano en su boca y le devolvió el saludo como tributo reverente. Cogió la cartera con el mármol dentro y se la sujetó al cinturón; luego dijo:

—Ven.

—¿A dónde?

Se colocó la mano en el hueco del brazo.

—A la cocina.

La llevó tan rápido que cuando llegaron a la zona inferior Rosie resoplaba.

—¿Señora Child? —llamó—. He traído a su nueva señora para que la conozca.

Una cocinera alta y huesuda se volvió del fuego donde supervisaba un asado; ella y la docena de asistentas hicieron reverencias al unísono y se inclinaron como barcos en las olas.

—Y vaya si ha tardado en hacerlo, granuja. —La señora Child se adelantó para dar la bienvenida a ambos tendiendo sus manos cubiertas de harina. Al percatarse del estado de sus dedos, soltó una profunda risa y se los limpió en el voluminoso mandil, luego cogió la mano de Rosie y le dio un beso tal como ella acababa de darle a Tony—. Qué gran honor, milady.

—Yo soy un granuja y ella es «milady» —bromeó Tony—. ¿Ya no te queda respeto alguno por mí?

—Un gran respeto. —La señora Child le dio con el codo en las costillas—. Tengo un gran respeto por cualquier hombre que coma con tanto entusiasmo. Milady —susurró, instando a Rosie a sentarse en un taburete—, ¿no va a sentarse y quedarse un rato?

—Quiere más que eso, dueña de la cocina —dijo Tony mientras Rosie se preguntaba por sus intenciones—. Quiere saber qué has preparado para cenar.

—Haciéndose cargo ya de sus obligaciones, ¿eh? —La señora Child guiñó un ojo y sonrió a Rosie—. Eso está bien. El joven sir Anthony necesita mano firme en las riendas o se la llevará por delante.

Tony pareció molesto, aunque Rosie no entendió por qué.

—No soy un caballo —replicó.

La señora Child ni le prestó atención.

—Vamos a empezar con una sopa ligera de rabo de buey. ¿Eso le gusta, milady?

Avergonzada, Rosie susurró:

—No sé.

—¿No sabe? —La señora Child parecía ofendida—. ¿Quiere decir que no sabe si mi sopa está a la altura? Bien, deje que le traiga un cuenco y entonces me dirá si no es la mejor que ha probado en su vida.

Consternada, Rosie dijo:

—No, no quería decir eso. Me refería a que... —la señora Child dejó un cuenco lleno y una cuchara de plata en las manos de Rosie—, nunca la he probado.

El vaho que ascendía del cuenco la distrajo. Pedacitos naranjas de zanahorias y cebollas transparentes flotaban en un denso caldo marrón salpicado por tajadas finas de carne. El suave aroma a ajo se mezclaba con la fragancia más intensa de los granos de pimienta y clavo, especias con las que Rosie sólo había soñado saborear. Hundiendo la cuchara, observó el caldo llenando la curva reluciente, que de ser un ornamento caro se transformó a un utensilio práctico. Sorbió el caldo y casi se desmaya de alegría.

—Es una cuchara preciosa —dijo— pero no hace justicia a la sopa.

Todos los trabajadores de la cocina al unísono soltaron una exhalación como si hubieran estado conteniendo la respiración a la espera de su veredicto. Antes de que pudiera levantarla otra vez, la señora Child le arrebató el cuenco.

—¡Espere! —protestó Rosie.

—Sacad los riñones con salsa picante —ordenó la señora Child, y pasó a la acción—. La tostada con tuétano y la tartaleta fría de costilla.

Sin darle tiempo a volver a hablar, le ofreció una pequeña fuente cubierta de delicadezas. Extasiada, la muchacha saboreó cada una de ellas. Una jarra de cerveza apareció junto a su codo y se la bebió de un largo trago. Nunca habría soñado con tal paraíso: sentarse, comer hasta saciarse, beber cuanto quisiera, oler aromas maravillosos rodeada de gente que quería complacerla. Merecía la pena haber soportado aquella tortura de baño por esto. Ni prestaba atención a Tony mientras hablaba con la señora Child; se limitaba a comer como había aprendido: rápido, antes de que alguien se lo quitara.

Otro plato apareció ante sus narices. Tony lo meneó canturreando suavemente:

—Pastel de manzana y queso.

Rosie entregó el plato vacío a la señora Child y estiró la mano para coger las nuevas delicias, pero Tony lo retiró de su alcance.

—Yo te daré de comer. Si sigues comiendo a esa velocidad vas a ponerte enferma.

—¿No ha interrumpido el ayuno esta mañana, milady?

La señora Child parecía preocupada.

—Sí, claro que sí, y fue maravilloso. —Cerrando los ojos, recitó—: Salchicha asada, arenques ahumados, crema de castaña con especias y huevos escalfados. ¿Ve? —Abrió los ojos y enredó en su bolsa, la grande y vieja. Luego sostuvo unas masas con forma de empanadilla rellena, espolvoreadas por el antiguo contenido de la bolsa—. Me he guardado algunas empanadas de cerdo para después.

Todo el mundo, escandalizado, soltó un jadeo y Rosie se percató de que había metido la pata hasta el fondo. Pero antes de poder sonrojarse, Tony rompió un pedazo de pastel y surgió el aroma a canela y miel.

—Come esto —susurró—, y toma buena nota de que mientras yo viva no te faltará de nada. —Le dio con los dedos los primeros bocados.

—Eh, sir Tony —la señora Child se metió las manos bajo el mandil—, normalmente no se muestra tan dispuesto a compartir su pastel de manzana.

Tony bromeó:

—No es frecuente tener ocasión de ver una mirada tan extasiada en el rostro de una mujer.

El personal de la cocina se rió con ganas, pero Rosie no entendía, ni le importaba. Tony le acarició los labios con los dedos mientras le daba de comer el pastel caliente y trozos de un queso amarillo y fuerte. No parecía preocupado por el jugo de la manzana que le corría por la muñeca ni por las migajas que se pegaban a su piel. Cuando el pringue fue excesivo, se limitó a acercarle la mano a la boca y ella se la lamió.

Tony tembló y Rosie alzó la vista; él volvió a mirarla con ojos ardientes:

—Algún día, te dejaré hacerme eso cuando estemos a solas —murmuró—. Pero esperaré a que hayas saciado tu voraz apetito. —Sonrió con malicia—. Detestaría que me mordieras.

Entonces ella entendió. Empujó el plato con cuidado de no tocarle la piel, pero era demasiado tarde. Sabía lo que él quería, y si no tenía cuidado haría que también ella lo deseara. La señora Child le ofreció otra jarra de cerveza y Rosie la aceptó, sorbiéndola esta vez más despacio.

Tony usó un aguamanil y se secó las manos con tal meticulosidad que ella sólo pudo pensar en esas manos sobre su cuerpo. Por supuesto, él la observaba todo el tiempo, proyectando sus pensamientos en su mente, despertando instintos anteriormente inútiles.

La señora Child trajo otro aguamanil para ella, y se humedeció las manos temblorosas antes de secarlas con una toalla que le ofreció una doncella mayor, que hizo una reverencia para presentarse.

—Soy Mary, milady, y en nombre de los demás sirvientes, permítame decirle lo grato que nos es su regreso, lady Rosalyn, a Odyssey Manor. Por supuesto no era Odyssey Manor cuando se fue, sino Sadler House, pero nos es grato de todos modos.

—¿Estaban aquí cuando lord Sadler y su... cuando lord Sadler estaba aquí? —preguntó Rosie.

Eso pareció el estímulo necesario que Mary precisaba, y las palabras surgieron a borbotones:

—Sí, dos de las doncellas ya estábamos aquí cuando era niña, yo en la cocina, Martha en la lavandería. Nos quedamos un poco tiempo más después de que encontraran el cadáver de su padre, mientras la reina la buscaba, pero finalmente Hal regresó y cerró la casa. Nos dijo que era más barata de mantener así y él se ocupó de todo durante un tiempo, así fue, aunque cueste creer cómo un hombre podía hacer tanto él solo.

—Cuesta, sí —dijo Rosie un poco abrumada por el torrente de informaciones.

—También había unos cuantos hombres trabajando en el establo, pero apenas la vieron por entonces, ya conoce a los hombres, no son para nada sensibleros. Pero todos nos alegramos de volver al trabajo cuando sir Anthony cogió la finca, y todos nos alegramos también de que se case con él y que no tengamos que marcharnos otra vez. Siempre digo que la vida ya es bastante dura sin perder los ingresos de un empleo como éste.

Mary tomó aire para hablar de nuevo, pero la señora Child la echó de en medio con un rápido movimiento de cadera.

—Vas a matar a la señora con tu cháchara —reprendió a Mary.

En absoluto ofendida, Mary sonrió radiante.

—Sí, vaya charlatana eres, lo sé bien, y la pobre moza va a necesitar otra empanadita para ayudarle a pasar el día.

—¡No! —Rosie se frotó la barriga—. Mi espíritu está deseándolo, pero mi petillo no lo permitirá.

Todo el mundo en la cocina volvió a reírse, para sorpresa de Rosie. Pero observó que no eran necesariamente sus palabras las que les hacían tanta gracia, sino la manera nerviosa en que evitaba la devoción de Tony. El amor enviaba mensajes fascinantes al objeto de adoración, afirmaba Tío Will, y Rosie sospechó que además hechizaba a quien observara.

Quería gritar que no iba a casarse con este hombre, pero borrar esas sonrisas cariñosas de complicidad en los rostros de los criados parecía una crueldad. En vez de ello preguntó:

—Señora Child, ¿usted también estaba antes aquí?

—Ay, yo no estaba cuando era una mocita —respondió la señora Child—. Sir Anthony me secuestró de otra casa.

—¿Secuestrada? —¿Estaba confesando la señora Child una falta de honradez de Tony?—. ¿Qué quiere decir con eso?

—Era la mejor cocinera de Londres —dijo Tony—. Y la conquisté con mi encanto y buenas maneras.

—Y su dinero. —La señora Child frustró sus pretensiones, pero lo hizo con una sonrisa—. De todos modos, he sido aquí más feliz de lo que lo fui jamás con lord Bothey.

—¿Soy mejor que lord Bothey? —La voz de Tony delataba tonos de sarcasmo—. Un halago así se me puede subir a la cabeza.

Rosie detestaba que Tony le cayera tan bien. Era casi tan encantador como afirmaba ser. ¿Qué haría ella si resultara ser tan buen amante como decía?

—He decidido qué voy a hacer con mi fortuna. Seré mecenas de una compañía teatral. —Se sorprendió con sus propias palabras, fruto de la confusión mental, pero a los demás les sorprendió aún más. De algún modo, la frase «mecenas de una compañía teatral» confirmaba una resolución que ignoraba haber tomado—. Cuando consiga el dinero, quiero decir, voy a hacer como el conde de Southampton o lord Chamberlain. Patrocinaré la compañía de sir Danny, y éste podrá actuar en Londres hasta hacerse tan famoso que no deba preocuparse más del dinero.

—Eso es maravilloso. —Tony se sentó en un taburete frente a ella y bajó la voz hasta volverla un murmullo. Mientras Tony y Rosie juntaban sus cabezas, la señora Child hizo un gesto y las asistentas de la cocina regresaron a sus labores. Les concedieron una privacidad relativa, aunque los criados lanzaban miradas cariñosas en su dirección—. Así se cumplirán los sueños de sir Danny.

—Oh, en realidad él no espera que yo vaya a hacerlo, sólo era una manera de convencerme para que aceptara. —Hizo un gesto—. Esto.

—¿Convencerte...?

—Esto. A ti. —Volvió a hacer una indicación—. Esto.

Tony sonrió.

—Ah. Esto. —Pareció meditar—. ¿Y ya has acabado por aceptar esto?

—¿Aceptar? —Eso sonaba como una palabra definitiva y quería evitar cualquier cosa definitiva. Al mismo tiempo, podía imaginarse dando a conocer al mundo la pericia escénica de sir Danny revelada por el genio de las obras de Tío Will—. Bien, seré mecenas de la compañía de sir Danny.

—¿Seleccionarás por él las obras?

Tony sonaba tan jovial, pero algo en él la puso en guardia a pesar de su sonrisa.

—Lo haré.

—¿Sabes leer?

—¿Qué?

—¿Sabes leer? Muchas obras se imprimen hoy en día. Ayudaría muchísimo que supieras leer.

Cuán cierto. Cuán lógico. Cuán humillante percatarse de que estaba menos preparada que el niño pequeño de un vasallo.

—No sé leer. —Dio rienda suelta a su rebeldía infantil—: Y soy demasiado mayor para ir a la escuela.

Tony se acarició la barbilla.

—Cierto, pero acaso haya otra manera.

Rosie se animó.

—Si estuviera en Londres, Tío Will podría enseñarme.

Tony frunció el ceño.

—¿Tío Will?

—William Shakespeare. Es un actor y también autor —dijo, orgullosa de su conexión con un hombre tan famoso—. Un buen amigo mío.

—No he oído hablar de él. —Tony quitó importancia a William Shakespeare con un ademán—. No, estaba pensando en enseñarte yo mismo.

¿Él mismo? ¿Tony quería enseñarle? Se había sentido humillada al poner en su conocimiento que no sabía leer. ¿Cuánto más humillada podría sentirse cuando él viera lo verdaderamente ignorante que era?

—No.

—¿No quieres aprender a leer?

—Ya encontraré a alguien que me enseñe.

—¿Alguien? —Él no había perdido los estribos durante este día largo y doloroso, pese a las provocaciones y todas las sospechas, pero esto era demasiado. Poniéndose en pie, la levantó también a ella—. Nunca habrá nadie más para ti. ¿No lo entiendes todavía? Eres mía.

Se percató de que también ella había mantenido la calma durante toda su provocación; y vaya si la había provocado. No podía evitarlo. Nada le molestaba más que la indiferencia de su amada. Pero mientras él probaba de apabullarla cuando le provocaba, ella intentaba escapar de él y huir. De hecho... detectó el movimiento como una sombra, y el dolor explotó en sus costillas. Doblándose por la mitad, vio la cartera arremetiendo otra vez sobre él y saltó hacia atrás del taburete dando una voltereta.

—Gracias por el regalo —dijo ella, y huyó de la cocina sumida en un silencio mientras él se esforzaba por ponerse en pie.

Agarrándose el costado, miró al equipo de cocina, asombrado y conmocionado, luego el lugar donde Rosie estaba sentada momentos antes.

—De nada.

# Capítulo 13

Preferiría tener un bufón que me alegrara
que mucha experiencia que me entristeciera.
—COMO LES GUSTE, IV, i

*E*l dulce trino aflautado de un pífano anunció el regreso de Rosie a la
zona de las carretas de la compañía y su paso se volvió inseguro al entrar en el círculo despejado entre las caravanas. El bufón la había visto
y por tanto iba a tener que aguantar el chaparrón de mofas antes de
completar su misión.

—Observad, aquí está la señora de Odyssey Manor, reina de cuanto contempla y dama de sir Tony Rycliffe. ¡Pero, mirad! —Los rasgos
maleables de Cedric Lambeth adoptaron una expresión de admiración
mientras proyectaba su voz—. ¿Acaso el sol de ayer no iluminaba a un
muchacho donde ahora se halla la dama de Odyssey Manor?

—Ah, controla la lengua, Cedric.

Rosie no estaba de humor para bromas. Acababa de arrearle a
Tony con una piedra y había rechazado aprender a leer, negando un
deseo secreto, y ahora iba a hacer un recado que, si era descubierta,
destruiría cualquier confianza entre ella y Tony y, acaso, entre ella y sir
Danny. Pero ¿qué opciones tenía?

—Ah, milady. —Cedric hizo una inclinación tan profunda que
arrastró los nudillos por la hierba—. Lo que diga, milady. —Luego
rebuznando, aulló—: ¡Rosie ha vuelto! Rosie está aquí. Venid y echad
unas miraditas a lady Rosalyn, la santa patrona de los actores.

Los actores saltaron de un brinco de las carretas, dejaron sus conversaciones y respondieron todos a la oportunidad de asar a Rosie sobre las brasas de su insolencia. La rodearon dándose codazos, mirando y señalando como espectadores esperando una actuación.

Cedric hizo cabriolas a su alrededor como un geniecillo malicioso.

—Lady Rosalyn, díganos la verdad. ¿Qué poción mágica ha tragado para vivir tal transformación? Apenas ayer veíamos a Rosencrantz el hombre salir del brazo de sir Danny, pero Rosencrantz no regresó. Los cielos han arremetido contrariados contra él y han malogrado su mejor parte, la que le hacía un hombre.

Los actores gruñeron al unísono agarrándose la entrepierna como si estuvieran heridos.

—Los cielos me han mejorado, entonces —soltó Rosie.

Los actores abuchearon.

—No, no lo parece, porque si los cielos han arruinado tu mejor parte, ¿no tendrían que haberte dotado tal vez de... —Cedric se puso de puntillas e intentó, con esfuerzo exagerado, echar un vistazo por su corpiño— esas partes que hacen que un hombre se comporte como...

—¿Un asno?

Rosie se quedó perpleja cuando los actores se echaron a reír.

Cedric se estiró.

—Un hombre no necesita excusas para comportarse como un asno.

Los actores rugieron y Rosie se rió, relajándose por un momento. Aquí se sentía en casa. Los actores se rieron también, luego empezaron a gritar intentando superar al de al lado en ingenio. Una punzada de pesar la sorprendió mientras miraba aquellos rostros sonrientes.

Había echado de menos a Cedric y sus bromas interminables. Había echado de menos a John Barnstaple, el primer actor y un tipo respetado por su cabeza serena y puños rápidos. Añoraba a Stuart y a Francis y a George y a Nick. Incluso había echado de menos a la señorita Alleyn Brewer, su principal rival para los papeles femeninos.

La distancia entre una casa solariega y un carromato de gitanos era la mayor distancia del mundo, y si se quedaba con la finca como deseaba, nunca más sería una de ellos. Nunca volvería a subirse al escenario ni a provocar las risas o las lágrimas a los espectadores. Otro sueño negado. Otra esperanza destruida.

Los sucesos recientes la estaban arrastrando como la corriente de un torrente que se lleva una triste ramita. Se esforzó por no perder el equilibrio, por buscar algo a que agarrarse.

Entonces lo encontró. Con los brazos cruzados sobre el pecho, Ludovic la observaba desde el extremo del grupo. Era a él a quien buscaba al venir hasta aquí, y aguantó su mirada; luego miró hacia el jardín.

El hombre entendió de inmediato. Fingiendo la hosquedad que constituía buena parte de su personalidad, gruñó y se alejó pisando fuerte como si le asqueara tanta juerga.

Rosie esperó hasta perderlo de vista, luego gritó a los comediantes:

—Compartiré mi riqueza y buena fortuna con vosotros igual que habéis compartido vuestra pobreza y penurias conmigo. —Ellos soltaron más risas y se dieron codazos, y la joven supo que no les importaba su verdadera identidad, no era más que una camarada que había tenido buena suerte, y le deseaban lo mejor. Sabía que nunca volvería a ser aceptada de modo indiscriminado. La voz le falló, no se le ocurrió nada ingenioso—: Si alguna vez estáis necesitados, acudid a mí. Si puedo ayudaros en algo, venid a verme. Me gustaría que no me vierais como mujer o como hombre, sino como una amiga. Una amiga de todos vosotros para toda vuestra vida.

Nadie sabía cómo contestar a su repentino juramento de devoción; los hombres movieron los pies y se aclararon las gargantas. Alleyn, siempre un sentimental, se sonó la nariz. Luego Cedric dio un paso hacia ella e hizo una reverencia con galantería sincera.

—Nos ofreces amistad ahora que eres rica, pero ya la teníamos de antemano desde que compartiste en efecto nuestra pobreza, y nunca nos la has retirado. Es un tesoro que apreciamos y el único tesoro que podemos devolverte del todo. Somos tus amigos, todos y cada uno de nosotros, y si alguna vez nos necesitas, ven de inmediato, que haremos lo que esté en nuestras manos para aliviarte y asistirte.

Las lágrimas saltaron a los ojos de Rosie, y se le escapó una que corrió por su mejilla.

El incorregible Cedric puso una mueca, se frotó los ojos con los puños y estalló en sonoros «buuahs».

—Si me despertara una mañana despojado de mi virilidad, me echaría a llorar, desde luego. Si me despertara una mañana convertido en damisela, incapaz de andar por los caminos, también lloraría. Pero si me despertara una mañana hecho un ricachón. —Hizo una pausa para coger aire y luego gritó—: ¡Me despediría tan contento de mi picha!

Saltando por los aires, procedió a tirarse por el suelo con un exceso de júbilo.

Los actores vitorearon mientras él finalizaba el numerito y hacía reverencias. Rosie se alejó del grupo después de dar palmadas en la espalda a sus queridos y viejos amigos y de hablar con ellos uno a uno. Como si tal cosa, se fue paseando hacia el jardín, anduvo por un camino de losas y se encontró con su muñeca buena atrapada por el enorme puño de Ludovic.

—Por aquí —dijo él adentrándose en la maleza. Se detuvo cuando los árboles les permitieron ocultarse entre sus sombras y el seto les rodeó. Bajó la vista con una expresión extraña de angustia y rabia mezclada a partes iguales—. ¿Quería hablar conmigo... lady Rosalyn?

El título sonaba como un insulto en sus labios. Titubeó antes de empezar. Qué insensatez verse atrapada en este lugar oscuro con este medio hombre, medio bruto. Le trataba desde hacía siete años, no obstante no le conocía en absoluto. Sospechaba que era culpable de crímenes innombrables. Las noches en que los fantasmas la mantenían despierta, le había visto rondando por caminos oscuros como si quisiera escapar de algo, y ese algo era él mismo. Pero siempre había sido amable con ella. A menudo la había salvado de quedar al descubierto, con frecuencia le había salvado la vida. No podía condenar a un hombre por suposiciones cuando los hechos habían demostrado su gallardía.

—Ludovic, tenemos un problema y tengo que advertirte. Alguien nos disparó una flecha anoche mientras estábamos en la terraza.

Sus fríos ojos parpadearon.

—En la terraza. Antes de la cena. Tú y sir Anthony Rycliffe estabais hablando, luego te sostuvo sobre la baranda y te besó.

Aquella información le heló la sangre. ¿Cómo lo sabía? ¿Había estado agazapado entre los arbustos observando y escuchando? ¿Había sostenido el arco esperando el momento perfecto?

—Tony —Ludovic escupió al suelo—, su prometido. No me sorprende que le disparen flechas. No dudo que alguien desee matarle.

—Es lo que él piensa. —Casi no lo dice, pero se obligó a hablar—: Y cree que has sido tú.

Ludovic la observó y su mirada se encendió hasta quemarla como una llama.

—Tiene razón.

Por todos los difuntos, se había equivocado con Ludovic. ¿La mataría primero a ella?

—Me encantaría matar al hombre que va a casarse con usted, pero si hubiera intentado matar a su guapo Tony anoche ahora estaría muerto.

Rosie soltó una exhalación y se percató entonces de que había contenido la respiración.

—Es lo que yo le dije. —Se rió, con una risita aguda y bochornosa—. Le dije que si hubieras intentado matarle, lo habrías hecho. Ludovic, le dije, no es un hombre ordinario sino un guerrero con mucha experiencia en matar hombres. —Maldición, ¿qué le hacía decir eso?

—Su Tony también tiene experiencia en matar hombres —dijo Ludovic con rotundidad—. Eso no lo dude. Hay mucha sangre en sus manos aunque no sea visible... —Se miró sus enormes zarpas.

Se prolongó el silencio, y ella se apresuró a llenar el vacío.

—Sólo quería decírtelo para que no hagas nada ni estés en ningún lugar que nos cause problemas.

—¿Nos?

—A sir Danny y a mí y a los demás actores. Todos te tenemos aprecio.

—¿Usted en especial?

El corazón de Rosie empezó a latir con fuerza. No le gustaba la manera en que la observaba, el sonido áspero de su respiración en la garganta, la amenaza masculina que proyectaba.

—Yo y sir Danny y Cedric y...

—¿Usted? —insistió indicando con su dedo regordete el punto entre los ojos de Rosie.

Los pájaros gorjeaban, se reían de la mujer estúpida que se exponía a situaciones tan precarias. Tenía que contestar a su pregunta y debía dejar las cosas muy claras.

Pero no quería. No quería hacerle daño y tampoco quería lastimarse a sí misma. Escogiendo con cuidado las palabras, dijo:

—Te tengo mucho aprecio, pero aunque nunca hubiera venido a este lugar, aunque nunca hubiera oído la historia de la heredera perdida, y ni siquiera hubiera tenido esperanza de cualquier otra existencia que la vida de actor, mi afecto seguiría siendo el mismo. —Él la observó boquiabierto y su tormento palpitaba entre ambos. Rosie sintió el estómago revuelto, como si acabara de herir con un palo a un tonto tejón y ahora esperara a que el animal devolviera el ataque—. ¿Entiendes?

Su rugido, cuando resonó, la dejó aterrorizada. Giró en círculo con los brazos estirados y dejó las ramas limpias de hojas. Golpeó con tal fuerza el tronco de un roble que cayeron bellotas sobre la cabeza de Rosie. Se puso a galopar como un caballo que ha perdido el control, dando una gran vuelta. Ella observaba, preparada para echar a correr, pero temerosa de que la huida despertara su instinto depredador. No obstante, cuando se plantó de nuevo ante ella, Rosie se preguntó si no habría firmado su sentencia de muerte quedándose allí. Apretó con los dedos su pesada cartera.

El pecho de Ludovic subía y bajaba. Los puños apretados parecían contener la furia en sus manos, a punto de soltarla sobre su cabeza.

Rosie quería echarse a temblar, pero se negaba. Quería gritar, pero no lo hacía. Quería golpearle, pero no se atrevía. Podría ser una cobarde, temerosa del dolor y la muerte, pero no podía mostrarlo. Apretando los dientes con fuerza para que no le temblara la barbilla, juró no mostrar nada de aquello.

Ludovic estiró las manos y la cogió por el pelo. Le dolió el cuero cabelludo cuando algunos mechones se soltaron de la trenza, y Rosie reconsideró su valentía. Tal vez no estuviera de más dar algún grito. Quizá dar impulso a la cartera. Pero él se limitó a sostener su cabeza quieta y mirarla fijamente a los ojos.

Su voz sonó gutural a causa del dolor.

—No se separe de su Tony.

—¿Qué? —No era lo que esperaba, fuera lo que fuese.

—No se separe de Rycliffe. Permanezca cerca de él y obsérvele. Estará más segura cerca de él. —La empujó hacia atrás con tanta fuerza que dio un traspié. Se protegió el brazo para no parar la caída con él y aterrizó sobre un lecho de acebo de duras hojas.

Se resbaló, intentando rescatar sus enaguas de una docena de pequeños desgarrones, y cuando alzó la vista, Ludovic había desaparecido.

Le costaba creer que hubiera escapado con vida.

Le costaba creer cuán culpable se sentía.

Ludovic parecía una criatura que vive bajo una roca, olía como tal, pero eso no quería decir que sus emociones no contaran. Le había herido con su rechazo.

Saliendo de los arbustos con dificultad, se fue caminando penosamente hacia la casa solariega. Ludovic parecía convencido de que alguien intentaba matar a uno de ellos. ¿Debería seguir su sugerencia y permanecer cerca de Tony, no para protegerse sino para protegerle a él?

En verdad tendría que encontrar una excusa, y Tony podría malinterpretar su repentino interés. Pero tendría que aguantar los inconvenientes, pues si Tony muriera por su causa, nunca se lo perdonaría.

Por supuesto, sus sentimientos serían los mismos hacia cualquier persona.

Avanzando hasta la terraza, subió los escalones antes de ver a Jean observándola, con una aguja sostenida sobre un bastidor de bordar y la boca arrugada con desaprobación.

No era de extrañar, pensó Rosie. Jean no había cambiado el gesto desde que había leído la carta la noche anterior.

—Ésa es la cartera más fea que he visto en mi vida —pronunció.

Rosie la tocó con un dedo.

—Me la ha dado Tony.

La expresión de Jean se alteró levemente.

—¿Tony? Por regla general tiene mejor gusto.

—Pero me gusta esta cartera. —Rosie sonrió a Jean con desagrado—. Me gusta mucho. Tengo la impresión de que su estilo me otorga el peso de la respetabilidad, para entendernos.

Clavando la aguja en el bastidor, Jean inclinó la cabeza y estudió a

Rosie. Ella supo que no estaba a la altura de las circunstancias. ¿Qué mujer podría colmar las expectativas familiares para la futura esposa de Tony?

—Siéntate —ordenó Jean. Al no hacerlo de inmediato, ésta dio una palmadita en la banqueta a su lado y dijo con aspereza—. Siéntate antes de que te caigas al suelo.

Rosie no quería obedecer, pero encontró que las rodillas le temblaban tras el encontronazo con Ludovic entre la maleza. Había empezado a bajar sobre el asiento cuando Jean dijo:

—Tienes ramitas en el pelo y polvo en la falda. ¿Has estado visitando a tu amante en el jardín?

Como si hubiera un clavo erecto en la banqueta, Rosie se puso en pie al instante. Intentó alejarse, pero Jean la agarró por la falda antes de que diera dos pasos.

—Mis disculpas.

Rosie se cogió la falda con ambas manos y dio una sacudida, pero Jean volvió a tirar.

—Siéntate y acepta mis disculpas de buen talante —insistió Jean—. No digo cosas tan estúpidas por lo general, y esto te concede cierta ventaja. ¿No sabes aprovechar una situación ventajosa?

Rosie se desplomó sobre el taburete.

—Podría.

—No debería haberte acusado de tener un amante. Tony no lo hace, y él sabe más de mujeres que cualquier hombre que haya conocido.

Rosie consideró volver a levantarse, pero decidió que no tenía fuerzas.

—Y, además, le gustan las mujeres. Las mujeres altas, bajas, tontas, lista, viejas, jóvenes. ¿Sabes lo raro que es eso?

Al recordar las batallas que había visto librar a mujeres contra sus bruscos maridos, contra los abusos de soldados y contra hombres que las trataban como trapos de cocina, Rosie tuvo que admitir tal rareza. No obstante, no tenía que admitir que lo valoraba.

Levantando la aguja, Jean tiró del hilo.

—Conozco a Tony de toda la vida. Cuando vino a vivir con nosotros aún era una criatura con nodriza, y habíamos decidido...

—¿Habíamos?

—Mis hermanas, mi hermano Michael y yo.

Rosie no quería sentirse interesada, ni quería que le importara todo aquello, pero una curiosidad insoportable la instó a decir:

—Continúa.

—Habíamos decidido que nos caería mal. —Jean daba las puntadas con prudencia, creando una imagen en el material bajo su mano—. Era el hijo bastardo de mi padre, ya sabes, nacido de un lío sentimental con una mujer de la aristocracia. El mero hecho de que existiera me parecía un bofetón en la cara de mi madre.

A Rosie le picó la curiosidad y quería oír la historia, pero no tenía por qué admitirlo.

—No puedo culparle.

—Mi madre no estaba conforme —continuó Jean—. Dijo que un bebé no era responsable de su existencia.

—Oh. —Rosie se frotó una mancha de hierba en la falda—. ¿De modo que culpaba a su padre?

—Mi madre no culpaba a nadie. Tenía una enfermedad —Jean se aclaró la garganta— que parecía apoderarse de sus miembros e inutilizar los músculos. Mi padre la amaba, pero era un hombre, y cuando vio a lady Margaret...

—¿Concibió a Tony?

Jean asintió, aceptando con gratitud el tacto de Rosie.

—Nuestra madre nunca nos dejó saber si estaba herida, y cuando lady Margaret se negó a hacerse cargo de Tony, insistió en traerlo a casa. Luego cuando yo me negué a cogerlo en brazos, insistió en que lo hiciera. ¿Iba a contrariarla yo? Temía que sufriera aún más.

—¿De modo que se ocuparon de Tony?

El afecto animó los rasgos severos de Jean y su rostro se sosegó.

—Era la criatura más lista que había visto. ¿Sabías que dijo su primera palabra con tan sólo nueve meses? Y ya caminaba antes de que le saliera el primer diente. Solía sonreírme con aquellos ojos grandes y yo no podía negarle nada. Creo que le llevé a todas partes hasta que se hizo tan grande que no pude levantarlo.

Rosie se colocó la trenza sobre el hombro y se soltó la cinta del pelo. Se peinó con los dedos la cabellera y frunció el ceño al ver las hojas que le caían en torno a la falda.

—Le malcrió.

—Todos lo hacíamos.

—Pero seguro que el heredero, su hermano, no —dijo Rosie por la experiencia que tenía con hombres jóvenes—. A los jóvenes les gusta pelearse y gritar y beber, no cuidar niños.

—Michael es un hombre especial. Tony le adoraba entonces y le adora ahora. Y Michael, como el resto de nosotros, lo malcrió hasta que cumplió seis años. Hacia el final, Tony era el único capaz de hacer reír a mi madre. La llamaba «mamá».

Rosie se sacudió el pelo en un intento de librarse de las últimas briznas de hierba.

—¿Su madre murió cuando él tenía seis años?

—No. Lady Margaret decidió que quería recuperar a Tony cuando tenía seis años.

—¿Qué? —Rosie se levantó otra vez de un brinco—. ¿Se lo llevó cuando tenía seis años?

Jean ya no daba las puntadas con la misma atención, sino que perforaba el tapiz como si pudiera apuñalar a lady Margaret.

—Lo secuestró.

—¿Por qué?

—Había recibido ciertas críticas por su frialdad al abandonar a su hijo y regresar a la corte, pero no le importó hasta que se casó. Su marido, el conde de Drebred, deseaba que Tony fuera educado con los demás niños.

Rosie no entendía nada.

—¿Por qué?

—No sé. Porque era lo apropiado, supongo, y el conde de Drebred está empeñado en hacer todo con propiedad. —Jean dejó de fingir que bordaba. Se limitó a mirar fijamente la labor y recitar los sucesos—: Nos negamos a entregarle a Tony. Nuestro padre tenía derechos sobre él, por supuesto, y no podían hacer nada, pensamos.

Absorta en el relato, Rosie no se movió de su sitio en la terraza.

—Se lo llevaron mientras cabalgaba por nuestra finca. Montaba un caballo nuevo, se lo habían regalado por su cumpleaños, y cuando el corcel regresó sin él, pensamos que se habría caído. Inspeccionamos cada pulgada de cada acre, dos veces. Al final uno de los posaderos de la ruta a Londres vino a vernos para decirnos que había visto a un crío que se parecía a Tony y que no paraba de llamar a su madre.

Rosie no daba crédito. No podía creer que el abierto, alegre y seguro Tony ocultara un pasado tan tumultuoso.

—¿Por qué no exigisteis su regreso?

—Lo hicimos, pero aunque nuestra familia sea razonablemente rica e influyente, la familia Spencer no posee nada en comparación con la fortuna Drebred. Es una de las grandes familias del norte. —Jean parecía estar saboreando algo amargo—. Y son fríos como el hielo.

Un niño pequeño con el rostro de Tony, llamando a gritos a su madre en una fortaleza en la frontera con Escocia. Rosie se puso enferma sólo de pensarlo.

—¿No se quedó con ellos?

Jean empezó a coser otra vez.

—Hasta que cumplió los once años.

—¿Once? ¿Esa gente le retuvo hasta que tuvo once años?

—Sí.

—¿Qué sucedió entonces?

Jean se inclinó sobre la cesta y revolvió entre la selección de hilos de colores.

—Se escapó y vino a casa.

—A casa.

Rosie conocía las dificultades de la carretera mejor que la mayoría de la gente, por eso preguntó:

—¿Dónde está?

—En Cornualles.

Rosie cogió la mano de Jean y Jean la miró a los ojos.

—¿Vino desde el norte hasta su finca en Cornualles? —Jean asintió y ella alzó la voz—: ¿Con once años de edad?

Jean volvió a asentir y Rosie volvió a dejarse caer vencida sobre el taburete.

—Detesto pensar en el viaje —dijo Jean—. Le llevó cuatro meses.

Cuando llegó, los criados no lo reconocían. En la cocina le ofrecieron algo de comer para que siguiera su camino.

A Rosie no le hacía falta preguntar, pero lo hizo de todas formas:

—¿Sucio, delgado y descalzo?

—Y con el corazón roto. Había hecho todo aquel recorrido por su mamá, y su mamá...

Rosie ahogó su grito con la mano cerrada.

—Yo pensaba que lord y lady Drebred se lo dirían. Dios sabe que intentaban doblegar su espíritu, pero por las pocas cosas que luego contó Tony, empleaban a su madre como prenda para que se portara bien. —Jean imitó una voz de falsete—: Si eres bueno, Anthony, te dejaremos ir a visitar a tu querida mamá. Nuestra madre murió un año después del secuestro de Tony. El pequeño lloró como una criatura al enterarse de la verdad. Nunca ha vuelto a llorar desde entonces.

—Pobre Tony.

—Y pobre mamá. Creo que le rompió el corazón que se lo quitaran. —Jean se lamió el pulgar, estiró el brazo y le limpió el rostro a Rosie—. Tienes polvo en la mejilla... y lágrimas.

Algo, un ruido, una sombra, les hizo girar la cabeza, y encontraron a Tony de pie en la puerta abierta de la casa. Rosie dio un brinco de culpabilidad; Jean, no.

—¿Has venido a disfrutar de los últimos rayos de sol antes del frío invierno, hermano?

—Y tanto que sí.

Salió de la casa y se quedó de pie justo donde su sombra se proyectaba sobre el rostro de Rosie.

¿Cuánto habría oído?, se preguntó. ¿Era consciente de cómo había llorado ella por sus padecimientos de la infancia? Pensó que a él no le haría gracia que ella supiera que había sido un muchacho débil y lastimado.

—He salido para que mis costillas se recuperen mientras converso con las dos mujeres más encantadoras del mundo. —Frunció el ceño—. Pero ¿qué ha sucedido, Rosalyn? ¿Por qué ese polvo y heno en el cabello?

Vaya, sus intentos de arreglarse no habían servido de mucho.

—Me he... caído.

—¿Te has... caído? —imitó—. Vaya, tendrías que andar con más cuidado por el jardín, ¿no crees?

Rosie fijó la mirada en él, y Tony alzó las cejas. No sabía qué había estado haciendo, ¿o sí? ¿Cómo podía estar enterado si acababa de volver de su encuentro con Ludovic? ¿Y por qué iba a importarle de todos modos? No había hecho nada malo.

Sin percatarse del trasfondo, Jean dijo:

—No puedes esperar que una muchacha actúe como una dama después de haber vivido como un chico durante tantos años, y encima un chico fuera de lo común. Con toda probabilidad se olvida de que lleva faldas.

—Ojalá fuera así —musitó Rosie.

—No creo que espere demasiado de Rosalyn. ¿No te parece, Rosalyn? —Tony sonrió como si no fuera consciente de la inquietud de Rosie; ella casi apostaría que sabía dónde había estado y a quién había visto—. Al fin y al cabo, Rosalyn es muy inteligente y sabe diferenciar el bien del mal. Sir Danny se lo ha enseñado, y no querría traicionarlo con una indiscreción irresponsable. Podría acabar lastimando a alguien estimado, y en absoluto querría algo así.

A Jean no le pasó por alto esa intimidación.

—¿Usas a sir Danny como rehén para que Rosie se comporte bien?

—No —negó Tony.

—Bien, porque dudo que fuera una buena táctica en el caso de lady Rosalyn.

Rosie estuvo a punto de vitorear a Jean por aquella defensa, y Tony se enfurruñó de verdad.

Entonces Jean se levantó y recogió su canasta de costura.

—Siempre he dicho que cuando Tony quiere algo, lo consigue.

El júbilo de Rosie se desvaneció y los morros de Tony se transformaron en una sonrisa.

—Deberías prestar atención a mi hermana, Rosalyn.

Jean continuó:

—Por eso hoy mismo he reflexionado en voz alta sobre el resultado de la batalla de titanes, en referencia a ti y lady Honora.

—No voy a casarme con lady Honora.

Tony lo dijo como si ya lo hubiera manifestado demasiadas veces.

—Mi tonta hermana Ann ha dicho casi lo mismo, pero también me ha indicado que me equivoco de batalla.

—¿Oh? —replicó Tony con frialdad.

—Dice que a quien se debe observar es a lady Rosalyn, y mi tonta hermana Ann a menudo hace gala de un instinto excepcional para la gente. —Sonrió a Rosie—. Me alegro de que hayamos tenido esta oportunidad de hablar, lady Rosalyn.

Rosie observó a Jean marchándose y deseó poder irse con ella. Pero algo la retenía en su asiento: la mano de Tony agarrándola del brazo.

—Quiero hablar contigo.

—Y yo también quiero —respondió ella.

Él inclinó la cabeza.

—¿La hora del confesonario?

—Desde luego, sir Rycliffe, ha llegado el momento. Te he hecho creer algo inexacto y deseo pedir perdón.

Tony la observó con una concentración un poco excesiva.

—Habla, Rosalyn.

—Dije que encontraría otra persona para que me enseñara a leer, pero eso es ridículo, resultado de un orgullo fuera de lugar. —Detestaba disculparse, deseaba que hubiera otra manera de permanecer cerca de él, de protegerle de lo que fuera que le amenazaba—. Lamento haber rechazado su amable oferta y, si sigue en pie, estaría muy agradecida de su ayuda.

Tony flexionó las manos; ella le observó preguntándose qué pensaría. ¿Tenía ganas de cogerla por el cuello? ¿O atisbaba la posibilidad de emplear las manos en otros menesteres? Con timidez, Rosie preguntó:

—¿Qué querías comentar conmigo?

—Hablaremos de eso en otro rato. —Se puso en pie y le tendió una mano vuelta hacia arriba—. De modo que quieres empezar a leer. Fantástico. —Ella apoyó la mano en sus dedos—. Empecemos ahora mismo con el alfabeto.

# Capítulo 14

¡Qué cosa tan linda es el hombre cuando sale
con calzas y almilla y olvida el ingenio!
—MUCHO RUIDO Y POCAS NUECES, V, i

*L*ady Honora estaba inclinada sobre la baranda y observaba a Tony y a sir Danny sobre el césped bajo la terraza practicando con la daga y el estoque.

—Es muy apuesto, ¿verdad que sí?

Parecía comentarlo a nadie en concreto excepto al aire de la tarde, pero Rosie se hallaba a su lado y no pudo pasar por alto la pregunta ni el tono de admiración con el que la planteaba lady Honora. Con una sensación de desazón mostró su conformidad:

—Sí, lo es.

—Unos ojos tan centelleantes, un cabello tan bonito... —Lady Honora suspiró con una larga inspiración vibrante—. ¿Qué mujer no se sentiría privilegiada al ser invitada a la cama de ese hombre?

Rosie miró a Tony, luego a lady Honora rindiendo homenaje a un buen ejemplar de hombre. Quitaba años a su semblante, suavizaba la rigidez de su porte, la volvía una mujer como cualquier otra.

—Desde luego que sí.

—Si no fuera tan bajo.

*¿Bajo?*

—¿Tony?

—No, bobalicona. —Lady Honora soltó una risa desde lo más profundo del pecho; casi sonó como un ronroneo—. Sir Danny.

Rosie se pisó el dobladillo de las enaguas y tropezó hacia atrás. Por primera vez en cuatro semanas, desde que lady Honora había decidido educar a Rosie en las artes femeninas, la dama no hizo ningún comentario sobre su torpeza. Lady Honora sólo tenía ojos para sir Danny, y Rosie no podía apartar la mirada del rostro embargado de lady Honora.

¿Sir Danny... y lady Honora? ¿Lady Honora, duquesa viuda de Burnham y baronesa de Rowse... y el señor Danny Plympton? Por mucho que se esforzara en repetirlo, no podía sonar más ridículo.

Pero explicaba unas cuantas cosas. Como que sir Danny le diera palmaditas en la cabeza distraído cuando Rosie le iba con quejas sobre el método de enseñanza que empleaba Tony.

Como que le dijera que Tony se ocuparía de todo cada vez que ella expresaba su preocupación por la desaparición de Ludovic.

Como su absoluta falta de inquietud por el complot de Essex para destituir a la reina Isabel.

Por los clavos de Cristo, ése había sido uno de los motivos de venir a Odyssey Manor en un principio. Habían venido precisamente a la casa del jefe de la Guardia de la Reina, ¿por qué no le pedían ayuda? Pero sir Danny farfullaba y se sonreía, y ahora Rosie sabía por qué.

Estaba enamorado. Otra vez. Debería haber reconocido los síntomas.

Flexionó los brazos, recién retirada la tablilla, para recuperar la fuerza. Iba a necesitar esa fuerza. Ahora estaba sola.


Sir Danny comparó la longitud de su brazo y el de Tony y sacudió la cabeza.

—No es de extrañar que sea tan bueno con la espada. —Jadeó agotado y tomó aliento con exhalaciones profundas—. Puede rascarse la rodilla sin inclinarse.

Tony se rió y se secó el sudor de la frente con el dorso de la mano.

—Ya me gustaría.

—¡Fiu! Esta lucha es un buen calentamiento. —Enfundando la

espada y la daga, sir Danny se desató las lazadas del jubón y se lo sacó por la cabeza—. Ya me gustaría tener esa envergadura. Me temo que la necesitaré para más cosas que actuar en escenas con peleas de espada.

—Yo también lo temo. —Tony sospechaba que no era sólo el calor lo que hacía que sir Danny se quedara sólo con la camisa de lino. La camisa casi transparente del actor, abierta por el cuello, cubría y al mismo tiempo resaltaba los músculos del pecho y los brazos, provocando a las mujeres y tal vez despertando sus apetitos. Qué ridículo. Qué extravagante.

Qué inteligente. Lady Honora no apartaba la mirada de él.

Despacio, Tony también se quitó el jubón y se aflojó además las lazadas del cuello de la delicada y ligera camisa, quedando abierta casi hasta la cintura. ¿Se habría dado cuenta Rosie? Una mirada perspicaz corroboró que la joven también estaba apoyada en la baranda, por consiguiente Tony se fue andando con toda naturalidad al lado de sir Danny.

—¿Cuándo planea irse entonces?

—Mañana.

Sir Danny colgó el jubón sobre las ramas rígidas de un tojo.

Tony dejó su jubón junto al de sir Danny. Los colores brillantes del arbusto acentuaban los intensos negros y rojos de las prendas rellenas, que colgaban juntas como símbolo de una camaradería poco probable.

—No puedo mentir: le estoy agradecido por su plan, pero temo el momento en que se lo cuente a Rosie.

—¿Cuándo yo se lo cuente a Rosie? —Sir Danny recogió su espada y la punta se agitó como gesto de exclamación negativa—. Yo me largo, y usted puede contárselo a Rosie.

—No —replicó Tony con decisión—. Se lo tomará mejor viniendo de usted.

—No, no. Siente un afecto no admitido por usted. Eso les unirá más.

—Es más probable que me arranque la cabeza.

—¿No tendrá miedo de una mujer, o sí?

—¿Y usted?

Tomaron aliento y se miraron con hostilidad suficiente como para pelear. Chocaron las hojas en señal de saludo y, a continuación, moviéndose más despacio que en un combate real, Tony inició de nuevo la lección.

—Contacto, retirada, estocada, retirada.

Observó a su pupilo de cerca. Sir Danny sabía algo más que los mínimos rudimentos de la daga y el estoque. Había tenido que aprender a luchar, supuso Tony, para defender a su *troupe*. Pero sir Danny no sabía tanto como los señores que hacían de la espada una carrera. Así estas últimas semanas Tony había intentado compartir con él su pericia adquirida en años de entrenamiento.

—¡Busque el hueco! A fondo, clave la daga, ¡maldición!

Sir Danny aprovechó el hueco que Tony había dejado a posta y le apuñaló el corazón.

Tony elogió la estocada, luego dijo:

—No lo permitiré. Se va en busca de la muerte, por su amor a la reina, por lo tanto debe despedirse de la mujer que le considera su padre.

Con un suspiro, sir Danny dirigió un vistazo en dirección a la terraza.

—Supongo, pero va a enfadarse.

—Cabe esa posibilidad.

—¿Posibilidad? —refunfuñó sir Danny—. Es una certeza. Siempre se enfada cuando me expongo a peligros. Esto la dejará lívida.

—Tal vez consiga que entre en razón después de su partida.

Tony sonrió previendo una Rosie furiosa y fuera de control. Era tan fácil de provocar como divertido esquivar sus ataques.

—Sí. —El rostro preocupado de sir Danny se sosegó—. Le tendrá a usted y quizá ni advierta mi partida. Al fin y al cabo, ahora es mayor y tiene sus propias preocupaciones. No necesita a su papi para tranquilizarla. Sí, confío en su capacidad de refrenarla.

Sir Danny sonaba tan inquieto que Tony preguntó:

—¿Está seguro de que quiere hacer esto? —Lo que sir Danny había contado de los condes de Essex y Southampton y sus planes de rebelión no había supuesto una sorpresa para Tony. Aunque la reina Isabel le hubiera relevado temporalmente en sus deberes como jefe de la guardia, él recibía información puntual del capitán de sus hombres y estaba al tanto de cuanto se comentaba por lo bajo.

Todo el mundo estaba enterado de esos comentarios. Pero ¿y la reina?

Hasta que ella tuviera noticias de esta traición y tomara medidas para aplastarla, el reino estaría en peligro. Pero Tony no podía asesorarla, pues ella opinaba que estaba predispuesto en contra de su querido Essex.

Y así era. Esta seria situación iba a acabar en crisis sin que Tony, despojado de su poder, pudiera hacer nada. La reina necesitaba transigir, permitirle dejar el exilio y regresar a sus deberes antes de que fuera demasiado tarde. Por eso necesitaba a sir Danny, y éste se había ofrecido voluntario con alegría.

¿Alegría? No, entusiasmo.

—Quién mejor que yo para ir a Londres y relatar el nefario complot a la reina. —Sir Danny sostenía la espada listo para dar una estocada. Curvó el brazo hacia atrás, soltó una exhalación, alzó la barbilla y dejó que el viento le apartara el pelo de la cara—. Es peligroso, cierto. Me enfrento a millares de fuerzas malignas aliadas contra mí. Pero yo y sólo yo...

Tony le puso una mano en el brazo.

—No pueden oírle.

—¿Señor?

—Las mujeres. —Tony hizo un ademán con la cabeza en dirección a la terraza—. La pose es seductora, pero están demasiado lejos para oírle. Sólo quiero saber si piensa en serio que puede llegar hasta la reina sin que Essex le eche el guante.

Sir Danny continuó con su pose, pero se dejó de retóricas.

—Con ayuda de su carta como salvoconducto, puedo hacerlo.

—A Essex le importará un rábano la carta de salvoconducto, y tiene espías en la corte. Si no es precavido, sir Danny, podrá crecer varias pulgadas con la ayuda de un torturador preparado. Si no es cauteloso...

La voz de Tony se apagó. Qué estaba haciendo, ¿usar a un vulgar actor como peón en este juego de poder? Essex aplastaría a sir Danny sin inmutarse, con crueldad, y le enviaría el cuerpo sin vida como aviso.

—Sir Anthony —sir Danny miró de frente a Tony y habló con un candor más convincente por su sencillez—, durante toda mi vida he estado convencido de que algún día alcanzaría un gran destino. Sabía que algún día sería algo más que un actor itinerante, que algún día el mérito que acojo en mi pecho encontraría una salida en alguna acción espléndida. Bien, ¡éste es el momento! ¡Lo percibo así! Salvaré a la reina de Inglaterra. ¡A la propia Inglaterra! No intente velar por mi seguridad, no se culpe si muero en el intento. Y sepa que le bendigo por darme esta oportunidad de gloria, no llore por mí si fracaso.

—Como quiera. —Tony cortó el aire con la espada—. Pero si le enviamos a la muerte, mi cama quedará fría... una vez que Rosie y yo nos casemos, quiero decir.

Sir Danny le estudió con ojos sagaces.

—He oído que en su estudio hace calorcito ahora mismo.

—¿En mi estudio?

—Donde enseña a leer a mi Rosie. Se queja de que sus éxitos los recompensa con un abrazo y sus fallos con un beso.

Pasando de inmediato a la defensiva, Tony dijo:

—Bien, no le gustan mis besos... todavía.

—Pensaba que ahora era el mejor amante de Inglaterra.

El tono de sir Danny dejaba claro que si Tony era el mejor amante de Inglaterra, había sucedido a sir Danny en ese honor.

—Lo soy, pero Rosie es la más tozuda de las mujeres. Se resiste al cortejo con tal obstinación que me veo obligado a rebajar mi excelencia y recurrir a los trucos. —Tony esperó una acometida—. Se opone a permitirse el menor placer, porque teme que si lo hace se desmoronará toda su resistencia.

—Ah, entiendo, he tenido experiencias con mocitas de esa clase. —Sir Danny se besó los dedos con algún recuerdo distante—. Pero cuando esa resistencia se viene abajo, es magnífico. Y tanto que sí, me demoré tanto en la cama de aquella dama que luego casi no escapo con vida de Londres.

—¿La esposa del alcalde? —preguntó Tony.

Sir Danny asintió melodramáticamente, luego aprovechó que Tony estaba con la guardia desprevenida y le colocó la punta de la espada en la garganta—. No obstante, mis proezas difieren de las suyas, pues usted intenta seducir a la mujer a la que considero mi hija.

Era asombroso cómo uno podía quedarse quieto, sin tan siquiera tragar saliva, cuando le amenazaba el arco reluciente de una hoja.

—Cuando me marche, lo dejaré todo en sus manos, confiaré en su honor. Voy a dejarle la carta y también a mi Rosie. Si sobrevivo a esta misión y descubro que se ha aprovechado y se ha desentendido de ella, me lo tomaré muy mal.

—Sir Danny...

—Incluso si muero y usted cumple su deber y se casa con Rosie, encontrará mi espada persiguiéndole en sueños si no la cuida tal y como se merece.

Tony ni se preocupó en convencer a sir Danny de sus buenas intenciones, pero sir Anthony Rycliffe no se aprovechaba de las mujeres y se desentendía de ellas, tomándose mal acusaciones de ese tipo.

—Rosie será mi esposa del alma, pero hasta que ella consienta el matrimonio no me permitiré el placer final. No quiero cuchicheos sobre mi primogénito, ni burlas sobre si es prematuro ni sobre su legitimidad.

Sir Danny se acarició perplejo los bigotes.

—Entonces, ¿a qué vienen esos métodos tan físicos de enseñanza?

—Rosie es asustadiza como un potrillo, a diferencia de la mayoría de mujeres a las que he echado el ojo, e intento inspirarle confianza y amansarla. —Tony se arrepintió por un instante de la comparación con un caballo. Era consciente de su resentimiento ante esos símiles, y se avergonzó al recordar sus anteriores exigencias de que una mujer fuera fecunda como una yegua—. Conseguiré que se acostumbre a mí gradualmente, y cuando se muestre más dócil a mis deseos, podremos...

Tony rompió a sudar. Cuando Rosie fuera dócil a sus deseos, ya verían si llegaban hasta la cama, qué decir del altar.

Sir Danny parecía comprender lo que Tony no se atrevía a decir y, para su sorpresa, no se lo tomó mal. Retirando la espada, dijo:

—Lleva buena razón. ¿Quiere practicar más hoy?

Tony le estudió teniendo en cuenta las circunstancias. Sir Danny practicaría hasta no poder levantar la espada antes que admitir su agotamiento, y llevaban trabajando la mayor parte del día.

—Estoy agotado. Si no le importa, descansaremos ahora y daremos a las damas la ocasión de despedirse de usted.

Sir Danny ya había cogido el jubón antes de que Tony hubiera acabado de hablar.

—No me importa. Intercambiaré unas palabras con lady Honora esta noche, y mañana se lo diré a Rosie.

—¿Mañana? ¿Está loco? Dígaselo esta noche.

—Mañana. No sirve de nada preocupar innecesariamente a la chica esta noche. —Sir Danny adivinó la objeción suspendida en la lengua de Tony—. Conociendo a Rosie, se encerrará en una de las caravanas antes de la mañana.

—Dios no lo quiera. —Tony no había pensado en eso—. Entonces, cuénteselo mañana.

—He ordenado a mi compañía que recojan, aunque no les he contado por qué regresamos a Londres.

—¿Qué hará la señora Child cuando sólo tenga que preparar tres comidas al día?

Tony también cogió su jubón y se quedó pensativo. ¿Debía ponérselo? La brisa era más fría con la puesta de sol, pero ¿no debería impresionar a Rosie con su cuerpo una última vez antes de la cena?

—¿Está diciendo que los actores comen demasiado?

Sosteniendo el jubón sobre el hombro, colgado de un dedo, sir Danny se fue andando hacia las escaleras.

—¿Demasiado? —Tony siguió el ejemplo de Danny y se pavoneó ante su dama al tiempo que intentaba mostrarse ajeno a su propia actuación—. Digamos que consumen cantidades copiosas.

—Los actores adoran una comida gratis. —Bajando la voz, sir Danny le informó—: Ojalá pudiera decirle otra cosa, pero Ludovic no ha regresado.

Tony se tropezó con las escaleras.

—No ha dejado la finca en ningún momento.

Sir Danny ralentizó la ascensión.

—¿Qué ha descubierto?

—Los restos de un conejo junto a un fuego en nuestro bosque. Una huella junto al arroyo. Y una de las sirvientas insiste en que anoche vio a un hombre husmeando por una ventana desde el exterior.

—No se lo cuente a Rosie —rogó sir Danny—. Habló con él antes de que se marchara.

Tony buscó la mirada de Rosie.

—Lo sé.

—Es probable que se culpe de su deserción. No me lo quiere confesar, pero creo que le rechazó.

Tony sabía que Rosie había hablado con Ludovic. Hal les había visto escabulléndose juntos por el jardín, y había informado a su señor de los hechos.

Tony no creía a Rosie capaz de un engaño, pero ¿a quién debía lealtad? ¿Habría advertido a Ludovic sobre las sospechas de Tony de que podía ser violento? Temía que sí y, ahora, pese a los esfuerzos de sus rastreadores, Ludovic se había puesto a cubierto. No obstante, seguía demasiado cerca.

—Sir Danny. —La voz de lady Honora vibró con entusiasmo—. Su destreza con la espada inspira un respeto reverencial. —Cuando los dos hombres llegaron a los escalones superiores, añadió con gracia—: Igual que la suya, sir Anthony.

Tony hizo una mueca. Quería el elogio de Rosie, no el de lady Honora.

Pero Rosie sólo tenía ojos para sir Danny, entrecerrados a causa de una premonición.

—Tu destreza ha mejorado, papi. —Interceptó a sir Danny antes de que atravesara las puertas de entrada a la casa—. ¿Por qué?

Aquel apelativo reivindicaba un derecho, la clara pregunta demostraba que se había fijado en el entrenamiento incesante, y su postura hostil indicaba que sospechaba la causa.

—Oh. —Sir Danny retrocedió un paso—. Cuando dispones de un tutor tan cualificado como sir Tony, es una vergüenza no aprovechar esa oportunidad.

Intentó rodear a Rosie, pero ella burló su táctica.

—No has practicado *Hamlet* en ningún momento. ¿Qué va a representar la compañía cuando deje Odyssey Manor?

—¿Ya intentas librarte de mí? —Sir Danny le pellizcó la mejilla. Ella aguantó estoicamente.

—¿Cuándo planeas marcharte de Odyssey Manor?

Lady Honora acudió al rescate.

—¡Lady Rosalyn! Una dama no invita a marcharse a los invitados de esta manera. Sobre todo a uno tan refinado como sir Danny.

—No le invito a marcharse —dijo Rosie apretando los labios—. Me estoy preguntando cuándo planea él irse. Son dos preguntas diferentes por completo.

Lady Honora reconoció que tal vez Rosie conociera mejor a su tutor.

—Sir Danny, ¿está enterada lady Rosalyn de algo que debiéramos saber?

Tony esperó, convencido de que sir Danny tendría que anunciar ahora su partida.

Pero sir Danny se agarró las manos y se las llevó al pecho.

—Rosie es consciente de que no puedo quedarme aquí eternamente, pues el escenario es para mí igual que el viento para una gaviota salvaje. Si no puedo volar, no puedo vivir, no puedo pasar sin ello, y se aproxima ya el momento en que deba levantar el vuelo y surcar los aires. —Miró enternecedoramente a lady Honora, y luego añadió en un tono de voz más normal—. Pero no esta noche. —Esquivando a Rosie, cogió a lady Honora por el brazo y la apremió a entrar en la casa—. Esta noche nos daremos un festín, beberemos y bailaremos disfrutando del placer de nuestra compañía.

—Este hombre trama algo. —Rosie se volvió a Tony—. ¿Qué prepara?

A Tony le encantaba su mirada: ojos centelleantes, pecho agitado, mejillas encendidas de furia. Le encantaba saber que se indignaría y sulfuraría cuando sir Danny hiciera su anuncio, porque en las manos correctas la rabia podía transformarse en deseo. Con una sonrisa, Tony bajó la vista. Sí, en las manos correctas.

—¿Por qué te sonríes?

Y también los labios correctos, y cuando besara a Rosie...

—Borra esa mirada de tu cara ahora mismo. —Le señaló con un dedo y él lo cogió para besarlo. Ella se soltó con una exclamación de frustración—. Los hombres siempre os encubrís. No valéis nada... ¡ninguno de vosotros!

Se alejó a buen paso y él continuó sonriendo. La frustración y la rabia eran una mezcla volátil, que él podía explotar para placer mutuo. Ah, mañana sería un día excitante.


Para Tony hoy era el peor día de su vida.

—Lady Rosalyn, ésta es una manera indecorosa de comportarse en una dama.

Lady Honora era la viva imagen de una estricta tirana, pero su voz vaciló un poco.

—Rosalyn, debes entrar. El viento es frío y, por el aspecto del cielo, se pondrá a llover en cualquier momento.

Temblando, Jean se colocó de manera que su falda hiciera de pantalla y protegiera a Rosie de la fría brisa.

—Rosalyn, querida. Rosie, querida. —Ann se arrodilló al lado de la figura encogida de la muchacha y le frotó la espalda—. No debes llorar así, vas a ponerte enferma.

Tony sí se estaba poniendo enfermo, enfermo de preocupación y reproches. Nada de lo que había dicho sir Danny, ninguno de sus comentarios tranquilizadores había variado la convicción absoluta de la muchacha de que nunca volvería a verle. Lloraba con las lágrimas de una niña abandonada.

—Señor. —Hal, que había salido sigilosamente de la casa, estiró de la capa a Tony—. ¿No va hacer que pare?

Tony se volvió con ferocidad:

—¿No crees que lo haría si pudiera?

Sus hermanas le miraban también, al igual que lady Honora, pero ¿qué esperaban que hiciera? Era un hombre aterrorizado por las lágrimas de una mujer, horrorizado por este cambio en los planes con Rosie y vagamente avergonzado de sus expectativas. Pensaba que entendía a las mujeres. ¿Cómo podía habérsele pasado por alto lo que sir Danny significaba para ella?

—¿Qué intenta ella con esto? —preguntó lady Honora—. ¿Está probando de conseguir que le entregues la finca?

—¡Oh, lady Honora! —Ann parecía consternada—. No sea desagradable.

—No soy desagradable, es sólo que no entiendo por qué llora así. —Lady Honora se ciñó aún más la capa y observó a Rosie con sus ojos sin vida—. Sir Danny ha demostrado ser una persona muy tratable con todos nosotros, pero no nos ponemos a llorar porque se haya ido. Sólo porque sea un actor egoísta y superficial que nos ha dejado para visitar los antros de perdición de Londres.

—Consigue ser la bruja más insensible del mundo. —Jean dio un empujón a lady Honora para que se metiera en la casa—. Entre antes de estropear aún más las cosas.

—Sólo intenta atraer la atención de todos. —Dando un traspié mientras se dirigía a la puerta, lady Honora añadió—: Está intentando ganarse nuestra simpatía y convencernos de que le permitamos casarse con Tony.

Poniéndose en pie, Ann empujó a lady Honora hacia la entrada.

—Largo.

—No me importa que sea la heredera de la finca, no puede casarse con Tony. Yo voy a casarme con Tony.

—Ni siquiera la oye.

Jean sonaba exasperada.

—Voy a casarme con Tony y ningún actor con labia y encanto personal va a hacerme cambiar de idea.

¿Actor con labia y encanto personal? Tony se frotó la frente. ¿Se refería a Rosie? ¿O a sir Danny? ¿Por qué estaba tan belicosa? ¿Tan desafiante?

¿Por qué Rosie no paraba de llorar?

Como si la naturaleza pretendiera intensificar sus sufrimientos, una húmeda neblina descendió sobre ellos.

—Bien —dijo Tony, como si siguiera instrucciones—. Me ocuparé de ella.

Para su angustia, nadie puso objeción alguna. Hizo una indicación a sus hermanas para que entraran en la casa, y ellas obedecieron estremecidas. Hal apoyó su peso en un pie y el otro, observando a Rosie con expresión abatida.

—Entra —ordenó Tony. Hal no se movió y él repitió—: ¡Adentro!

Hal se metió en la casa arrastrando los pies, dejando a Rosie y a Tony a solas con aquel tiempo horrible.

Arrodillándose al lado de la muchacha, la llamó por su nombre:

—Rosie.

Estaba acurrucada envuelta en su capa, y él no podía ver nada a excepción de la trenza y la pálida columna de su cuello.

—Rosie, cielo. Tenemos que entrar. —Al ver que sus lágrimas no cesaban le puso una mano en la espalda—. Rosie. —Luego le pasó la mano por el pelo—. Vamos, cielo.

Como una tortuga saliendo del caparazón, ella levantó la cabeza.

Tenía un aspecto espantoso. Sus ojos hinchados y las mejillas manchadas reflejaban con demasiada claridad su angustia. La humedad le empapaba el pelo, las lágrimas mojaban su rostro y necesitaba con urgencia un pañuelo. No obstante, nunca una mujer le había resultado más atractiva.

La amaba. No había otra explicación. Bajo el deseo y la atracción incendiaria subyacía un lecho de afecto, admiración y devoción. Rosie necesitaba consuelo; él se lo ofrecería. Él y nadie más.

—Cielo. —La cogió en sus brazos—. No llores más. Yo voy a cuidar de ti para siempre.

# Capítulo 15

¿Qué fue de la vida que llevaba?
—LA FIERECILLA DOMADA, IV, i

Ardía un fuego en el enorme hogar, pero el calor que producía no afectaba al frío que dominaba el dormitorio principal. Tony empujó a Rosie hasta ese calor y, quitándole la capa, la arrojó a una esquina, donde formó una masa empapada. Ella permaneció en pie, fría y sin moverse, con el rostro aún manchado, pero con expresión perdida, como si no supiera dónde se encontraba o qué persona la atendía.

A Tony le horrorizaba, le hacía recordar otro tiempo cuando él era un muchacho, solo en una gran casa en el norte, separado de su querida familia y arrojado al seno de un clan rígido y disoluto.

Oh, no era verdad. Incluso de niño ya sabía que no era verdad. El recuerdo de su madre había ardido en su mente, manteniendo viva su entereza cuando el conde de Drebred y su vara podrían haberle matado. Durante días, semanas, años, había esperado ser rescatado del castillo de Drebred y al final había acabado por comprender que debía rescatarse él mismo. Y lo había hecho. Maldición, vaya si lo había hecho, pero el exilio había sido demasiado largo e infeliz. En su interior, seguía siendo el muchacho risueño de siempre, pero por un motivo diferente. Sabía demasiado bien la facilidad con que la vida se volvía amarga y se convertía en una lucha por la supervivencia. Ahora levantaba bastiones a su alrededor:

bastiones de ingresos, de tierras, de destreza en el combate y un encanto incesante.

Al observar a Rosie, inmóvil, quieta y silenciosa, recordó su propia desesperanza y que ya había librado esa batalla en una ocasión él mismo. En vez de pelear de nuevo, en esta ocasión por Rosie, quiso llamar a una doncella que la atendiera, a un doctor que le hiciera una sangría, e implorar a los cielos que curaran sus heridas..., pero lo único que se atrevió a hacer fue implorar. Rosie era ahora su responsabilidad.

Con la misma energía que Jean y la amabilidad de Ann, despojó a Rosie de la sobrefalda y el corpiño, soltando luego las lazadas que sostenían las enaguas.

—No te culpo de angustiarte por la marcha de sir Danny hoy. Es un día terrible para viajar. Las carreteras serán un cenagal, pero ¿qué otra opción había? Mañana es el día de San Nicolás; las lluvias del invierno han tardado en llegar, como suele pasar, supongo. La gente del campo se queja tanto si el otoño es seco como húmedo, pero predicen un invierno largo y húmedo.

Ella no escuchaba. Se volvió hacia Tony, permitió que le quitara lo que quisiera, pero miraba hacia delante como aturdida por sucesos demasiado espantosos para asimilarlos.

Rycliffe abrió la puerta de la antecámara, una habitación enorme que contenía sus libros favoritos, un pequeño escritorio, cofres y armarios llenos de ropas, calzado y cualquier cosa que pudiera necesitar.

—Ven aquí y ayúdame a encontrar algo que ponerte. —Al ver que le seguía, Tony entró, abrió un cofre y revolvió en su contenido—. Cuando hayas elegido algo, llamaré a una doncella para que te ayude.

Rosie profirió un sonido roto, feo, y él entró en tensión. ¿Había metido la pata?

—Pensaba que no querrías que te ayudara, pero lo haré encantado, si te parece.

Le echó un vistazo, luego observó con más atención el espectáculo que ofrecía Rosie, buscando a tientas una mesa que no existía.

Acariciaba un poste invisible y palpaba el aire con un toque sabedor. En un tono agudo e infantil, dijo:

—Papi, ¿dónde está tu cama? ¿La has movido? No es tu escritorio. ¿Qué le ha pasado a la alfombra? Me gustaba hundir las puntas de los pies en ella. —Luego, con voz lacrimosa, añadió—: No lo cogí, papi. Sólo lo toqué, pero no lo perdí. Por favor no te enfades. Por favor no te enfades. Por favor, por favor, por favor.

Puesto en pie, Tony se desplazó poco a poco hacia ella. Reconocía la expresión de aturdimiento en su rostro. La había visto muchas veces en Europa después de los combates. Cuando un soldado perdía la pierna de un cañonazo o su mejor amigo era atravesado ante sus ojos, con frecuencia hablaba igual que Rosie. Pero ¿qué había hecho Rosie? En la otra habitación se mostraba alterada, pero seguía siendo ella. Ahora él no sabía quién era ni dónde estaba. Le rodeó con suavidad el hombro y alzó un poco su rostro para mirarla a los ojos.

—¿Rosie?

—Yo no lo escondí, papá.

Asustado y cuestionando su cordura, Tony la sacudió un poco.

—¿Rosie?

Rosie, la escencia, el ser, regresó de pronto. Se tocó la frente con la mano como si quisiera comprobar la verdad de su existencia, luego le observó antes de articular:

—Tony.

Intentó huir, pero él la retuvo pese a su resistencia. Al ver que no iba a soltarla, Rosie enterró la cabeza en su hombro como si pudiera esconderse en sus brazos, y él le brindó cobijo con sumo gusto.

—Se ha ido. —Sus palabras amortiguadas sonaban como si intentara convencerse—. No está aquí.

—¿Quién no está aquí? —quiso saber él.

Rosie asomó el rostro y dio un respingo, y el miedo y el dolor vibraron también en él. Tony echó un vistazo a su alrededor, medio esperando ver la sombra de lord Sadler, pero nada agitaba las tapicerías, ningún sonido perturbaba el silencio a excepción de la lluvia que golpeaba la ventana.

—¿Qué ves? —preguntó.

—Sólo una habitación. —Señaló el armario—. ¿Estaba eso aquí antes?

—Lo traje de Londres conmigo.

Ella se apartó poco a poco de él.

—¿Y el escritorio?

—También es mío.

Ganando confianza, se separó pero sin irse demasiado lejos y pasó la palma de la mano sobre una mesa estrecha.

—Pero esto estaba antes en la habitación.

—Sí.

—¿Y esto?

Cogió una de las tallas que lord Sadler había coleccionado, otra Virgen con el Niño. Acarició la lisa madera y él se preguntó por los recuerdos que acunaría en esas manos. No había demencia alguna en esto, admitió Tony, sólo memorias tan antiguas que atormentaban a Rosie con sus recuerdos fugaces. Si éste iba a ser su hogar, no podía continuar negando esos recuerdos ni su herencia.

—¿Le gustaba a tu padre esa talla?

—No me acuerdo.

—¿Era ésta su mesa?

—No me acuerdo.

Permaneció quieta del todo, no obstante percibió la emoción que se removía bajo su fachada. ¿Por qué estaba tan enfadada? ¿Tan asustada?

—¿Rosie?

—No recuerdo nada. No recuerdo este lugar. No recuerdo al hombre que dices que es mi padre. Dejando la talla de golpe sobre la mesa, insistió: No recuerdo.

—No te creo.

—¿Por qué no? —Se volvió hacia él con fiereza—. ¿Por qué nadie me cree?

—Porque eres demasiado categórica.

—¡No lo soy! Soy... —Tomó aliento para recuperar la compostura—. Ya te he advertido de que soy la propietaria de Odyssey Manor, por lo tanto, ¿a qué vienen tus preguntas?

—Rosie. —Acercándose, le acarició la mejilla—. Háblame, cuéntame lo que recuerdas. ¿No sabes que eres la hija de lord Sadler?

Ella le dedicó una sonrisa forzada.

—Todo el mundo cree que soy la hija de lord Sadler. Sir Danny dice —le tembló la voz— que soy la hija de lord Sadler. Incluso tú dices que soy la hija de lord Sadler.

—Sí, así es.

—Por lo tanto, debo serlo. —Con voz más baja, dijo—: Tal vez sea por eso que sir Danny me ha abandonado.

Un estremecimiento sacudió su cuerpecito delgado, y él la atrajo a sus brazos. Ella le apartó, no quería nada de ese consuelo. Aunque entendiera su conflicto interior, el rechazo hería a Tony.

—Ven, entonces —dijo con brusquedad y la guió hacia la luz y el calor del dormitorio—. Estás mojada, y esta gélida antecámara no es lugar para una mujer que ha sufrido la pérdida de un padre y el descubrimiento de otro.

Rosie no hizo movimiento alguno para seguirle. Se puso mustia y de nuevo se sumió en la apatía y la angustia, y Tony no podía permitirlo. Tenía que quedarse con él, hablar con él, ser la mujer llena de vida que merodeaba bajo las sombras del deseo y la inseguridad.

Necesitaba una impresión fuerte. Miró por la alcoba en busca de no sabía qué, y dijo:

—No deberías preocuparte por sir Danny. Le proporcioné una carta para que la entregara a uno de mis hombres de la Guardia de la Reina, y aparte, es más astuto y truhán que nadie.

Su puñal. Sacó el puñal del cinturón y se lo puso bajo la nariz.

Ella lo vio. Intentó retroceder de un brinco, pero él la agarró por las lazadas de la camisola.

—Voy a quitarte el petillo. No te muevas.

—No puedes.

—Mira. —Cortó las cintas de la parte delantera con un corte limpio y sorpresivo gracias a lo afilada que mantenía la hoja—. ¡Uy! —exclamó—. He cortado el tejido. No soy tan experto como pensaba.

Con una exhalación, Rosie abrió mucho los ojos.

—Tendré que practicar más.

Cortó las lazadas que mantenían cerrado el petillo y todo el artilugio se abrió.

—¿Has perdido la cabeza?

Lo había conseguido. La había devuelto a la vida.

Rosie reaccionó con furia a su exhibición.

—Nunca había visto una representación más infantil de destrezas masculinas.

La camisola de lino estaba húmeda hasta las rodillas y era tan reveladora como la camisa del propio Tony durante las prácticas con la espada, pero ella tenía más cosas que enseñar. Ah, y él quería ver, pero Rosie le dio la espalda y se fue hacia el dormitorio. La luz brillaba a través del fino tejido y él la siguió ansioso, cautivado por la curva de su silueta.

Cerró tras él con pestillo la maldita puerta antes de dirigirse hacia la chimenea.

—Y no es que no haya visto antes otras demostraciones infantiles. Los hombres no dejan de prodigarlas. En una ocasión sir Danny se subió a la baranda superior del Globe y yo pensé que iba a... —Se pasó la mano por los ojos y la voz le tembló—: Sir Danny...

Tony comprendió que la furia volvía a desintegrarse en lágrimas una vez más. Pero estas lágrimas eran diferentes, no eran lágrimas de pérdida, sino lágrimas de rabia.

—¿Cómo ha podido dejarme aquí?

Se le cayó una de las medias y se agachó, de espaldas a él, para estirar la liga suelta. Tony vio un atisbo de vello rizado cuando se inclinó. Pensó que su corazón iba a detenerse y buscó a tientas la gran silla situada en el círculo de calor de la chimenea.

No porque necesitara calor. De algún modo una brasa había caído en su regazo y prendía fuego a todo su cuerpo.

—Él sabe cómo me siento al perderle. ¿No entiende que si él muere, yo muero?

Tony puso a prueba su control y no fue a por ella. Puso a prueba las informaciones de Rosie y preguntó:

—¿Por qué iba a morir ahora? ¿Por qué no ayer? ¿O mañana?

—Porque hoy regresa a Londres donde los condes de Essex y Southampton le esperan como buitres carroñeros. Eso es para ellos sir Danny: carroña, nada más... —Se volvió hacia él, y las llamas de la chimenea casi consiguieron que la tela suelta de su camisola se desvaneciera. Si estuviera desnuda no revelaría más cosas.

La brasa en el regazo de Tony pasó del rojo candente al azul intenso.

—Tú sabes por qué se ha ido —bramó ella—, sabes el peligro que corre. ¿Cómo has podido animarle a marcharse sin mí?

¿Cómo podía pasarle por alto el glorioso suplicio de su combustión?

—¿Y en qué podrías ayudarle tú, si puede saberse?

—¡Puedo pelear como cualquier hombre!

—Y también acabar en prisión como cualquier hombre.

La llamarada interior empezó a menguar a medida que su mente creaba imágenes que le encogían de horror.

—Si fuera preciso.

—Pero no eres un hombre, y la prisión tiene torturas especiales para las mujeres, reservadas casi de forma exclusiva al sexo débil. —El miedo sofocaba su fuego, permitiéndole enfriarse y concentrarse—: Y esas torturas especiales no te librarán de las otras que practica el torturador.

—Sobre la cabeza de sir Danny.

Demasiado tarde percibía la trampa que se había tendido él mismo, pero no podía negar la verdad.

—Sir Danny sirve a la reina de forma desprendida, porque es su naturaleza. ¿Permitirías que fuera menos que eso?

—No, pero yo serviría a la reina con generosidad similar.

—Sir Danny ha retrasado su servicio por su amor hacia ti. No podía regresar a Londres hasta saber que estabas instalada, porque tu seguridad significa para él más que su esperanza de salvación.

—Mi seguridad. —Se rodeó la cintura con los brazos y se dio calor, ciñendo la camisola sobre su forma y levantándola por sus piernas—. Mi seguridad no me importa lo más mínimo si no vive sir Danny. ¿Y no soy dueña de mi propio destino?

—No, porque eres la hija del corazón de sir Danny.

—Pretendes atarme con cadenas de afecto.

—Pienso que ya estás atada, al menos a sir Danny. —Su voz se volvió más profunda mientras su amor y deseo encendían una vez más la chispa—. Y las cadenas con las que intento atarte deben poco a la mezquina emoción del afecto.

Por primera vez, ella echó un vistazo a su alrededor y se percató de que estaban solos. Bajó la vista y cayó en la cuenta de que la camisola apenas cubría sus encantos. Tiró del dobladillo como si pudiera estirarlo y taparse las piernas.

—¿Qué pretendes?

—¿Qué crees que pretendo? —Sonrió al ver la trepidación que la dominaba—. Voy a familiarizarte con la gestión de la finca. Tu finca. Debes conocer tus deberes antes de presentar tu petición ante la reina.

—¿Ahora? ¿Quieres explicarme cosas de la finca ahora?

—No, no es lo que deseo hacer ahora. —Miró intencionadamente su cuerpo—. Pero es lo que debo hacer. Hay una camisa mía doblada sobre la pantalla de la chimenea. ¿Por qué no te cambias y dejas esa prenda mojada?

Ella se sonrojó.

—¡Qué te has creído, truhán!

—Es bastante más larga que la que llevas ahora. —Ella seguía negando con la cabeza y él seguía sonriendo—. Considéralo una manera de distraerme.

Rosie señaló con el dedo la enorme camisa color crema que colgaba de la protección metálica.

—¿Seda?

—Me doy ciertos caprichos.

La lisa redondez rosada de los pezones marcaba la camisola. Si sostuviera sus pechos en la palma de sus manos, no estarían lisos pese al calor del cuerpo de la joven. Estarían tiesos, fruncidos... y en su boca.

Debió de ponerla nerviosa porque balbució:

—Estoy acostumbrada a que los hombres me vean sin ropa, como puedes entender.

Tony se puso en pie sin darse cuenta.

—¿Qué?

—Me refiero a que una dama noble no puede vestirse sin ayuda, y sir Danny me ayudaba a menudo cuando me preparaba para mis papeles.

Hundiéndose en la silla, Tony se frotó la mejilla con la palma de la mano.

—Desde luego. Sabía que te referías a eso.

Qué perverso era, celoso del hombre que la quería como un padre.

—Date la vuelta —ordenó ella.

Se tapó los ojos con la mano.

—Eso no servirá.

—¿No te fías de mí?

Ella se rió, con una risa bastante brusca, y cuando Tony atisbó entre los dedos ella había desaparecido. La oyó moverse a tientas a su espalda, luego Rosie salió a la luz y él olvidó fingir que no había estado mirando. A él no le había quedado nunca la camisa así. El color crema acentuaba el tono marrón de su pelo y el ámbar de los ojos, hacía que su piel reluciera. La seda caía resplandeciente hasta debajo de sus rodillas, y las amplias y largas mangas le cubrían las manos. Se abrochó bien el cuello para inhibir los pensamientos de Tony.

No funcionó.

Por suerte, se había negado a quitarse las medias. Aquellas prendas tan flojas y el material de lana oscurecían sus tobillos y rodillas.

—Vas a enfriarte con esas prendas mojadas.

Ella pasó por alto el consejo.

—Pues déjatelas puestas —aceptó él a regañadientes—. Tira ese cojín hacia aquí, junto a mis pies, y siéntate.

—¿Sentarme a sus pies, señor? No voy a hacerlo.

—Trae un peine, también. Voy a desenredarte el pelo.

Rosie levantó la mano con timidez y se tocó los mechones que sobresalían despeinados.

Él asintió con la cabeza como respuesta a su pregunta no formulada.

—Sí, parece que un pájaro haya hecho un nido en tu cabeza. El peine está ahí encima.

Con un cojín debajo de un brazo y el peine en la mano, hizo lo que le decía, y él se deleitó con su obediencia. Era obvio que se encontraba en baja forma; Tony planeaba nuevas incursiones en sus defensas mientras tuviera ocasión.

—La parroquia de esta finca acoge más de trescientas almas. —Separando los mechones de su trenza, empezó a trabajar con el peine de marfil a través de enredones húmedos—. Cuando llegué a Odyssey Manor, la finca llevaba trece años en poder de la reina, y estaba bastante descuidada. Los lugareños estaban casi famélicos, de modo que invertí el capital que tenía disponible en renovar el lugar. Era necesario y también favorable para la economía de la parroquia.

—Qué generoso por tu parte.

Su evidente interés compensaba su sarcasmo.

—En absoluto. Durante toda mi vida había planeado el momento de adquirir mi propia finca, y nada era más importante que el buen estado de los terrenos y de su gente. —Las púas del peine, bien separadas, se clavaban en el marrón reluciente de la cabellera, dominando el desorden y soltando mechones lacios y mojados sobre sus manos—. ¿Entiendes eso?

—Creo que sí.

No se dejó engañar por su cauta respuesta. Tony dependía de que lo entendiera bien para crear en ella el anhelo por la tierra.

—Durante la primavera y el verano solemos contratar a seis hombres más para trabajar en los terrenos. Eso ocasiona que las condiciones sean difíciles en los campos, pero no tardé en descubrir que los lugareños prefieren trabajar en exceso que ser ignorados, y que en el campo se mira con desdén a los jardineros profesionales. —Seguía dando pasadas con el peine, arriba y abajo, masajeando su cuero cabelludo y separando los mechones individualmente para que se secaran mejor—. Tener a Hal como encargado ha funcionado estupendamente, ya que es de la zona y se toma sus deberes a conciencia. Si convences a la reina de que te conceda esta finca, te iría bien mantener a Hal aquí.

Mientras hablaba y trabajaba con los dedos sobre su pelo, Tony vio cómo se disipaba la tensión.

—¿Qué utilidad tiene aprender cosas de esta finca si yo la quería sólo para sir Danny?

Estaba claro cómo quería a sir Danny. Le amaba por encima de todo, y eso mortificaba a Tony, porque a esas alturas esa necia mujer ya debería haberle tomado cierto afecto y mostrado sentimientos de deseo hacia él. Pero si sentía algo, lo disimulaba bien. Decidió sostener el espejo ante su rostro hasta que se viera cómo era de verdad: egoísta y considerada, codiciosa y generosa. Un ser humano como cualquier otro. Un ser humano como él.

Volviendo a Rosie para que le mirara de frente, dijo:

—¿Sólo querías la finca para sir Danny? ¿A quién quieres burlar con esa broma? A mí, no, lady Rosalyn. Sé por qué has reclamado los derechos sobre esta finca. Tal vez no te guste, pero tú y yo nos parecemos como dos crías de la misma camada.

—¡Eso sí que no!

—¿Ah no? Dos viajeros por el mundo, nunca lo suficiente buenos para los demás, no por culpa nuestra, y etiquetados con los epítetos más crueles: bastardo para mí, actor para ti.

—Eso no es verdad —replicó con debilidad, pero él prosiguió:

—Me conoces, pero yo también te conozco, por mucho que te exaspere. Sé que la vida errante provoca un anhelo por un lugar propio en el que poder quitarte el disfraz y ser lo que eres, no lo que otros esperan de ti. Igual que yo anhelaba una tierra en la que plantar raíces, el momento de quedarte en un sitio y hacerte mayor. Sé lo que movía tu corazón cuando reclamaste esta finca, no me vengas con que la tierra significará menos para ti si sir Danny pierde la vida. En todo caso, significará más.

Incomodada por esas agudas observaciones, Rosie intentó hablar:

—No es así. Si muriera sir Danny, no me quedaría nada por lo que vivir.

Tony soltó una risa. La cólera y el dolor pugnaron por dominar el semblante de ella.

—Cuando te he amenazado con el puñal, me has plantado cara. Si no tuvieras motivos para vivir, habrías permitido que te rajara el cuello.

Rosie no quería admitir que la vida volvía a correr por sus venas. Él sospechaba que la fascinación que afloraba en ella le parecía una traición a sir Danny. La muchacha dijo a la defensiva:

—Todavía nadie ha dicho que haya muerto.

—Exacto. —Con el pulgar, él siguió las señales de las lágrimas, luego se levantó para humedecer un paño y volvió—. Piensa en ello, Rosie. Piensa en la injusticia que haces a sir Danny al guardarle luto antes de su muerte, y piensa en lo orgulloso que estará cuando corrobores su fe en ti asumiendo el control de tus responsabilidades. Entonces sabrá que tomó la decisión correcta.

—¡No se enterará si muere!

—¿Oh, no se enterará? —Aguantó su mirada hasta que ella bajó la vista, luego, con la experiencia de un padre, frotó el rostro surcado de lágrimas.

Acabó antes de que ella pudiera volver con los forcejeos y los gritos.

—¡Ey!

Tony soltó una risita.

—Tengo experiencia con niños rebeldes.

—¿Tuyos? —preguntó con gesto hosco.

Él se paró de golpe y luego le dio un empujoncito hacia la cama.

—No. ¿No lo sabías? Mi hermano Michael tiene ocho pequeñajos a quienes he desvestido y metido en la cama, y eso es justo lo que planeo hacer contigo ahora.

Tal y como esperaba, ella se sujetó la parte inferior de su camisa.

—¿Qué?

—No por algún motivo infame... todavía, sino porque has llorando y conozco las consecuencias del llanto. También por experiencia con mis sobrinos y sobrinas.

Rosie lanzó una mirada a la cama, luego le fulminó a él.

—¿Y qué consecuencias son ésas?

—Quien llora se queda cansado, quejoso, malhumorado...

—¡Pues yo no!

—...desagradable, malicioso, respondón. —Levantándola, la arrojó sobre el colchón—. Detestable, antojadizo, y con necesidad de un sueñecito.

Se inclinó sobre ella y la dejó atrapada entre sus dos manos. Quería subirse a la cama con ella para besarla. Quería acariciar sus pechos y descubrir si las formas que recordaba eran en verdad las auténticas. Quería sujetarla entre las piernas y sondear sus profundidades.

Rosie cruzó los brazos y lo observó con cierta superioridad moral.

—Tú si pareces un poco antojadizo.

—Después de tu siesta, el mundo tendrá mejor pinta.

Ella se apartó la cortina de pelo de los ojos.

—Después de mi siesta, sir Danny seguirá lejos de aquí.

—Ah, pero después de tu siesta, te enseñaré otra razón por la que vivir.

# Capítulo 16

Con caricias tan suaves que a la pureza rinden.
—EL PEREGRINO APASIONADO, iv

*R*osie abrió los ojos y se percató de que estaba tumbada de costado en una cama. Debajo de su cabeza, un brazo velludo y musculoso se extendía y acababa en una mano con la palma hacia arriba y sus dedos romos doblados. La mano descansaba entre las ondulaciones de sábanas blancas sobre un colchón de plumas, justo debajo de una pila de almohadas con ribetes bordados.

El brazo de Tony. La cama de Tony. Rosie tenía la espalda acurrucada contra su torso. El leve crepitar de un fuego casi extinto y el penetrante olor ahumado persistían en el aire. La penumbra del anochecer revelaba que llevaba horas aquí, desde su humillante desmoronamiento en la terraza. Ella, que siempre era tan reservada, había mostrado vulnerabilidad ante Tony en una escena traumática y dramática. Cerró los ojos con fuerza como si eso pudiera ayudar a eludir las consecuencias. No obstante la escena de la mañana cobraba vida una y otra vez.

Uf.

Sus lágrimas. La amabilidad de Tony. Y el motivo de todo..., la deserción de sir Danny. Había marchado para encontrar la muerte, lo sabía, y se había ido sin ella. La había abandonado y no había motivo para levantarse de la cama.

¿Cuánto llevaba Tony a su lado? Recordaba la última promesa antes de dormirse. ¿O había sido una amenaza?

Abrió los ojos y vio sus dedos flexionándose. ¿Tenía el brazo dormido? Levantó la cabeza con cautela y él habló cerca de su oído:

—¿Despierta?

Dio un bote. Tenía que haber sabido lo cerca que estaba. Pero no tenía experiencia en tener a alguien tan cerca. No era consciente de cómo reverberaría el pecho de Tony con el timbre de su voz, o la forma en que podía darle con la rodilla en la espalda. Le sostenía la cabeza con un brazo, pero le rodeaba la cintura con el otro, que ahora se movía. Conteniendo la respiración, esperó a ver dónde se detenía, y cuando le rodeó las costillas y la estrechó aún más en sus brazos, Rosie soltó un leve gemido. Esta maldita camisa de seda no era defensa suficiente contra el ariete de Tony, y de algún modo sus medias habían desaparecido mientras dormía.

—Prometí que te enseñaría —murmuró— otro motivo por el que vivir.

Rosie se dio media vuelta y le lanzó una mirada iracunda con la esperanza de aparentar dignidad y fortaleza.

Una estrategia insuficiente. El halo del cabello dorado y tieso de Tony sobresalía en torno a su cabeza y le daba el aspecto inocente de un niño. Sus ojos azules relucían con placer pecaminoso y el calor de su sonrisa podría fundir un santo de yeso.

Era obvio, la santidad superaba a Rosie.

Estiró una mano para refrenarle y gritó:

—¡Espera!

—No he hecho nada.

Al hablar se apoyó en su codo y la sábana se apartó. Tal vez fuera verdad que él no había hecho nada, pero lo había hecho sin nada puesto.

Su pecho era musculoso, con vello rubio y rizado, pero eso ya lo había visto antes. Sus brazos tensos terminaban en manos poderosas, pero eso ya lo había visto antes. La sábana se pegaba a la parte inferior de sus caderas..., pero ya había visto antes todo lo que ocultaba la sábana.

Y lo recordaba con claridad.

Era asombroso cómo lograba distraerla de sus tribulaciones.

—He prometido que te enseñaría otra razón para vivir. —Le apartó el pelo de la cara y le dio una palmadita como si fuera un gato salvaje que quisiera domar—. Pero, de hecho, conozco varios motivos.

—No me interesa ninguno de ellos.

Lo lamentable era que le gustaban esas caricias. Quería estirarse y ronronear, pero habría significado rendirse sin luchar. Y rendirse, por lo que estaba descubriendo, se parecía mucho al paraíso.

—El primer motivo por el que vivir es besar.

—No me gusta besar.

—Rima con gozar.

—La poesía de Will Shakespeare no es nada al lado de la tuya —comentó con sarcasmo.

—Besar tiene un propósito.

—No estamos hechos el uno para el otro.

—Por eso mismo.

La distraía con su falta de lógica. Ni siquiera parecía que mantuvieran la misma conversación.

—¿Qué?

—El propósito de los besos. —Inclinándose hacia delante acercó tanto su rostro al de ella que Rosie puso los ojos bizcos—. Cuando pensamos que no estamos hechos el uno para el otro, nos besamos, y estamos tan cerca que entonces es imposible ver las disparidades. —Sus labios revolotearon sobre los de ella, tentándola con una declaración física de devoción y un aliciente silencioso de deleite—. ¿Puedes concentrarte en las disparidades? —murmuró.

Ella notaba los párpados caídos, tan pesados como cuando dormía, pero por motivos diferentes.

—No.

—Cierra los ojos y rodéame los hombros. Las diferencias importantes serán obvias bajo tus dedos.

Haciendo gala de escasa prudencia, obedeció. Las disparidades entre ellos —educación y cuna— se desvanecieron. Mientras él pegaba su boca a sus labios y ella movía las manos temblorosas por su espalda, la diferencia que notó fue otra. Él era un hombre; ella una mujer. Él era un maestro; ella una alumna. Él empleaba la lengua como señuelo; ella respondía ansiosa como una trucha.

Una trucha estúpida.

Le empujó los hombros, y él retrocedió al instante.

En verdad, ¿qué necesidad tenía Tony? Cuando Rosie consiguió abrir los párpados, él le sonreía, y supo que si hubiera sido una trucha ya estaría cocinada y servida.

Ningún hombre con su aspecto tenía que pedir nada. Se limitaba a esperar a que una mujer suplicara poder entregársele a él.

Determinó con firmeza no suplicar.

—Estas diferencias de las que hablas no son importantes comparadas con nuestros deseos divergentes.

—Deseos divergentes. —Rycliffe se acarició la barbilla y entrecerró los ojos pensativo—. Sí, tenemos deseos divergentes. Siempre es así. Los hombres desean a las mujeres y las mujeres desean a los hombres.

—Esas cuestiones triviales no son nada comparadas con... ¿qué estás haciendo?

Rozando levemente con los dedos los labios de Rosie, murmuró:

—Los labios de Rosie. —Le llevó la palma a la nuca y le levantó la cabeza para que ésta cayera hacia atrás. Entonces le beso el cordón bajo el mentón—. La garganta de Rosie. —Luego, a través del tejido de seda, rozó los pechos con la boca y preguntó—: ¿Los pezones de Rosie?

¿Cómo podía transformarla en una descocada con tan sólo unas palabras y un suave contacto? ¿Cómo podía hacer que deseara mostrarle lo que nunca había mostrado? Le temblaba la voz cuando le acusó:

—Lo que tienes en la cabeza es fornicar.

Él alzó la vista y soltó una risita.

—Bien, veamos si podemos desplazar más abajo mi cabeza al lugar que corresponde.

Ella casi suelta una risa también. ¡Maldito seductor! Hacerla reír y desear al mismo tiempo.

Compartiendo con ella la chispa de la camaradería, prometió en un tono más relajado:

—No voy a arrebatarte ahora la joya de tu virginidad, pero te enseñaré los placeres que nos esperan. —La acarició desde el hombro hacia la rodilla—. Si te place.

Maldito seductor, suprimía sus recelos con franqueza y ternura. Con Tony recordó su curiosidad de muchacha. Recordó preguntarse siempre cómo sería copular con un hombre, y descartar de mala gana la posibilidad. Con Tony, sólo por un momento fugaz, se preguntó si debería aprovecharse de él para saciar su curiosidad. No toda, porque las complicaciones serían demasiado serias, pero sí una parte de esa curiosidad.

No había duda, Tony era como un punto brillante en su cerebro, que emborronaba su buen juicio.

—Creo... me placería.

Él sonrió lleno de deleite.

—Ya verás. Fornicar es la cosa más divertida que puedes hacer sin sonreír.

—Estás sonriendo.

Él pareció reflexionar, y luego concluyó:

—Copular es lo más divertido que puedes hacer.

Ella sonreía cuando la volvió a besar, no con la finura delicada de antes, sino con placer y habilidad. Cuando se puso encima de ella, ligero y cálido, su peso le proporcionó el mismo placer que si se hubiera echado la mantita que tenía de niña. Pero aunque el confort la relajaba, cada contacto de su lengua, cada roce de los labios intensificaba la sensación de dulce locura. Tenía que ser locura, sentirse segura y a la vez osada.

Le agarró con ganas, deseando experimentar la libertad, pero él se apartó de su cuerpo con un fuerte empujón. No le había enseñado ni la mitad de su experiencia y su conocimiento ya se había duplicado.

Tony jadeó con ojos dilatados. Ella le pasó los dedos por el pecho.

—Estás sudando.

Recuperando el aliento, respondió:

—Para que no ardamos en llamas.

Encantada, ella se rió.

—Mejor no hacemos nada más o provocaremos una conflagración, y mi promesa de no tomarte habrá sido en vano. —Pero habló sin apartar la mirada de su rostro, que luego bajó a su regazo—. Aunque, supongo, podríamos mirarnos un poco más.

Ella dio una ojeada a su cuerpo desnudo:

—¿Qué más queda por ver?

Una sonrisa avergonzada reveló los hoyuelos de Tony.

—El humor es contagioso. Ten cuidado o se te pegará el mío.

—Otros hombres antes que tú me han encontrado chistosa.

—Otros hombres que te creían... un hombre.

—¿Preferirías que supieran otra cosa?

—No, señora. —Estiró la mano hasta el dobladillo de la camisa—. Incluso ahora, lamento la pérdida del muchacho descarado que se ganó el corazón de tantas criadas.

Poco a poco, apartó con los dedos el tejido del muslo, como esperando alguna objeción en cualquier momento.

La objeción permaneció suspendida en la punta de la lengua de Rosie, pero la admiración en los ojos de Tony la hizo bromear:

—Deja suelta la mano de un hombre y te manoseará por completo.

Tony recorrió con la palma su cadera y luego las costillas hasta encontrar su pecho.

Rosie soltó un jadeo.

—Si tienes suerte.

Él empujó la seda hacia arriba y miró, y ella supo que en realidad no entendía lo que le decía, probablemente ni siquiera lo que decía él mismo. Tony sólo hablaba para aliviar los recelos de la muchacha. Y estaba funcionando; así concentrada, podía aparentar que el brillo fervoroso en el rostro de Tony era algo rutinario.

Bien, tal vez no lo fuera. De cualquier modo, quizá pudiera recrearse en aquella adoración, frecuente o no. Quería estirarse y exhibirse, quería darle más de lo que él le daba.

—No voy a tomarte, pero, Jesús, qué hermosa eres.

Eso dijo, y ella lo creyó. Sobre todo cuando bajó aún más la cabeza y tomó un pezón con su boca, y lo lamió como si quisiera devorarla.

Rosie se retorció hacia arriba en un intento de entrar en contacto con su largo cuerpo. La atraía como un imán. Tenía que estar con él, apretarse contra él, ahora. Seguía hablando, pero las palabras ya no tenían sentido. Sólo eran sonidos creados en el horno del calor y del placer.

Tony se estiró encima de ella una vez más y apoyó la cabeza en su pecho, jadeando como si hubiera realizado una larga carrera.

—Mis hermanas dicen que los hombres son animales con dos patas y ocho manos, y contigo reconozco la verdad en esa afirmación. No voy a tomarte. No queremos hacer una criatura sin habernos casado. Pero si te complace, te desataré las lazadas que estrangulan ahora mismo tu garganta.

Ella tocó las lazadas de la camisa que con tal firmeza había anudado en torno a su cuello.

—Eso me complacería más de lo imaginable.

Agarrando la punta, Tony tiró como si tuviera un peso sujeto en el extremo opuesto. Mientras soltaba el lazo, esbozó una sonrisa.

—Lo único que voy a hacer es mirar —prometió—. Lo único que... —Pegó sus labios al hueco de la clavícula—. No tienes que preocuparte por tu virtud. —Su aliento susurraba sobre el tierno punto tras la oreja—. Juro que no debes preocuparte por tu virtud.

—¿Virtud? —preguntó ella medio grogui.

La camisa tenía una construcción simple. La lazada recogía todo el tejido y cuando Tony la soltó se escurrió sobre ambos hombros, que quedaron expuestos. Besó uno de ellos y luego continuó con las caricias hasta los dedos mientras la seda resbalaba por su brazo empujada por su urgencia. Lo que antes había revelado desde abajo ahora quedaba revelado desde lo alto. Rosie no pudo hacer otra cosa que menearse para liberarse de toda aquella tela.

—No —ordenó él.

—¿Por qué no?

—Estarás desnuda.

—Tony. —Con arrojo, introdujo los dedos entre su pelo. Ya que a él parecía gustarle y a ella desde luego que le gustaba, canturreó—. Prácticamente ya estoy desnuda.

—Algunas partes de mi cuerpo creen que si llevas algo, por pequeño que sea lo que tapa, eres inalcanzable.

—¿Qué partes?

Él no respondió.

—¿Las grandes?

Tony le cogió una mano exploradora.

—Con halagos conseguirás cualquier cosa, pero no debemos.

Rosie se sacó la camisa y la alejó de una patada.

—No debemos... —Él bajó la vista—. No voy a tomarte, pero ¿podría ofrecerte una muestra de placer?

Sin esperar a que le diera permiso, la tocó.

Con suavidad. Casi un roce. Los dedos vagaban como semillas de diente de león llevadas por el viento. Se quedó quieta, sin aliento, tensa, esperando y deseando algo.

Quería una oportunidad para aprender el secreto de todo aquello. Tendría repercusiones; sería difícil manejar a Tony una vez que hicieran el acto. Pero no existía ningún otro hombre que pudiera llevársela tan deprisa y tan lejos.

Le deseaba.

—Tony.

Él dio un brinco, como si el débil suspiro que pronunciaba su nombre le sorprendiera, y la miró con consternación descontrolada:

—Dime rápidamente que te deje o estamos perdidos.

—Perdidos —le acarició el pómulo— juntos.

Gruñó como si ella le hubiera apuñalado, y a Rosie le encantó. Le fascinaba tener al tenaz Tony sometido a las necesidades de su cuerpo. Parecía tener fuelles en el pecho; con los dedos seguía rasgueando una melodía en su cuerpo, y a ella le volvía loca su aroma. La fragancia del placer.

De todos modos, él se esforzó una vez más, intentando mantener el control con desesperación, mantener sus principios morales, salvarla de la vergüenza. Pero Rosie había crecido sin las restricciones normales que limitaban a una mujer y sabía que nada de su copulación podría avergonzarla. Recurriendo a su instinto, se sentó y se inclinó hacia delante para poder apoyar la cabeza en el hombro de Tony. Le besó el cuello, le tocó el lóbulo de la oreja con la lengua, luego, mientras él esperaba y temblaba, se precipitó sobre su boca con valentía. Aplastando los labios contra él, le tocó con la lengua, y tuvo lugar la conflagración que él temía. Ambas bocas se abrieron y se entremezclaron alientos y humedad y embeleso. Se percató, para deleite propio, que a él le gustaba lo que ella le enseñaba tanto como a ella le gustaba lo que él le enseñaba. Pero antes de poder descubrir qué más mostrarle, Tony tomó el mando.

Besaba con la desenvoltura y pasión de un maestro. Acarició todos los sitios que había mirado; besó todos los lugares que había tocado. Rosie se encontró agarrando puñados de sábanas mientras observaba cómo gozaba él y le proporcionaba gozo. Tenía los ojos brillantes cuando la oyó jadear.

—¿Te ha gustado eso? —preguntó.

Ella le fulminó con la mirada y él soltó una risita.

—Si no estás segura, puedo repetirlo.

—Sí. —Cerró los ojos como si eso contribuyera a retener la sensación—. Más. Ahora.

Él repitió el movimiento, pero Rosie le cogió la mano. Abrió los ojos e insistió.

—Ahora.

—¿Ahora? —La miraba de arriba abajo—. ¿En este momento?

—Sí.

—¡Como no!, debe ser ahora. Pero juro que saldré sin verter mi semen. Lo juro. —Le despejó la frente como si eso solemnizara el juramento; luego agarró una de las almohadas de debajo de su cabeza y se la deslizó bajo las caderas—: Déjame entrar, cielo, déjame estar dentro. Déjame.

Cerró los ojos y ella supo por qué. Él también intentaba retener la sensación, ¿o buscaba concentrarse? La tocó con los dedos, introdujo los dedos en ella con intimidad y dijo:

—Estás lista. Vaya si estás lista.

Ella quiso decir algo para demostrar que podía hablar y jadear al mismo tiempo, igual que hacía él.

—¿Y tú estás listo?

Tony abrió de golpe los ojos y puso una mueca casi de dolor.

—Si no estuviera tan listo, te perderías la mejor parte. —Colocándose bien, prometió—: Ahora te voy a dar la mejor parte.

Presionó en su interior y a Rosie le ardió la carne. Gimoteó. Él le dijo:

—No te preocupes, me retiraré cuando llegue el momento. Confía en mí, no voy a ponerte en peligro.

Era difícil gemir si en realidad quería reírse. Tony asestó una embestida a su himen en este primer acto, y pensó que a ella le preocupaba el clímax final. Luego presionó con más fuerza y Rosie se olvidó de toda tendencia al humor. No gritó —nunca gritaba—, pero se mordía el dorso de la mano con fuerza.

Con los pulgares, Tony le limpió el hilillo de lágrimas de las sienes y murmuró:

—Ya está. Ha pasado lo peor. Ahora se volverá una maravilla, Rosie. —Le miró a los ojos y pronunció un juramento que ella creyó—: Te haré feliz.

Y así fue. Ella, que nunca gritaba, gritó de dicha. Y él, que nunca había vertido su semen dentro de una mujer, se entregó en su totalidad.


—No puedo creer que haya hecho eso.

—Por favor, no te mortifiques.

—He sido débil. ¿Cómo vas a respetarme si soy tan débil?

—Te respeto.

—Pensaba que sería fuerte, pero ante la primera señal de tentación, me he venido abajo.

—Yo también me he desmoronado.

Arrojándose el brazo sobre los ojos, Tony gimió:

—La gente que se derrumba ante la tentación acaba llamándose padres.

Rosie tuvo la extraña sensación de que interpretaba el papel erróneo en esta escena. ¿No debería la virgen desflorada perderse en la agonía de la culpabilidad?

Metiéndose la sábana bajo los brazos, se quedó mirando a aquel hombre despatarrado sobre la cama deshecha. A pesar de sus sentimientos, no podía pasar por alto la angustia verdadera de Tony. Pese a ser huérfana, era hija legítima y había pasado de un cuidador a otro envuelta en una manta protectora de cariño.

Tony era un hijo bastardo que se disputaban su padre y su madre como un hueso entre dos perros, y las cicatrices marcaban su alma. Pasando por alto su decepción por aquel final al interludio idílico, dijo:

—Tony, si tuviéramos un hijo, no es motivo de que...

*Tú*, iba a decir.

Pero él se incorporó de un bote.

—Tenemos que casarnos. Ahora. Haré llamar al clérigo, que se levante de la mesa si es preciso, y nos casamos ya.

Ella arrugó la sábana con la mano cerrada.

—¿Casarnos?

—De inmediato. Suerte que tengo una licencia especial, ¿no es cierto? —Cogió su camisa, esa camisa de seda que ella llevaba hacía bien poco, y se la metió por la cabeza. La ató y revolvió entre las ropas del suelo. Recogió un chaleco corto forrado y se lo puso para abrigarse—. Haré que el cocinero prepare una cena especial para nosotros esta noche. Debemos celebrarlo, aunque mis hermanas se quedarán de piedra al tener que preparar una boda con tan poco tiempo. ¡Ja! —Se frotó las manos—. Un final abrupto para los planes de lady Honora. ¿Se lo tomará mal?

¿Qué demencia había hecho pensar a Rosie que podría manejar las repercusiones de su relación impulsiva? ¿Creía que podía manejar a un Tony frenético o dominar una fuerza de la naturaleza?

Tony, dirigiéndose hacia la puerta, le dijo:

—Mañana lo celebraremos, asaremos una oveja y un novillo, abriremos unos cuantos barriles de cerveza y un tonel de vino. Mandaré a Hal para notificarlo a la parroquia.

Con frialdad, ella preguntó:

—¿No te olvidas de algo?

Se detuvo con la mano en el pomo.

—No se me ocurre el qué. —Mientras miraba sus propias piernas desnudas, se rió—: Excepto eso, caramba. Ya te comportas como una esposa. Me habrían tomado por loco, recorriendo el pasillo en...

—No estaba hablando de tu atuendo. Hablaba de tus planes.

Él se quedó parado. No había imaginado otra solución a lo que veía como un dilema. No había pensado que ella pudiera poner alguna pega, hasta que lo mencionó. Ahora él también se la imaginaba, llenándole de un horror imprevisto.

—No puedes seguir negándote a casarte conmigo.

Regresó al lado de la cama y se irguió imponente, pero Rosie se negaba a dejarse intimidar. Si se lo permitía, la abrumaría y se encontraría en el altar, y no estaba preparada. Era más fácil acostumbrarse a algunas cosas, como una cama caliente y seca, abundantes comidas regulares, incluso las ropas que llevaba; aunque fueran de mujer e incómodas eran bonitas.

Ninguna de estas cosas gratas podía reemplazar la libertad de un hombre joven.

Tony no sabía en qué estaba pensando, pero se percató de que no servía de nada que se irguiera o bien vio algo en la expresión de Rosie que desveló su crisis. Apoyando la cadera en el colchón, le preguntó:

—Yo no he planeado esto.

Parecía desdichado, pero a ella ni le pasaba por la cabeza que él aprovechara las circunstancias para conmoverla. Al menos no de forma consciente.

—Desde luego, sé que no.

—Nunca he forzado a una mujer.

—No me has forzado.

—Nunca tendería una trampa a una mujer.

—No te haría falta.

Tony le tocó el hombro y ella tiró de la sábana para taparse.

—Tampoco deseo casarme contigo sólo por nuestro niño.

—Eso no cuela. En este preciso momento quieres casarte conmigo por la criatura.

—Quiero casarme contigo lo antes posible, pero siempre lo he querido así. —Sus cejas se arrugaron hasta juntarse de preocupación—. No te he seducido por las tierras tampoco.

—Podrías conseguirlas con engaños si lo decidieras.

Había que reconocerle su insistencia pese a la hostilidad de Rosie, pero aunque examinaba cada razón posible de su rechazo, no se había aproximado lo más mínimo al origen de sus problemas. Por algún motivo, ella esperaba que la entendiera sin explicaciones y su rabia aumentaba con cada palabra tranquilizadora que le oía pronunciar.

—He sido egoísta y desconsiderado al explicarte mis preocupaciones en vez estrecharte en mis brazos al acabar. Debería haberte dicho cuánta dicha me has dado. —Le tocó la mejilla, pero ella le apartó la mano. En rápida sucesión, Tony le tocó la otra mejilla, la frente, la punta de la nariz; y habría sido una estupidez que Rosie se negara a todo eso—. Me diste dicha —dijo, y le dedicó una sonrisa tan radiante que ella se animó a su pesar. Luego le soltó el golpe más espantoso de todos—. Nunca antes he amado a una mujer, y ahora amo a una.

—¡No! —Sacó el brazo y le echó a un lado de un puñetazo, luego intentó levantarse de la cama.

Tony se sentó con esfuerzo pero ella tiró de la sábana que tenía debajo.

—¿Qué? —Sacudiendo la cabeza, rodó sobre la cama hasta el otro lado—. ¿Por qué?

—Tú no me... ¿Estás diciendo que me quieres?

Su piel empalidecía, brillante bajo el bronceado, y no paraba de temblar. Para un hombre que se creía irresistible a las mujeres, constituía un triste menosprecio. Peor aún, demostraba que no entendía la mente femenina, y aún menos la de Rosie en concreto. Le había ofrecido una muestra deslumbrante de destrezas sensuales y lo que equivalía a su virginidad, y ella se mostraba reacia. Le había ofrecido su corazón servido en la bandeja de su finca, y ella mostraba rechazo. Consternado, le preguntó:

—¿No quieres que te ame?

—¿Qué me ha aportado el amor aparte de disgustos y preocupaciones?

—¿De qué hablas? —Su mente saltó a Ludovic—. ¿Quién es ese hombre a quien amas?

—Se largó esta mañana, ¿y ya lo has olvidado?

Sir Danny. Hablaba de sir Danny. Intentó mantener el equilibrio en un mundo de pronto escurridizo.

—Por supuesto, tengo presente a sir Danny, pero ¿qué tiene que ver con que yo te quiera?

—¡No digas eso!

¿Esperaba que ella se derritiera con su declaración? Podría reírse de sí mismo casi, si no fuera porque su corazón lloraba. Había habido otra ocasión en la que ofreció su amor y se le rieron, le rechazaron y le ignoraron. Había sido el hijo bastardo de la casa del conde de Drebred, y no le gustaba sentirse así otra vez.

No obstante, su mente sabía que Rosie no le rechazaba por ser ilegítimo. Lo hacía porque necesitaba el amor de un padre, no de un marido.

Rosie se adelantó hacia el pie de la cama, tropezó con la sábana y recuperó el equilibrio.

—Tengo que encontrarle.

En ningún momento se le había ocurrido a Tony —ni a sir Danny— que la angustia le impidiera desempeñar el papel que se requería de ella. De todas las cosas en que había pensado, nunca había considerado que competía con el padre de Rosie.

No obstante, ella tenía su semen, y podría estar creciendo en este preciso momento. Para Tony, su bebé tenía un rostro, una personalidad, un destino de amargura y lucha si nacía sin la protección de su padre. Tony no podía satisfacer a Rosie, ni podía amargarse con su rechazo. De algún modo necesitaba convencerla de que acudiera al altar.

O que al menos ella no se mostrara tan horrorizada ante la idea.

—Estoy sangrando —dijo.

—Oh, cielos. —Le había hecho más daño del debido, se acercó hacia ella con los brazos tendidos—. Sé que estás preocupada, pero no es nada de que inquietarse. Todas las doncellas...

—No. Me refiero a que estoy sangrando por mi... —se sonrojó y la turbación se enfrentó a su horror— periodo mensual.

—¿Entonces no... ?

Una agria decepción se mezcló con una gran sensación de alivio.

No había llegado a crear un hijo bastardo, gracias, Virgen bendita.

No habían logrado hacer un hijo, maldición. Su simiente no arraigaría en ella esta vez.

# Capítulo 17

Enamorados como locos tienen el seso tan hirviente
Y fantasías tan configuradas, que perciben
Más que pueda nunca concebir la razón fría.
—SUEÑO DE UNA NOCHE DE VERANO, V, i

*L*ady Honora se quedaba.

Tony no podía creer que sus hermanas fueran a abandonarlo y dejarle con semejante carga, pero ellas deseaban pasar las Navidades con sus familias; algo natural por otro lado, admitió. Lady Honora no tenía familia como ellas y se había ofrecido voluntaria a quedarse y continuar con la educación de Rosie.

Y Rosie le había dado las gracias. ¡Las gracias!

La muy cobarde le había estado evitando desde la otra noche en su dormitorio. Él había declarado su amor y ella mostraba indiferencia.

Muy bien. Ya se había sentido humillado en el castillo de Drebred. Pero el pasado había muerto; y debía permanecer enterrado.

Pero también le había descubierto a Rosie la pasión. La había arrastrado con él sobre las altas olas del deseo y él se había sentido arrastrado con ella. Juntos habían escalado las cumbres, flotado hasta las estrellas, recorrido los cielos. Al parecer consideraba insignificante su magnífica habilidad amorosa. A Tony no le gustaba sentirse insignificante. Sabía que era el mejor amante de Inglaterra, y Rosie debería comprenderlo también.

La siguiente vez se lo demostraría. La siguiente vez... en su noche de bodas.

Apretó los dientes y miró desde su ventana la mañana ventosa.

No lamentaba haber perdido su disciplina y haberle dado su semen. Sólo se arrepentía de que no hubiera sido posible echar raíz, lo lamentaba con cada respiración y cada latido de corazón. Le habría gustado que sus hermanas se quedaran y organizaran una boda apresurada y un bautismo igualmente precipitado, pero el carruaje esperaba en la calzada al lado de la terraza, y Jean, lady Honora y Rosie esperaban a que Ann acabara de vestirse.

Ya llevaban aguardando bastante rato.

—Cuida de Tony. —Calentándose ante el fuego de la larga galería un vez más, Jean hablaba a Rosie pero sonreía a su hermano—. Ahora mismo está de un ánimo terrible.

—Qué divertido.

Tony fulminó con la mirada a Jean, vestida con ropa de viaje y envuelta en un manto de lana, luego extendió su desagrado a Rosie y a lady Honora.

El desagrado se concentró en lady Honora cuando ésta dijo:

—Si alguien debe ocuparse de Tony, ésa soy yo. Al fin y al cabo voy a ser su esposa.

Parecía ser la única que todavía lo creía, pero la fe de lady Honora era algo muy poderoso que no podía pasarse por alto. Desde luego estaba enterada de la velada de intimidad en el dormitorio de Tony, y se había marcado el objetivo de que no volviera a suceder. Bajo la excusa de preparar a Rosie para su nueva vida como señora de la propiedad, Tony le daba lecciones de lectura, le proporcionaba las explicaciones necesarias sobre la finca y le enseñaba sus deberes. Y siempre, lady Honora encontraba la manera de inmiscuirse.

—Lady Honora. —Jean le dio unas palmaditas en la mano—. No dudo de su capacidad para abrumar a Tony o a Rosalyn, pero creo que juntos van a resultar imposibles de derrotar.

—No estamos juntos —se apresuró a responder Rosie.

Jean también le dio unas palmaditas en la mano.

—Estáis juntos de un modo que había olvidado que existía.

¿De verdad pensaba eso? Tony alzó una ceja interrogadora mirando a su hermana, y Jean asintió para tranquilizarlo. Había empezado a dudar de su propio instinto, y que su racional hermana dijera aquello le levantaba la confianza. Lanzó una mirada intensa a Rosie.

—Disculpadme —dijo Jean a lady Honora y Rosie—, tengo algo que decir a mi hermano en privado. —Cogió a Tony por el brazo y le guió hasta los retratos en la sección central de la galería—. Si sigues mirando a Rosalyn como si estuvieras a punto de devorarla, va a dejar de fingir que es una joven intrépida y saldrá pitando.

—No la miro así —protestó Tony.

—Tony, lanzas llamaradas a la pobre chica, y ya está bastante asustada. Ann está convencida de que Rosalyn ve el fantasma de su padre, y eso puede explicar su conducta asustadiza, pero Ann nunca se ha interpuesto entre vosotros dos cuando te entregas a tu actividad preferida por las noches.

El calor ascendió desde su cuello de encaje hasta la frente. Una cosa era que su hermana supiera lo que hacía, otra muy distinta que supiera qué pensaba.

—¿Tanto se me nota?

—Stubby solía mirarme así. —Se rió al recordarlo—. Ojalá el pobrecito pudiera hacerlo aún.

—Te está mirando justo de ese modo —dijo Tony recordando a su rechoncho cuñado y su devoción inquebrantable por Jean—. Desde el cielo.

Jean pestañeó repetidas veces.

—Echo de menos a ese carcamal. —Hizo un ademán a Hal que se arrastraba hacia ellos pegado a la pared—. ¿Querrá hablar contigo tu alocado administrador?

Desconcertado por el comentario de Jean, Tony observó al hombre, que evitaba con cuidado la alfombrilla central manteniéndose sobre la madera con fervor religioso.

—Hal no cree que los sirvientes deban gastar la alfombra y, la verdad, es inamovible como un barco encallado en la arena.

Jean soltó un resoplido.

—¿No juzgo bien el carácter? —preguntó Tony.

—Antes siempre lo hacías bien. —Jean dedicó una mirada a la figura encorvada de Hal—. Pero esta vez...

Cuando Hal se acercó lo suficiente como para poder hablar, Tony preguntó:

—¿Ya está subido el equipaje de las señoras?

—Sí, sir Anthony. —Hal mantenía la mirada fija en el diseño limpio y elegante de la alfombra—. Todo está listo para la partida de sus hermanas.

—Excepto mis hermanas.

—Estoy lista —respondió Jean—. El viaje es largo, pero Ann siempre llega tarde.

Tony dirigió una mirada a las escaleras.

—¿Dónde está Ann?

—¿Ya te mueres de ganas por librarte de nosotras? —bromeó Jean—. Te comportas como si hubiéramos abusado de tu hospitalidad.

—Mi casa está siempre abierta a mi familia.

—Tomo nota del sutil insulto para derribar a lady Honora.

Con un suspiro, Tony hizo un gesto de asentimiento.

—Si no necesita nada más, sir Anthony —dijo Hal—, me iré a seguir con los cálculos de la próxima cosecha.

—Es un buen día para los cálculos.

Alejado del fuego, Tony notaba las corrientes que se metían bajo la puerta. Jean se fue hacia el calor otra vez y él la siguió, ajustándose la capa corta que llevaba incluso dentro de la casa.

—¿Dónde está nuestra hermana Ann? —estalló Jean—. Así no llegaremos hoy a Londres, y habíamos confiado en ir a comprar regalos.

Tony le exigió:

—Tened cuidado en Londres.

—Siempre lo hacemos —dijo Jean.

—¿Por qué? —quiso saber Rosie.

Debería haber sabido que Rosie tomaría nota del matiz serio de advertencia en su voz. Él estaba pensando en el torrente de mensajes que llegaban de Wart-Nose Harry, el comandante de su guardia, y las advertencias y preocupaciones que incluían. Luego pensó en las noticias que había recibido esa misma mañana. Había escondido el comunicado bajo una pila de papeles sobre el escritorio. No quería que nadie se enterara, y menos aún Rosie.

Por consiguiente, con intención mordaz, dijo:

—Londres es una ciudad perversa, llena de carteristas, embaucadores y actores.

Rosie se volvió indignada a estudiar un retrato en la pared, y él se apresuró a cambiar de tema.

—Jean, ¿me harás el favor de visitar a Su Majestad y llevarle un regalo de mi parte?

—No habíamos planeado ir a la corte, pero si lo deseas lo haremos.

Tony chasqueó los dedos y uno de los mayordomos acudió corriendo.

—¿Qué le envías? —preguntó lady Honora.

—Una bata de batista, labrada con seda en cuello y mangas, con una gorguera trabajada con oro de Venecia ribeteada por un encaje fino también de oro de Venecia. Y también un mensaje.

—Escríbelo —ordenó ella con brusquedad.

—Lo he hecho, pero me gustaría que se lo dijeras personalmente para así captar el tenor de su ánimo en la respuesta.

Jean gruñó.

—¿De qué se trata?

—Di que le envío un vestido para que lo lleve cerca del corazón y así yo imagine que tengo el honor de ocupar ese lugar.

Rosie demostró que había estado escuchando cuando gritó:

—Por todos los difuntos, la reina no va a tolerar una sandez así. —Tony, lady Honora y Jean se quedaron callados. Rosie, insegura de repente, preguntó—. ¿A que no?

—La reina disfruta con ese tipo de expresiones de cariño, sobre todo si provienen de sus cortesanos más encantadores —le dijo Jean.

—La reina ya no está en la flor de la vida y le halaga mucho que un hombre profese admiración por su belleza —dijo lady Honora.

—¿Cuántos años tiene? —preguntó Rosie.

—Lleva sus sesenta y siete años con gran ligereza, como si fueran sesenta y siete copos de nieve —respondió Tony.

—¿Sesenta y siete? —Era un edad inconcebible. Rosie no pensaba que hubiera visto nunca a alguien tan mayor. Y siempre había pensado que la reina Isabel era joven. En Inglaterra abundaban las leyendas sobre su belleza, su sabiduría y modestia, pero ahora resultaba que no era nada de eso—. ¿Es tan...?

—El pasado otoño fui de cacería con ella. —Lady Honora se frotó las lumbares—. No podía seguir el ritmo de Su Majestad.

—Sí —corroboró Jean—. Nuestra soberana baila toda la noche y deja agotados a todos sus jóvenes cortesanos, que caen rendidos uno tras otro.

—Por eso le gusto yo —sonrió Tony—. Puedo bailar toda la noche y cabalgar todo el día.

Lady Honora y Jean chillaron simulando desdén, pero Tony observó a Rosie con atención. Le estaba mandando un mensaje, se percató, y ese recado era doble. Los servidores escuchaban, y estos miembros de la corte de Isabel también se dedicaban a mantener la fábula de la superioridad de la monarca. Por sus sonrisas y la adoración en sus voces, Rosie dedujo que la reina le había arrebatado en verdad el corazón.

—Sesenta y siete —susurró Rosie maravillada.

A esa edad la reina Isabel provocaba devoción en Tony. ¿Sería igual de devoto hacia su mujer con sesenta y siete? ¿Seguiría viéndola con los ojos de un amante y coquetearía como si fuera la criatura más hermosa de la Tierra? Cuando le pesara esa avanzada edad, ¿seguiría buscando la cama de su esposa y prodigaría con intenciones amorosas su cuerpo receptivo? Rosie rechazó ese pensamiento y todos los demás que desfilaban por su cabeza como una tentación viva.

Desde la noche pasada en el dormitorio de Tony era muy consciente de esa tentación. Era demasiado fácil recordar su pasión magnífica, demasiado fácil recordar las cadenas ocultas debajo. Dijo:

—Contadme más cosas de la reina.

—Lleva pelucas de color rojo oscuro. —Jean se tocó su propia peluca roja a modo ilustrativo—. Tiene una piel blanca y radiante.

—Tiene ojos hermosos y profundos, y una voz digna de una reina —dijo lady Honora.

—Tiene buena figura, bellos dedos alargados y un seno magnífico —añadió Tony.

Rosie sacudió la cabeza:

—¿Cómo iba a pasarte eso por alto?

Mirando hacia las escaleras una vez más, Jean se lamentó.

—Nos va a dar la noche aquí. —Se hundió en una de las sillas de respaldo rígido situadas cerca del fuego e hizo un ademán para que Rosie ocupara otra a su derecha—. Es obvio que hemos descuidado tu educación en cuestiones de la monarquía, y eso podría resultar fatal en el momento de conocer a nuestra temida dama soberana. Aunque la reina Isabel bromea con sus hombres hasta dejarlos medio chiflados, no le gusta que sus cortesanos descuiden sus compromisos. Es mejor fingir que deseas casarte por perpetuar una línea sanguínea, por una fortuna o cualquier otra razón, que casarte por afecto.

Al percatarse de que Jean tenía motivos para decir aquello, Rosie se sentó y se ocupó en arreglarse las faldas:

—Oí decir que Su Graciosa Majestad recuerda con afecto a lord Sadler.

—Todavía lo evoca con lágrimas en los ojos.

Lady Honora se sentó al otro lado de Rosie.

—Entonces, ¿cuál sería la manera preferible de presentar mi petición para recuperar la finca?

Tony apoyó el pie en el banco situado enfrente de ellas.

—Sí, señoras, explíquenle cómo arrebatarme la propiedad.

Lady Honora y Jean intercambiaron unas miradas. Luego Jean dijo:

—Entretenerla.

—Halagarla —añadió lady Honora.

—Y agacharte cuando te dé un sopapo en las orejas. —Tony se frotó las suyas como si recordara aquel trato familiar. Al advertir el asombro y los ojos enormes de Rosie, continuó—: A Su Majestad no le gusta que le digan que se equivoca, y cuando eso sucede lo más probable es que pase a la acción. Milord Essex lo descubrió con gran enfado.

—Intentó sacar la espada contra ella, ¿no es cierto? —preguntó Jean.

—Lo habría hecho, pero el conde de Nottingham le detuvo. —El desdén de lady Honora se expandía como bruma llegada del mar—. Yo estaba ahí, lo vi. Essex gritó que no aceptaría tal insulto ni del rey Enrique, su padre, y se alejó corriendo sin permiso de Su Majestad.

—Es un crío estúpido —comentó Jean.

—Es un crío peligroso —corrigió Rosie—. Hay que pararle los pies. Ojalá pudiera ser yo quien lo detenga. ¿Tony?

Quiso preguntar sobre sir Danny. ¿Había prosperado su plan de ayudar a la reina? ¿Dónde se encontraba ahora y qué estaba haciendo?

Pero Tony no tenía intención de explicarle nada; ya se había dado cuenta de eso, para su consternación. No era mezquindad ni la superioridad condescendiente de un hombre hacia una mujer, sino la cautela arraigada en alguien sobre cuyos hombros reposaba la seguridad de la reina de Inglaterra. No se explicaba a nadie el contenido de los correos que llegaban cada día de Londres, aunque había prometido que le informaría si sir Danny corriera peligro.

Con certeza Tony se percató del giro en los pensamientos de Rosie, pues enseguida intentó distraerla.

—Si nuestra soberana te recompensa con la custodia de estas tierras antes de que yo obtenga tu mano en matrimonio, Rosie, ¿me jubilarás como fiel servidor o dejarás que me muera de hambre?

Sonaba lleno de curiosidad inocente, pero cualquier respuesta era arriesgada. Rosie contestó:

—Lady Honora desea casarse contigo. No necesitas ninguna jubilación.

Observando a lady Honora por el rabillo del ojo, Tony mencionó:

—Lady Honora tiene principios muy elevados y pasa por alto, con suma generosidad, mi condición de hijo ilegítimo al proponerme en matrimonio. ¿Pasará también por alto mi pobreza? Porque si la reina concede Odyssey Manor a lady Rosalyn, seré tan pobre como el día que nací.

Lady Honora se quedó boquiabierta con tal énfasis dramático que Rosie casi se echa a reír. Había visto actores más sutiles, pero lo cierto era que lady Honora era incapaz de actuar.

—¿No tienes más fortuna que las tierras? —quiso saber lady Honora.

—Empecé con una fortuna considerable y la invertí en la finca, que estaba muy descuidada, y en la fundición, que dentro de unos años producirá otra vez una fortuna. En cuanto a otras tierra, no, éstas eran suficiente para mis objetivos.

—La reina te recompensará si te expropia la propiedad —decidió lady Honora.

—Lady Honora, ya conocemos el estado de las finanzas de la reina —reprendió Tony. La Casa Real no para de ampliarse y no le gusta recurrir al Parlamento para ajustar su asignación. Por no mencionar la tacañería de la reina.

—Y por no mencionar lo contrariada que está la reina con Tony —añadió Jean voluntariosa—. No sabemos con certeza si le perdonará.

—Desde luego, llevas razón. —Tony se examinó las uñas—. Imagino que llegaré al matrimonio trasquilado de toda riqueza.

—Pero, de cualquier modo, sigue siendo un magnífico semental —dijo Jean con amabilidad—. Capaz de hacer muchos niños. Aunque, en verdad, si una mujer decidiera casarse con un hombre sin un céntimo, creo que sería preferible buscar uno elegante y distinguido. Alguien como sir Danny.

—No podría casarme con sir Danny. —Lady Honora se levantó de un brinco y recorrió la galería—. Es vulgar como la porquería.

—En ningún momento he vinculado su nombre al de sir Danny. —Jean se la quedó mirando con gesto de sorpresa—. Nunca he sugerido que debiera casarse con sir Danny. ¿Por qué iba a referirme a eso?

Entonces sucedió la única cosa que Rosie jamás habría imaginado que sucedería. Lady Honora se sonrojó desde el extremo de su petillo hasta lo alto de su frente depilada.

Rosie disimuló una sonrisa y Jean respondió a su propia pregunta.

—Es un hombre de gran encanto. Una nunca sabría que es un actor si decidiera hacer el papel de noble.

—Eso sí es cierto —dijo lady Honora, era obvio que muy impresionada.

Jean continuó:

—De hecho, es probable que esté relacionado con mi familia de Cornualles.

Atónita, lady Honora preguntó:

—¿Ah sí?

Paciente con la credulidad de lady Honora, Jean dijo:

—Igual que Rosalyn fue criada por su tía, con quien llevó una vida recluida perfectamente respetable.

—No tengo ninguna tía —dijo lady Honora; luego se detuvo—. ¿Se refiere a alguna mentira?

—No sería la primera vez que la aristocracia terrateniente añade familiares de tal modo. —Jean se puso en pie al oír una voz resonante por las escaleras—. Ah, por fin aparece mi hermana. Tenemos esperanzas de llegar a Londres en el día de hoy.

Vestida con su atuendo de viaje, Ann se presentó apresurada en la galería, dejando una oleada de fragancia a violetas.

—Perdonadme, buena gente. ¿Lleváis mucho esperándome?

Sin habla, Jean no pudo hacer otra cosa que mirar, pero Tony cogió la mano fluctuante de Ann y le dio una palmadita.

—En absoluto. Y de todos modos, parece que mi hermana Jean tiene interés en mantener una pequeña charla con Rosie antes de marcharse.

—Oh, Jean. —Ann, disgustada, se puso en jarras—. Me he dado prisa porque pensaba que estabas enfadada, ¿y ahora quieres sentarte a charlar?

—Yo...

Ann continuó antes de que Jean pudiera completar la frase.

—No es posible, debes saberlo. Tenemos que irnos de inmediato o no llegaremos hoy a Londres, y ya sabes cómo detesto las posadas del camino. Tony, deberías mandar un regalo a la reina Isabel. —El lacayo tendió a Tony un paquete envuelto en papel marrón con una cinta, y éste se lo pasó a Ann—. ¡Excelente! —Ann gritó al sopesarlo en las manos—. Es una prenda. ¿Debo decirle que debe pensar en ti cuando se la ponga?

Jean cogió a Ann por el brazo y tiró de ella.

—Vayámonos antes de que repitas toda la conversación que acabamos de mantener.

Lady Honora aceptó un manto de la servicial doncella, pero Tony cogió la capa de Rosie y se la colocó él mismo. Parecía muy preocupado por que se abrigara bien, tiró de los cierres delanteros y rozó la piel de Rosie una docena de veces al hacerlo. Ella se mantuvo distante.

Al menos eso pensaba ella, pero Tony dejó ir una risita de profunda satisfacción. Soltó a Rosie cuando un lacayo abrió la puerta de la terraza y el viento invernal silbó a través de la misma.

—Vaya día para viajar. —dijo Tony y aceptó del sirviente su capa larga y se la echó por encima de la corta antes de salir al frío.

Rosie se demoró, observando cómo recibía Tony el invierno con un grito eufórico. Ése era su secreto, reflexionó. Él caía bien a todo el mundo, incluso al Viejo Invierno, porque a él todo le gustaba. No era estúpido, valoraba a todo el mundo con astucia, pero se deleitaba con las diferencias, con las personalidades... con ellos.

Rosie intentaba convencerse de que Tony no era más que un hombre apuesto cuyo engreimiento estaba perfectamente justificado y era perfectamente odioso. Ella no tenía que temblar como un sauce con el viento sólo porque él brillara como el dios sol con su halo dorado de cabello y su personalidad siempre radiante. Era más fuerte que todo eso.

Ann correteó tras él, charlando con animación, adorándole con la mirada. Lady Honora les seguía con más dignidad pero igual entusiasmo. Jean se puso a toda prisa los guantes de cuero y salió al viento con una sonrisa de afecto por su hermano.

¿Y ella? ¿Cómo reaccionaba ella? Llevaba semanas evitando el tema, achacando su adoración al deseo o la locura, cualquier cosa menos la verdad.

Le idolatraba tanto como Ann, le admiraba tanto como lady Honora y le quería tanto como... Por todos los difuntos, le quería más que Jean, más que cualquier hermana, diferente a cualquier hermana. Le quería como esos tontos cautivos del amor en las obras de Tío Will, y quería saber si él la amaba. Decía que sí, pero no había estado preparada aún para escucharlo. Ahora ¿se atrevería a preguntárselo?

Sí, se atrevería. Dio una exhalación, salió a la terraza y le localizó.

No, no fue así. Se detuvo en seco y el lacayo le golpeó con la puerta al cerrarla tras ella.

Pero, sí, se atrevería. Iba a hacerlo ahora. Justo ahora. Delante de todo el mundo.

Entonces Ann gritó:

—¡Mi sombrero! —exclamó mientras el sombrero le volaba precipitándose por encima del extremo de la terraza.

Rosie suspiró con alivio. No, ahora no.

Un lacayo descendió corriendo los escalones tras el sombrero de Ann, y lady Honora y las hermanas se apresuraron hasta la baranda para asomarse. Tony se rió y salió persiguiendo al lacayo.

Intentando aguantar la respiración, Rosie les observó y observó a Tony, de pie en mitad de las escaleras animando al lacayo a gritos, volviéndose luego para mirar a sus hermanas y tomar el pelo a Ann. Sonrió a sus hermanas e incluso a lady Honora, luego se volvió y entonces la vio. Su sonrisa se dulcificó; la mera visión de Rosie parecía excitarle. Aquella sonrisa la incitaba a responder, y casi lo hace. Casi.

Justo entonces el cielo se desplomó.

# Capítulo 18

El tiempo marchará sobre muletas hasta
que el amor cumpla todos sus ritos.
—MUCHO RUIDO Y POCAS NUECES, II, i

*U*n trueno retumbó en los oídos de Tony. Se levantó un remolino de polvo y las mujeres gritaron al tiempo que las ventanas se hacían añicos.

—¡Rosie! —Tony subió las escaleras en dos zancadas, entró como una flecha en la nube y tropezó con un trozo del cielo: una alta estatua de piedra de las elegantes molduras sitas en el tejado yacía destrozada en el cráter del suelo arruinado de la terraza. Saltó por encima, esquivó las astillas y se dio de bruces con Rosie, que venía corriendo hacia él.

Estaba viva. Seguía en pie. No veía más, pues el viento, como una escoba gigante, levantaba el polvo por el aire. Cogiéndola por los hombros tosió y luego le preguntó entre jadeos:

—¿Daño? ¿Te has hecho daño?

Mientras hablaba la examinaba con las manos, y descubrió que ella le hacía lo mismo.

—Estoy bien. ¿Y tú?

—También. ¡Salgamos de aquí! —gritó, miró a través del polvo y distinguió, perfilado contra el firmamento nublado, un agujero abierto entre los remates ornamentales del extremo del tejado.

—Por el amor de Dios.

Sacó a Rosie del centro de destrucción y quiso seguir alejándose hasta ponerla a salvo.

Pero la valiente Rosie dijo atragantándose:

—Tus hermanas. Lady Honora.

Sus hermanas. Dio tumbos intentando encontrarlas, luego el remolino de polvo se alejó como si nunca hubiera estado allí. Las tres mujeres estaban acurrucadas junto a la baranda, con los rostros protegidos por sus capas. No las había alcanzado. Estaban bien.

—Apártense, señoras —gritó Rosie, y con Tony se apresuró hacia las damas.

Ann sollozó y el silencio de Jean no auguraba nada bueno. Tony se quedó preocupado. Abrazando a sus hermanas, evitó la estatua destrozada para regresar al interior del edificio. Dedicó un rápido pensamiento a lady Honora, pero sabía que podía contar con Rosie para ocuparse de ella. Llegaron a la casa mientras los criados salían por la puerta.

En el interior, la cacofonía de múltiples voces alcanzó sus oídos mientras las manos ansiosas se hacían cargo de sus hermanas. Ann estaba intacta, aunque el susto había dejado blanca su piel morena. ¿O era una fina capa de polvo que la cubría? Jean se bajó la capa para que él pudiera examinarla. Parecía intacta, aunque tosía contra su pañuelo.

Luego oyó un jadeo general y se volvió hacia la puerta. Lady Honora se balanceaba allí, sostenida por una pálida Rosie. La sangre manaba de un largo corte en la sien de la aristócrata, y goteaba de diminutas heridas en su mejilla y barbilla.

El lacayo situado tras las dos, sostenía el sombrero aplastado de Ann. Las doncellas vacilaban y Tony comprendió de golpe que lady Honora les imponía demasiado respeto como para tocarla. Adelantándose de un brinco cogió a la dama justo cuando se desplomaba inconsciente. Se tambaleó bajo su peso, pero Rosie les ayudó a estabilizarse y le dijo:

—La han alcanzado fragmentos de la estatua. Puede haber gravilla en los cortes. Si la llevas arriba a la cama, atenderé sus heridas.

Tony se fue hacia las escaleras.

—Llamaré a un cirujano.

—¡No lo hagas! —Rosie se apresuró a adelantarle—. No la dejaremos en manos de uno de esos carniceros.

—Pero tú...

—He adquirido ciertas habilidades en mis viajes, no las típicas en una dama. —Llamó a las doncellas cuando alcanzaron el pasillo y ordenó agua, toallas, aguja y un hilo delgado de tripa de oveja. Al constatar el horror de Tony, explicó—: Tenía que coser las heridas de los actores cuando se metían en peleas.

—¿Coser? ¿Quieres coser sus heridas?

Se detuvo y estrechó con firmeza a lady Honora. Por Dios. Le vinieron a la cabeza las habilidades más sencillas que habían tenido que enseñar a Rosie, como usar el pañuelo o comer a ritmo pausado. ¿Y quería coserle el rostro a lady Honora, su principal instructora? ¿Rosie, que se había ofendido con cada minuto de instrucción de la dama?

—Me enseñó sir Danny, es un curandero excelente. Y ese gran corte hay que coserlo —Rosie ajustó la cabeza caída de lady Honora y estudió su rostro inconsciente—, o no curará bien.

—Iré a buscar al médico —manifestó Tony con firmeza.

—Hazlo si así te quedas más tranquilo. —Rosie sostuvo abierta la puerta de la habitación de lady Honora mientras él la metía despacio—. Pero intentaré acabar antes de que despierte.

Dejando a lady Honora en la cama, Tony se volvió para hablar con firmeza a Rosie, pero la joven ya daba instrucciones a las doncellas y se mostraba competente al mando. Con un mínimo de revuelo, preparó una aguja e introdujo con presteza el flexible hilo marrón de tripa de oveja a través del diminuto agujero. Subiéndose a un taburete, se inclinó sobre lady Honora y la examinó. Tony se adelantó fascinado por esta exhibición de eficiencia de la mujer que consideraba, bien, una base de arcilla que él iba a modelar. Rosie pidió un paño húmedo caliente, luego mojó la herida con cuidado. Tony se fue acercando tanto que cuando ella se volvió otra vez le dio con el codo en la cabeza. Exasperada, gritó:

—¡Quita de en medio, Tony! No puedo trabajar contigo ahí.

—Mejor aún, que se marche —dijo lady Honora.

Estaba despierta y miraba a Tony con hostilidad.

—Lárgate, Tony. No quiero verte aquí.

Y él se encontró retrocediendo. Incluso herida, lady Honora era formidable, y si ella quería que se fuera... Se encontró en el pasillo, pero no a solas. Jean le esperó, con expresión seria en su rostro sucio.

—¿Es Ann? —preguntó Tony con alarma.

—Ann está bien. —Jean le limpió el rostro con el extremo de la falda, luego le enseñó el polvo. Tony se encogió de hombros, pero ella añadió—: Entra en esa habitación y te lavaré la cara.

Abrió la boca para protestar, pero ella echó un vistazo a los criados que iban de un lado a otro.

—Ah —asintió comprensivo—. Lo que usted diga, señora.

Jean le llevó a una de las habitaciones vacías y cerró la puerta. Apoyándose en ella, susurró:

—No estoy segura, Tony, pero... juraría que he visto a un hombre en el tejado.


Visible a través de las ventanas, un resto aislado de niebla caracoleaba como un defecto en el ébano tallado con diamante de la noche. Dentro del estudio, los lustrados paneles oscuros reflejaban la luz de la vela y el aire olía a cera de abeja. Sólo el crepitar del fuego rompía el profundo silencio, a tono con el ánimo solemne de Tony.

Tenía un asesino en la finca.

Había pasado la tarde en el resbaladizo tejado de pizarra, examinando las pruebas. Había piedra astillada esparcida sobre la zona donde antes estaba la estatua; algún maniaco se había tomado muchas molestias para volcarla.

Pero ¿encima de quién? Aunque la flecha le señalaba a él o a Rosie, en el intento podría haber matado a cualquiera de los presentes en la terraza. De hecho, era un milagro que nadie hubiera muerto. Los sirvientes que habían retirado los restos destrozados comentaban la profundidad extraordinaria del cráter que había quedado en el suelo de mármol. La estatua pesaba tal vez una tonelada; habían encontrado fragmentos sobre la hierba, entre los arbustos y dentro de la casa mezclados con el vidrio de los tres grandes ventanales.

Pese a la discreción de Jean, todo el mundo parecía saber que el accidente no era tal y se susurraba el temor que inspiraba Ludovic y que era necesario atraparle. Tony había mandado de inmediato a sus mejores cazadores tras la pista de Ludovic. Pero ¿cómo había entrado en la casa un hombre de su tamaño y aspecto y había llegado al tejado sin que nadie, *nadie*, le viera? A menos que tuviera un cómplice, parecía una proeza imposible; un cómplice arrojaba luz nueva sobre la situación. Él o ella tendría que estar integrado en la casa, pero ¿por qué un miembro del personal querría matar a nadie? Más aún, ¿por qué un miembro del personal necesitaba a Ludovic para cometer el asesinato?

Y Rosie, cuando los rumores llegaron a sus oídos, insistió en que Ludovic nunca se arriesgaría a hacerle daño a ella, pero parecía preocupada.

¿Y dónde les dejaba todo eso?

Con un asesino desconocido que buscaba una víctima desconocida. ¿O eran ellos mismos las víctimas?

Al oír un débil golpe en la puerta, se apartó de la ventana y se quedó mirando la entrada. No sabía si podría soportar a más criados excitados aportando pistas que ni significaban nada ni llevaban a ninguna parte.

Antes de poder responder, la manilla giró, abriéndose la puerta poco a poco. Una cabeza se asomó por el extremo.

—Rosie.

Debió de sonar como una invitación, pues su expresión solemne se animó y la muchacha se introdujo en la habitación. Se había limpiado el polvo de la tarde, y ahora olía a jabón y flores. Llevaba un vestido blanco recatado de un estilo informal con corpiño en vez del rígido petillo más en boga. Se había recogido el pelo húmedo con una cinta y tenía una débil sombra oscura en la piel bajo de los ojos.

Estaba preciosa.

—¿Molesto? —preguntó.

Tony anduvo hacia ella.

—Eres la única persona a quien querría ver ahora mismo. —Le cogió la mano, besó los dedos fríos y se maravilló del rápido apretón en respuesta que le dio ella. Luego se ruborizó como si hubiera sido demasiado atrevida e intentó recuperar la mano. Él preguntó precipitadamente.

—¿Está durmiendo lady Honora?

Seria de pronto, ella respondió:

—Sí, pero no duerme bien. Tiene dolores, y cuando duerme la inquietan sueños horribles. —Echó un vistazo por la habitación—. Yo he experimentado eso también.

Tony echó un vistazo a su vez, recordando su reacción la primera vez que vio esa estancia. Rosie guardaba demasiados misterios, y cuando él desvelaba uno, aparecían diez arcanos más. A él le encantaban los misterios excepto cuando ponían en peligro la vida de Rosie. Y la destreza de Tony tendría que superar diez veces el sigilo de ella, pues era obvio que le gustaba guardar bien los secretos. Por lo tanto, le preguntó como si tal cosa:

—¿Has hablado con Jean y Ann?

—Se retiran temprano esta noche. Planean quedarse hasta que lady Honora se encuentre mejor, tal vez incluso durante las vacaciones, pues dicen que Cornualles con este tiempo tan desapacible es mejor no considerarlo.

Lo sabía. Lo sabía todo, pero no quería que ella se marchara, y se esforzó por pensar en otra cosa que comentar, algo reconfortante, que no estuviera relacionado con los horribles sucesos del día.

Rosie bajó la vista a sus manos aún enlazadas, luego la levantó para mirarle a él.

—¿Podemos continuar con mis lecciones de lectura?

¿Sus lecciones de lectura? ¿Había venido por sus lecciones?

—¡Desde luego! —Buscó el material que empleaba para enseñarle las letras, pero no encontraba una pluma. ¿Alguno de los criados habría limpiado otra vez su estudio?

Frunció el ceño y ella dijo:

—Si estás demasiado ocupado...

—En absoluto. —Para ella no. Pensó deprisa y dijo—: Creo que leeremos un libro de verdad.— Cogiéndola de la mano, la acercó al escritorio y luego tomó su Biblia—. Hace una noche sombría y brumosa, y vamos a sentarnos a leer junto al fuego.

Rosie se mordió el labio inferior con los dientes y contempló la enorme Biblia.

—¿Leer un libro?

—Emocionante, ¿verdad?

Cogió la Biblia, aunque las manos le temblaban al tocar el lomo de cuero.

Parecía casi reacia, pero él prometió:

—Te ayudaré.

Ella asintió y se sentó en una de las sillas de respaldo recto. Él acercó una mesa a su lado, un poco retrasada, colocó encima un candelabro y luego acercó su silla. Tras sentarse, dijo animado:

—Así. Qué acogedor.

La habitación se quedó muy tranquila. Los extremos dorados de las páginas parecían fascinarla. Les pasó un dedo varias veces, y luego tomó aliento.

Al final él se percató del problema.

La gran Biblia la intimidaba. Conocía sus secciones de memoria, pero leerla... ah, eso sin duda la asustaba. Tal vez temiera cometer un error o que se riera de ella o que el gran misterio del habla escrita no se desentrañara para ella.

—Sé que esperas con expectación tu primera ocasión de leer un libro —le dijo. Expectación no parecía describir bien la expresión en su rostro, pero él continuó con valentía—: Sabes las letras y muchas, muchas palabras. Nunca he tenido una alumna tan lista como tú.

Ella le miró con ojos centelleantes.

—Nunca has tenido una alumna tan mayor.

Pasando por alto el comentario, siguió:

—Me he estado preguntado si alguien no te habría enseñado las letras años atrás, porque pareces saberlas casi sin necesidad de lecciones.

Rosie miró la habitación a su alrededor con esa expresión que a veces se le ponía cuando los fantasmas de la casa le hablaban.

—¿Quién me habría enseñado las letras?

—¿Tal vez tu padre? —Ella no respondió, y él añadió—: De hecho, he pospuesto el momento de leer un libro por temor a que decidieras no necesitar más mi ayuda; entonces estas horas tranquilas se habrían acabado.

Ella sonrió.

—¿De veras?

—He disfrutado con esto. —Le devolvió la sonrisa—. ¿Y tú?

Rosie le observó desde debajo de sus pestañas.

—Mucho.

Su tímido reconocimiento aceleró el corazón de Tony, que casi estira la mano para tocarla. Quería abrazarla, estrecharla, asegurarse de que todavía respiraba, que la sangre seguía corriendo por sus venas, que la piel mantenían su temperatura, que los labios aún conservaban el paraíso...

—Tony, ¿estás seguro de que deseas leer esta noche? —inclinó la cabeza como un gatito poco seguro de ser bienvenido.

—¿Leer?

—Pareces estar en otro sitio.

Despertando de pronto y percatándose del camino peligroso que seguían sus pensamientos, los reprimió.

—No, estoy demasiado cerca.

Ella volvió a agitar las pestañas.

—¿Tony?

—Vamos a leer —dijo con firmeza. Tomando sus manos, le ayudó a abrir el libro—. Ésta es la Gran Biblia de Cranmer, publicada después de que nuestro querido rey Enrique se declarara cabeza de la Iglesia de Inglaterra. Mira las ilustraciones. —Le ayudó a pasar las páginas—. ¿Qué te parece su colorido? Cuando aprendí a leer, lo hice con este mismo libro. Me lo dio la dama a quien yo llamaba «Mamá» y me dijo que cuando no consiguiera descifrar una palabra mi mente agradecería estudiar las ilustraciones.

Ella alzó la mirada.

—¿No puedes descifrar todas las palabras?

—Ahora sí. —Le ayudó a pasar otra página—. Pero no podía cuando estaba aprendiendo a leer. Mi tutor solía quejarse de que era un alumno difícil. La razón era que yo siempre quería estar fuera, cabalgando con mi padre y mi hermano. Tu entusiasmo hace que me avergüence ahora.

Rosie volvió una página ella sola, y luego él le soltó las manos poco a poco. La contempló mientras estudiaba la página. No la había visto nunca tan encantadora, con el pelo recogido hacia atrás y aquella expresión tan concentrada. De repente chilló y señaló:

—¡Mira! Es la palabra «tú».

—Así es.

—Y «el». —Indicó una y otra vez—. «Tiempo», «las». —Hizo una pausa, y luego anuncio triunfal—: «Fronteras».

Tony suspiró con fingida desesperación.

—Sabía que tu habilidad acabaría ridiculizando la mía. ¿Puedes leer una frase?

Hojeando más rápido, buscó hasta encontrar una que le gustara:

—*Diez bueyes cebados y veinte bueyes de...*

Él se inclinó y miró.

—Pasto.

—*... pasto, y...* —Se cansó y pasó con valentía las hojas hasta encontrar algo que le gustara más—. Aquí hay una canción. Esto nos gustará.

—¿Una canción? —Estiró el cuello para intentar ver qué leía, luego sugirió—: ¿Por qué no te sientas aquí en un taburete, donde yo también pueda ver el libro? —Hoy, la muerte había estado próxima. Esta noche ansiaba la proximidad de Rosie.

El talante de ella era similar, pues acercó un taburete y se acomodó junto a su rodilla. Incluso se apoyó contra él, calentándole la pierna con la espalda. Le gustaban los bonitos mechones cortos de pelo que crecían por su nuca, la tracería de venas que perfilaban la forma de concha de la oreja, el perfume a clavel ascendiendo en oleadas estimulantes.

¡Cómo la deseaba! Quería abrazarla, susurrarle su amor, yacer con ella, pecho con pecho, estómago con estómago...

—Se llama el cantar de los cantares, el cual es de... —titubeó ella, y luego lo dijo en voz alta—: Salomón.

Tony se sentó erguido. ¿El Cantar de Salomón? ¿Había encontrado el Cantar de Salomón? Siempre le había gustado comprobar el deleite lujurioso de los patriarcas desaparecidos de la Biblia, pero tener a Rosie leyéndolo en voz alta... No, no debería permitirlo.

—*Permítele besarme con los besos de su boca: porque mejores son tus amores que el vino.* —Se detuvo y se deleitó en la página, luego miró a Tony—. ¿Te parece bien?

No preguntaba si lo había leído bien, y él tendría que detenerla. Con voz cálida de aprobación, respondió:

—Exactamente. Vamos.

Volvió la página.

—*Me llevó a la casa de...*

La ayudó cuando titubeó...

—Banquetes.

—*...casa de banquetes, y sobre mí su estandarte era el...*

Vaciló otra vez, no porque no supiera la palabra.

—¿Era el...? —animó.

—*Amor.*

La palabra cayó en la tranquilidad como una perla en una copa de vino generoso y embriagador. Ella esperaba su reacción y él susurró.

—Lo has leído a la perfección.

—*Susténtame con pasas, confórtame con manzanas; porque estoy enfermo de amor.* —Volvió la cabeza un poco, mostrándole el perfil, y le miró por el rabillo del ojo—. ¿Quiere decir «estoy enferma de amor»?

—Igual que yo.

Se volvió por completo para mirarle a la cara con sus ojos de tono ámbar, grandes y levemente relumbrantes como brasas candentes.

—Me refería...

Él sonrió, y vio el movimiento en su garganta para tragar saliva.

—Lee esto —ordenó indicando un punto en la página.

—*¡Cuánto mejores que el vino tus amores! ¡Y el olor de tus ungüentos que todas las especias aromáticas! Como panal de miel destilan tus labios, oh esposa; miel y leche hay debajo de tu lengua...*

Se detuvo y cuando él se inclinó hacia delante para mirar la palabra, ella volvió la cabeza. Tenían las narices pegadas y, con un pequeño ajuste..., pero la distancia seguía siendo larga, se recordó. Una distancia desde luego muy larga. Si la recorría, entraría deslumbrado en el túnel del deseo, y ya había demostrado lo débil que era a la hora de salir sin antes saborear cada deleite.

El aliento de Rosie, con dulce fragancia a jalea de menta, le abanicó el rostro:

—Eso me recuerda a ti.

—¿Qué quieres decir?

—Tu lengua es miel cuando hablas. Dices las cosas más extraordinarias. —Le miró a los ojos—. Como cuando me explicaste que el motivo de besar era que los amantes estuvieran tan próximos que no pudieran ver sus diferencias.

—¿Eso dije?

—En efecto. Y funciona. Así.

Inclinando la cabeza, ella recorrió esa distancia tan larga entre ellos. Pegó sus labios secos y tiernos a los de él.

Fue un gesto de confianza, y Tony lo apreció, sin buscar profundizar en absoluto en el beso. Dejó que ella tomara la iniciativa, deseoso de permitir que lo guiara por la entrada del desfiladero.

Luego Rosie metió la lengua en su boca y entonces le empujó por el precipicio.

Tony intentó recuperar el equilibrio, pero ella le cogió la cabeza en las manos y le besó de nuevo.

Carajo, la muchacha recordaba cada truco que él había usado para darle placer, y lo ponía en práctica sin un atisbo de conciencia. Lamía y sondeaba su boca siguiendo el ritmo de las lenguas con la presión de la mano en su entrepierna.

¿Cómo diantres había llegado esa mano a su entrepierna?

Tony volvió a sacudir la cabeza y le lanzó una mirada desafiante.

—No podemos hacer esto.

Ella abrió los ojos poco a poco, y separó sus labios hinchados formando una sonrisa.

—Sólo quería expresar mi admiración por tu heroísmo de hoy. —Mantenía la mano en la entrepierna, comprobando el calor y la longitud del miembro viril antes de que él le alzara los dedos y retirara la mano.

—¿Siempre se pone tan grande? —preguntó.

—¿Qué?

—Tienes el braguero a punto de reventar.

En efecto, era así, pero no quería reconocerlo. Sólo quería fingir que esa parte suya metida en las calzas no dictaba sus actos. Casi no podía articular palabra, pero consiguió decir:

—Lee.

Rosie cogió el libro del suelo y lo abrió otra vez.

—¿Dónde estaba? No puedo recordarlo con exactitud.

Se toqueteó el labio inferior con el dedo y él miró ese labio y ese dedo, imaginando qué sentiría si los tuviera sobre la piel desnuda. Le había enseñado a besar, ¿le había enseñado a acariciar con la mano y la boca?

—*Tu estatura es semejante a la palmera, y tus pechos a los racimos.*

Tony cerró los ojos y se imaginó tomando una uva en su mano, en su boca.

—*Yo soy de mi amado, y conmigo tiene su gozo.*

Era así. La deseaba tanto que cuando Rosie le puso el brazo en el regazo, sus caderas se desplazaron para pegarse aún más a ella. De algún modo, esa parte de su cuerpo creía que obtendría alivio si ella le tocaba... pero él sabía que no. Así sólo conseguiría desear más.

—*Levantémonos de mañana a las viñas; allí te daré mis amores.*

Hacer el amor a Rosie al aire libre en primavera. Vaya fantasía. El cálido sol en la espalda, la cálida Rosie debajo de él, y la tierra debajo de ambos temblando con exaltación mientras él plantaba su simiente.

—Me gusta esto.

A él también.

Siguió leyendo:

—*Muéstrame tu rostro, hazme oír tu voz; porque dulce es la voz tuya, y hermoso tu aspecto.* Tony, eres hermoso, y el sonido de tu voz provoca escalofríos en toda mi columna.

Sólo existía un alivio para el estado de Tony, y se encontraba bien cerca. Ella podría subirse las faldas y él podría abrirse los calzones. Ella podría volverse hacia él y él podría sostenerle las piernas sobre los brazos de la silla y penetrarla hasta quedarse enterrado en lo más profundo.

—¿Tony?

—¿Qué?

Dejó el libro sobre la mesa y se levantó.

—¿Te importa que me siente sobre tu regazo?

—Haz...

Se sentó.

—No —dijo, y la cogió por la cintura para levantarla y se percató que no llevaba entretelas bajo las enaguas.

Apoyó la cabeza en el hombro de Tony y le dijo:

—Sólo quería estar cerca de ti. Hoy he pensado por un momento —le tembló la voz— que habías muerto. He imaginado lo solitario que sería el mundo si no pudiéramos tocarnos de nuevo, y sólo quería tocarte.

Rosie le pasó los dedos por la parte exterior de la oreja mientras se acurrucaba un poco más pegada a él. Cada vez más próxima. Y entonces descubrió que no llevaba enaguas bajo la falda.

Si no fuera por el vestido, la tendría desnuda en sus brazos.

¡Qué pensamiento tan estúpido! Aún llevaría las medias... ¿cierto?

Intentó mirar, pero no se atrevía a mover la cabeza; le dolía el cuello rígido por el esfuerzo de mantenerse quieto. Moviendo sólo los ojos, localizó su pie y vio que llevaba en efecto una media. Una media roja que relumbraba con la luz.

¿Dónde había encontrado una seda tan fina? ¿Qué tacto tendría bajo la palma? ¿Sería una media corta o larga? La llevaría sujeta a la rodilla o tendría que buscar la liga más cerca de su zona aterciopelada? Y en cualquier caso, ¿querría quitársela o preferiría experimentar la suave fricción contra los brazos mientras desplazaba las caderas arriba y abajo, arriba y abajo?

El trasero, cálido y exuberante, le acariciaba con un leve movimiento constante. Tony le rodeó el cuello con los brazos y entonces ella le besó el mentón. De nuevo giró los ojos, sin atreverse a mirarle el rostro por miedo a tener que besarla, y besarla, y nunca soltarla.

—Tony, estás rígido por todas partes —canturreó—. Deja que te dé un masaje. Te relajarás.

Entonces se levantó y Tony experimentó el alivio en la presión... hasta que su miembro viril se estiró hacia ella. Entonces Rosie se levantó la falda.

Las medias rojas le llegaban hasta los muslos.

Se sentó a horcajadas sobre sus rodillas.

Él la apartó.

Rosie aterrizó con un golpe y un grito, y Tony le reprendió con el dedo estirado:

—¿No conoces los peligros de tu cortejo? Si sigues por ahí tendré que levantarte las faldas hasta la cabeza y te pondré las piernas en torno a...

Agitaba el dedo demasiado cerca y ella se lo mordió. Intentó recuperarlo, pero ella lo atrapó con las manos y volvió a metérselo en la boca... y lo lamió.

A Tony se le detuvo el corazón y la respiración. Era consciente tan sólo de dos cosas: la boca húmeda y caliente chupando su dedo, y qué sentiría con esa boca en torno a su miembro viril. Entonces ella le apartó la mano, se inclinó hacia delante sobre su regazo y depositó ahí sus besos. Soplaba suavemente, el fuego se avivó con su aliento y se propagó descontrolado.

—Ya está. —Con los brazos debajo de las axilas, Tony la puso en pie—. Voy a tener que...

De puntillas, ella le besó, y cuando apartó los labios, él dijo:

—Sí, voy a hacer eso también.

La levantó y buscó la cama.

Una noción ridícula, no había cama. Pero sí un escritorio, ancho, largo y cubierto de papeles. La sentó en un extremo despejado y con un movimiento de su brazo retiró todo lo que se interponía. No sabía por qué Rosie se mostraba tan insistente, pero no había sido capaz de resistirse ni cuando era él quien le provocaba. ¿Qué clase de hombre podría resistirse a lo que le hacía?

Ella se rió en voz baja cuando él le levantó las faldas. El sonido le enfureció. ¿Quería jugar con él, era eso? ¿Quería ser ella la que llevara el control, sí? Había aprendido muy deprisa el arte de la seducción, pero él había nacido con ese conocimiento y, tras años de práctica, dominaba todas las técnicas. Con una pasada de su lengua, podría arrebatarle la supremacía y someterla al mismo embobamiento que le afectaba a él. Con varias caricias de su lengua... deslizó el trasero de Rosie hasta el extremo del escritorio y se arrodilló.

—¿Qué estás haciendo? ¿Tony? —Ella intentó retroceder sobre sus codos—. ¿Tony?

Esperó oír el primer jadeo cuando la lamió y se rió al escucharlo. Siguió atento, esperando oír las objeciones frenéticas, los gritos débiles y los gemidos crecientes. Le gustaron también. En especial le cautivó que empezara a forcejear, no con él sino consigo misma. La saboreó y le tomó la temperatura. Luego se soltó los calzones y se incorporó. Ella hacía equilibrios al borde de la demencia; él la penetró y la llevó hasta el límite. El cuerpo de Rosie se convulsionaba aferrado a su miembro y Tony, apoyando las manos en el escritorio, esperó a que ella acabara. Entonces le dijo:

—Rosie —Cuando ella abrió los ojos, le solicitó—: Otra vez.

# Capítulo 19

En mi memoria queda guardado,
Y tú mismo tendrás la llave.
—HAMLET, I, iii

*S*ir Anthony!

Rosie gimió al oír los golpeteos en el pomo. La alfombra apenas aportaba blandura al suelo y la habitación estaba helada, pero Tony la mantenía en sus brazos y nunca había estado tan cómoda.

—¡Sir Anthony!

Tony se agitó y la estrechó con más fuerza.

—Maldición —susurró—. Apenas ha amanecido. ¿No podían dejarnos en paz al menos una hora más?

El fuego casi extinguido proporcionaba cálidos reflejos rojos a su pelo y dotaba a su cutis de un relumbre dorado. La barba ensombrecía su barbilla, pero ninguna sombra enturbiaba la satisfacción de sus ojos.

Ella era la causante de eso. Cuando entró ahí la noche anterior, de tan serio estaba irreconocible. Ahora volvía a ser Tony.

Su Tony.

Unas semanas atrás, él le había hecho el amor. Anoche, ella le había hecho el amor a él. Todo cambiaba en el mundo cuando eras la agresora, no obstante el resultado era el mismo. Ambos habían encontrado placer: sobre el escritorio, luego sobre el suelo, luego en la silla, uno frente al otro, con las piernas sobre los brazos de la silla y las manos de Tony en sus caderas. Él parecía haber disfrutado mucho con eso, aunque le había asegurado que con ella hasta la peor cosa resultaba maravillosa.

—Sir Anthony, se lo ruego. —La voz frenética de Hal cuchicheaba a través del ojo de la cerradura—. Ha venido un mensajero. Viene de parte de la reina.

Tony entró en tensión.

—¿Ahora? —susurró. Luego más alto dijo—: Que el mensajero se ponga cómodo. Voy a atenderle al instante.

Se hizo un silencio; luego oyeron a Hal alejarse arrastrando los pies.

—La reina debe de haber planeado interrumpir —dijo Tony.

—Tiene que ser una mujer celosa de verdad.

—Con motivos.

Rosie se lamió el dedo y luego se lo pasó a Tony por el labio inferior. Él succionó la punta dentro de su boca, y entonces ella citó—: *Mi amado es blanco y rubicundo, señalado entre diez mil. Su cabeza como oro finísimo...*

Tony comprendió la verdad y entrecerró los ojos.

—Vaya, pequeña sinvergüenza.

—*Sus cabellos crespos, negros como el cuervo..* —Le sonrió con insolencia—. Sólo que los tuyos son rubios como pinzones.

—Te estuve animando todo el rato con mimo, ayudándote a seguir, y tú no estabas leyendo. Tenías cada palabra memorizada.

Parecía sentirse insultado de verdad, de modo que Rosie dijo:

—Al principio sí me esforcé por leer las palabras, pero para sir Danny el Cantar de Salomón es una de sus partes favoritas de la Biblia. Le he oído recitándolo a cada damisela que ha cortejado.

Tony se puso en pie y se inclinó sobre ella:

—Tendré que castigarte.

Rodeándole el cuello con los brazos, Rosie preguntó llena de expectación:

—¿Cómo?

Levantándome y vistiéndome.

El ejemplo siguió a las palabras, y ella suspiró con decepción.

—Te lo mereces —dijo él cogiendo una de sus medias del candelabro y la otra de la estantería—. Por engañarme.

Sentándose, Rosie se rodeó las rodillas desnudas con los brazos:

—*Sus mejillas, como una era de especias aromáticas, como fragantes flores; sus labios, como lirios que destilan mirra fragante.*

—Tu adulación no te hará recuperar mi favor.

Sacó su chaleco de debajo del escritorio y el jubón de la vara que aguantaba un tapiz.

—*Sus manos, como anillos de oro engastados de jacintos; su cuerpo, como claro marfil cubierto de zafiros.*

Bajando la vista a su tripa plana, Tony declaró:

—Pero no hay zafiros en mi vientre.

—Pero un poco más abajo, algo se pone duro como el zafiro.

Él le tiró la camisola a la cabeza.

—Ponte la ropa, mujer, y no intentes tentarme.

Apartándose la camisola de la cara, continuó:

—*Sus piernas, como columnas de mármol fundadas sobre basas de oro fino; su aspecto como el Líbano, escogido como los cedros.*

Puesta en pie, se metió poco a poco la camisola.

Tony comprobó que tenía una erección digna de un semental, pero pasó por alto su estado. Impertérrito, encontró la falda y el corpiño de Rosie metidos debajo de una silla y se los tiró. Ella no estaba sorprendida; Tony podía parecer alguien vital y guapo, y poca cosa más, pero ella sabía con certeza hasta dónde llegaba su fidelidad. Acudiría junto a su reina cuando ésta le llamara, por su Majestad derramaría hasta su última gota de sangre.

¿Era su fidelidad a la reina más profunda que hacia ella? No lo sabía, ni quería saberlo. ¿Y la suya a sir Danny más profunda que hacia Tony? No lo sabía y no soportaría buscar la respuesta.

Mientras Tony levantaba la camisa del morillo de bronce, ella se percató de que tenía una manga hecha jirones. Había caído demasiado cerca del fuego y se había quemado.

Tony la miró. Ella a él. Rosie intentó contener la risa y lo logró, sí, pero cuando él la fulminó con la mirada se le escapó un resoplido. Se tapó la boca, pero fue demasiado tarde. Arrojando la camisa, Tony se enfundó el chaleco y el jubón, luego encontró las medias calzas bajo el extremo de la alfombra y se las puso.

Sosteniendo una de sus medias con la mano, echó un vistazo a su alrededor.

—¿Buscabas esto? —dijo Rosie y balanceó las ligas.

—Dámelas.

—Desde luego. —Puso una mueca—. Cuando vengas a cogerlas.

Tony entrecerró los ojos y la estudió.

—Ya veo que una tentadora me ha llevado por el mal camino. —Acercándose a ella con la destreza de un duelista, intentó arrebatarle las ligas, pero Rosie las escondió tras su espalda—. Una tentadora —repitió y la rodeó por la cintura. Sonriendo, la besó.

La besó hasta que su mente se ofuscó por una niebla tan densa como la del exterior. Retrocedió y entonces ella abrió los ojos.

—¿En paz? —preguntó Tony.

Cuando Rosie asintió, él le arrebató las ligas y se apartó. Recogió los zapatos de dos rincones diferentes de la habitación y la observó con recelo mientras acababa de vestirse.

—Llevas la ropa bastante arrugada —observó ella.

—Para el mensajero de la reina ya voy bastante bien —respondió. Una vez vestido del todo, se acercó a Rosie y le levantó la barbilla. Ella frunció la boca y cerró los ojos, pero él soltó una risita—. No, por esta mañana ya basta o tendré que hacer esperar a Su Majestad.

Haciendo un puchero, Rosie abrió los ojos.

—Entonces que espere.

Tony negó con la cabeza.

—Estaba furiosa cuando me ordenó marcharme de la corte. Si me manda un mensaje ahora sólo puede significar una cosa: necesita a alguien de confianza y lo necesita con desesperación. Ése soy yo, Rosie, y acudiré a ella al instante.

—Haz lo que debas, y yo te mando en cumplimiento de tu deber gustosamente —dijo Rosie—. Pero la reina te aprecia por algo más que la confianza que pueda depositar en ti, creo. No olvides regresar.

—¿Cómo puedo olvidarme? —Le acarició la mejilla y le retiró el pelo como si tuviera la necesidad de tocarla—. Tuvimos suerte la otra vez, pero en esta ocasión seguro que te has quedado embarazada de mí. Me hago responsable por completo de lo ocurrido en mi dormitorio, Rosie, pero reconozco una seducción cuando la veo, y anoche tú me sedujiste por completo.

—Te encontrabas en un estado debilitado —dijo ella con solemnidad.

Él retrocedió indignado.

—¿Débil? Qué carajo, un hombre tendría que estar castrado para no hacer caso de... —Vio el guiño de Rosie y le frotó con suavidad la barbilla—. Cuando nos casemos, prometo estar siempre así de débil. —Como ella no dijo nada, él replicó con ansiedad—. Debemos casarnos, y casarnos antes de mi marcha. ¿Darás tu conformidad?

Rosie pensó en su sueño de la infancia: emocionar a un público con risas y lágrimas. Pensó luego en su nuevo sueño: ser la propietaria de Odyssey Manor. Y finalmente, pensó en algo que nunca se había atrevido a soñar: tener una familia, un lugar donde echar raíces y un hombre junto a quien envejecer. Con Tony, ese sueño podría hacerse realidad, y en proporciones tan generosas que lo supo: podía considerarse afortunada. ¿Estaba embarazada de Tony? Confiaba en que sí. Rogó para que así fuera. Y de cualquier modo, se casaría con él.

Debía de haber leído su respuesta en su rostro, pues Tony la levantó y le dio una vuelta por los aires.

—Llamaré a Parson Selwyn de inmediato. Nos casaremos esta noche después de cenar, y me iré al amanecer. —Dejándola en el suelo, le besó las manos y se fue hacia la puerta—. Es un grandísimo honor. Y por el amor de Dios, mujer, cepíllate el pelo, pareces una buscona.

¿El pelo? Se tocó los mechones enredados. Estaba ahí medio desnuda ¿y a él le preocupaba que llevara el pelo como una buscona?

Abriendo la puerta tan sólo una rendija, Tony le lanzó un beso.

—¡Espera! —gritó ella recordando sus otras preocupaciones.

Con el aspecto de un peligroso criminal esperando sentencia, Tony volvió a meterse en la habitación.

—¿Sí?

—Cuando vayas a Londres, ¿me llevarás contigo?

—Si hay peligro, no, y sospecho que lo habrá.

—¿No existe peligro aquí donde las flechas vuelan por el aire y caen rocas del cielo?

—Sí, por eso pediré a mis hermanas que te lleven con ellas cuando se marchen.

Rosie tomó aire con gran consternación.

—¿Dejar Odyssey Manor e ir a un lugar extraño donde sir Danny no pueda encontrarme?

Una expresión extraña se cruzó por el rostro de Tony; casi pareció enfermar. No había tenido tacto, se percató Rosie, pero no quería irse de Odyssey Manor, no sin Tony…, por sir Danny y porque este lugar se había convertido en un refugio—. No conozco a nadie —titubeó.

—Conoces a Jean y a Ann, e imagino que lady Honora irá también. Conocerás a mi hermano y a su familia, y también a mi padre.

Aunque entendía la preocupación de Tony, no quería ir. No deseaba conocer a más gente desconocida, ni que la abandonaran otra vez.

—Estaré más tranquilo —dijo él— si vas.

—Deberías prometerme una cosa.

Él se relajó:

—Lo que sea.

—Debes prometer que encontrarás a sir Danny y velarás por su seguridad.

Algo cambió en él. Parecía concentrado, reservado, decidido:

—Ya había determinado hacer eso.

Rosie pensó que él quería decir algo más. Esperó vagamente ansiosa mientras Tony buscaba las palabras:

—Durante el breve tiempo en que lo he conocido, me he percatado del aprecio que sientes por sir Danny. Tienes el corazón de un león, Rosie, y si él corriera algún peligro, sé que acudirías en su rescate.

—En efecto, lo haría.

El fervor de Rosie pareció responder a una pregunta en la mente de Tony, y a continuación le dijo:

—Y yo no iba a hacer menos. —Brazos en jarras, se inclinó y le besó en la boca—. Lady Rosalyn, es un honor para mí que aceptes mi propuesta. Yo haré lo que esté en mi poder para merecerte, para que nuestra unión sea feliz. ¿Me crees?

A ella le gustó la manera en que medio levantó las manos como si quisiera acercarla de nuevo hacia él. Rosie deseaba borrar aquella expresión preocupada de su rostro. Quería convencerle de su amor, pero ¿cómo expresar amor? Sir Danny nunca le había dicho que la quería, aunque ella lo sabía. Los personajes de Tío Will expresaban su amor con elocuencia, pero de algún modo ella pensaba que debería ser original en su declaración. Se esforzó por dar con algo maravilloso que decir, pero para cuando encontró las palabras, él ya se había escabullido.

Se quedó mirando la puerta hasta que estuvo convencida de que no iba a regresar y entonces empleó las antiguas palabras que tanta gente había empleado antes que ella:

—*Su paladar, dulcísimo, y todo él codiciable. Tal es mi amado, tal es mi amigo, oh doncellas de Jerusalén.*

De modo que iba a casarse, iba a casarse con Tony. La mayoría de mujeres se sentirían jubilosas, pero ¿qué sabía del matrimonio alguien que hasta entonces había sido un actor itinerante? No estaba jubilosa sino preocupada.

Se rió en voz baja. ¿A quién iba a embaucar? Claro que estaba jubilosa. Cantando una balada desafinada y subida de tono, se puso su bata arrugada y empezó a buscar los zapatos y las medias. No aparecían, pero no eran los zapatos lo que le importaba. Había encontrado las medias de seda roja en uno de los viejos baúles que había explorado, y supo sin consultar a nadie que eran provocativas, que podían tentar a un hombre. Tal vez lady Sadler las había usado para atraer a lord Sadler. Quizás habían hecho el amor en ese mismo estudio.

Miró a su alrededor y se estremeció.

Daba mucho miedo pensar en personas que llevaban tiempo muertas haciendo el amor, tal vez haciendo un bebé... tal vez a ella.

Se estremeció otra vez. Medias de seda. Quería sus medias de seda. Eran artículos singulares; sin duda se habían quedado ocultas en algún lugar bajo los papeles esparcidos por el suelo. Con un suspiro, cogió una pila y los dejó sobre el escritorio. Luego otra pila, luego otra. Mientras continuaba ordenando, se entretuvo leyendo alguna palabra aquí, otra allí. Luego intentó leer frases enteras, luego cartas enteras.

La urgencia de la correspondencia fue lo que captó primero su interés. Aquí en Odyssey Manor, Tony parecía poco más que un ocioso caballero de campo, pero tenía pruebas de que era más que eso. Era el jefe de la Guardia de la Reina, y un hombre llamado Wart-Nose le mantenía al tanto constantemente de cualquier amenaza a la seguridad del reino.

Rosie reconoció muchos de los nombres de los alborotadores que recorrían las calles. El teatro atraía a ese tipo de gente.

Pero cuanto más ordenaba el despacho de Tony, más se topaba con los nombres de Essex y Southampton. Tony les había estado vigilando antes de que la compañía llegara a la finca, y sus esfuerzos se habían doblado tras su llegada, después de que sir Danny le hubiera contado lo que había oído, supuso. Leyó con avidez las cartas que incluían sus nombres, encontrando al principio difíciles las palabras. Su fascinación la ayudó a entender más y más deprisa.

Desde que ella había abandonado Londres, la situación se había desintegrado. La residencia Essex resultaba ser un imán para cualquier súbdito insatisfecho con Su Majestad, y animado por Southampton, el propio Essex despotricaba como un demente contra la reina.

A medida que las cartas llevaban fecha más reciente, leyó con más ansiedad. Buscaba un nombre específico, buscaba a sir Danny.

Y lo encontró… en la prisión de Newgate, condenado a muerte por traición a la reina.

No, debía de haber leído mal. Aún no leía bien; sir Danny no podía estar en la Torre. No podía estar condenado a muerte. Si algo terrible le hubiera pasado, Tony se lo habría dicho. No le ocultaría noticias de tal gravedad.

¿O sí?

Acercando el papel a la ventana, lo sostuvo próximo a su rostro y volvió a leer despacio. Bajó la carta y cerró los ojos.

Era cierto. Sir Danny había ido al palacio de Whitehall y había entregado una carta de recomendación de Tony, exigiendo hablar con la reina, pero los hombres de Essex se lo habían llevado. Con sus apaños políticos, Essex había conseguido que sir Danny fuera declarado traidor y condenado a muerte. Una forma eficaz —de hecho, la única— de acallarlo.

Con un gemido, Rosie cayó de rodillas, aplastando la carta como si con eso aplastara a los villanos que se lo habían llevado. Sir Danny iba a morir. Nadie podía salvarle ahora. Los torturadores de la prisión de Newgate eran famosos por cómo conseguían confesiones. Cerrando los ojos, dejó caer la carta y se agarró el estómago. Sir Danny era famoso por su miedo al dolor. Confesaría cualquier cosa y le colgarían... si tenía suerte.

Había visto cabezas de traidores pudriéndose en los pinchos del puente de Londres. Las había visto salpicando al caer al Támesis cuando soplaba el viento. Pero nunca había imaginado que su querido sir Danny, su honorable sir Danny... Volvió a gemir.

Como una niña que busca consuelo en el pecho de su madre, se arrastró hacia el escritorio buscando el hueco para las piernas. La silla de Tony estaba metida ahí, pero la apartó.

*Oscuro, cálido y protegido. Frotándose los brazos, escuchó. ¿Dónde estaba la voz profunda y amorosa? ¿Por qué había dejado de llamar a su Rosie? Lágrimas calientes caían de sus ojos quemando sus mejillas. ¿Le había perdido?*

—*Papá* —gimoteó—. *Por favor, papá, regresa.*

*Pero no regresó. Ni siquiera oía los ecos de sus palabras.*

*Era culpa suya que se hubiera marchado. Ella le había cogido algo. Algo que él estimaba mucho. ¿Qué era?*

*Cerrando los ojos, intentó recordar. Vio una mano infantil estirándose para coger un anillo reluciente, un anillo de oro muy especial. El preciado anillo de papá, decorado con dos es mayúsculas entrelazadas y una centelleante piedra roja incrustada. Vio los dedos regordetes, con el anillo decorándolos por turnos. Vio la sortija desplazándose de arriba abajo, demasiado grande para sus dedos, y vio la mano de la pequeña agarrándolo con firmeza.*

*En la oscuridad, bajo el escritorio se encontraba su escondite. Allí guardaba ella sus posesiones estimadas. Sabía que su padre no quería que sacara este anillo especial. Aunque le había advertido que nunca lo tocara, no le importaba que lo guardara mientras él se iba a Londres para visitar a la reina.*

Rosie abrió de golpe los ojos. Su escondite secreto. Miró su mano de adulta estirándose y palpando entre las tallas ornadas y los tirado-res. Cayó polvo al suelo mientras buscaba, sin saber en verdad detrás de qué andaba y sin creer que se encontrara ahí.

Pero estaba. Sus dedos tocaron una forma suelta, fría y redonda, y con cuidado la extrajo de su posición protegida. Rosie salió del hueco del escritorio y, acercando el objeto a su rostro, lo miró.

Sostenía un sello de oro, grabado con dos es mayúsculas en relieve y con un rubí incrustado de color rojo sangre.

Ella era lady Rosalyn Bellot, hija del conde de Sadler. Era la here-dera de Odissey Manor.

¿De verdad lo había dudado? Rodeó con el puño el anillo y se lo acercó al corazón. Sí, recordaba la casa, las tierras, los criados. Tam-bién a Hal y su traición. Lo recordaba todo.

¿Alguna vez había dudado realmente de que lord Sadler fuera su padre? ¿Que él era el hombre cuya voz le hablaba en sueños?

La niña Rosalyn se había llevado el anillo porque era de su padre, porque lo adoraba todo en él. Y cuando lord Sadler quiso que lo de-volviera, estaba demasiado asustada y avergonzada como para admitir que lo tenía. Luego él había muerto y la niña se había sentido culpable. Como el anillo, el conocimiento de su muerte y su propia culpabilidad quedó guardado y permaneció escondido sin ser aceptado.

Otro hombre había entrado en la vida de Rosalyn, diferente a su verdadero padre en riqueza y posición, no obstante tan parecido en su capacidad de amar que ella le había transferido su afecto. Su pri-mer «papi» se había convertido en un cuerpo sin vida que sólo cami-naba por los pasillos a medianoche. Ahora, si no rescataba a sir Dan-ny, sucedería lo mismo con su segundo padre.

Era culpa de Tony. Todo era culpa de Tony. ¿Por qué no había acudido raudo a rescatar a sir Danny? Se limpió la nariz con la manga. En este mismo instante los torturadores de Newgate podrían estar es-tirándole sobre el potro de tortura mientras ella se encontraba aquí por desconocimiento. ¿Por qué Tony no le había explicado el encarce-lamiento de sir Danny para que pudiera correr en su ayuda? ¿Por qué...?

Se rió, una risa amarga e infeliz.

Por supuesto. Sabía por qué no se lo había dicho. Porque correría rauda a ayudar a sir Danny. Ya no era un mozalbete, ya no podía deambular por los caminos y pelear por una causa. Era una mujer. No, peor aún, era una dama de la nobleza, que no servía para otra cosa que criar hijos y coser.

¿Por qué Tony no le había revelado la información? Caramba, pues para protegerla, de algo que él sabía que haría.

Cogiendo del suelo la carta arrugada, la alisó y volvió a leerla. Llevaba fecha de ayer. Tony recibía un paquete de Londres cada mañana, y ésta venía de allí. Esto explicaba su semblante serio mientras juraba encontrar a sir Danny y mantenerlo con vida. Esto explicaba su ansiedad por alejarla de Londres a toda costa.

Pero nada podía justificar el engaño. Y Rosie no tenía manera de explicar su necesidad, sólo sabía que no podía iniciar una nueva vida, un nuevo amor, si perdía al hombre que consideraba su padre... una vez más.

Con movimientos rápidos y fluidos, se sujetó el anillo al cuello con la cinta del pelo. Tras abrir la puerta, salió y fue en busca del baúl en el que guardaba las ropas de muchacho.

Ya la habían protegido bastante tiempo.


—Sir Anthony, ha llegado el párroco Selwyn.

Tony se volvió y dejó de contemplar la mesa repleta del comedor para ir a saludar al clérigo.

—Ah, Parson, qué bien que haya venido pese a lo repentino del aviso.

—Es un placer, sir Anthony, ponerme a su servicio. —El hombrecillo se quitó la capa y se la tendió a Hal sin mirar siquiera—. Aunque me ha llenado de asombro la petición de casarse con lady Rosalyn Bellot esta misma noche.

—Una petición imprevista —reconoció Tony. Observó a Hal manejando la capa con dedos temblorosos y aspecto de no haber visto en su vida una prenda así—. Pero no inesperada del todo.

El párroco Selwyn dobló las manos sobre su prominente vientre y alzó la nariz. Hijo menor de una familia noble de posición inferior, era obvio que le resultaba doloroso servir al hijo bastardo de un conde.

—No del todo, pero como su clérigo debo aconsejarle antes de proceder a un oficio de este tipo. Una ceremonia tan indecorosa no corresponde al señor de Odyssey Manor.

Mientras el hombre no olvidara hablar con cortesía, la opinión del párroco Selwyn poco le importaba a Tony. Lo que le preocupaba era Hal. Arrugando la capa hasta formar una bola, la colocó en la parte más repleta de la mesa, en medio de una fuente de pastelillos de cordero dorados al horno. Tenía los hombros hundidos y el rostro arrugado y demacrado de angustia. Como si fuera un hombre perseguido, no paraba de dirigir miradas a su espalda. Qué desastre le tenía tan afligido, se preguntaba Tony.

Haciendo caso omiso de la angustia de Hal o de la preocupación de Tony, el párroco Selwyn seguía parloteando:

—Por si no lo recuerda, sir Anthony, uno de mis sermones dominicales hacía referencia a las adversidades del matrimonio rápido y sus consecuencias.

Hal soltó un gemido y, bajo la mirada de Tony, se encogió como una babosa expuesta a un sulfato cáustico.

El párroco continuó sin cambiar el tono:

—Lady Rosalyn es la hija de Edward Bellot, conde de Sadler, una casa noble de ascendencia impecable, y cuando Su Majestad descubra la existencia de lady Rosalyn, podría desear una unión diferente para ella.

¿Estaba a punto de desplomarse Hal? Tony tendió su palma y se fue andando hacia el administrador.

Envalentonado por la falta de atención de Tony, el párroco Selwyn se balanceó hacia delante y hacia atrás sobre los tacones y continuó con tono severo:

—Aunque sea un tema sensible, creo que debo hablar con libertad. Es un hijo ilegítimo y como tal está condenado por el Todopoderoso a una unión inferior...

—¿Qué?

Tony se giró en redondo y fulminó con la mirada al párroco.

—Estaba diciendo —el párroco frunció el ceño, el bastón de la autosuficiencia mantenía su exaltación— que es un hijo ilegitimo y ya que lady Rosalyn puede remontar sus ancestros hasta el Conquistador, sería inapropiado...

—Que acabe la frase.

El clérigo bajó la punta altiva de su nariz. Tony se quedó erguido y quieto, con una mano en la espada y otra en la daga, y la voluntad de usarlas para marcarle la frente. El párroco Selwyn palideció.

—No quería faltarle al respeto, sir Anthony.

—Si no le necesitara para celebrar la ceremonia y hacerlo ahora, mi buen hombre, no vería el próximo amanecer.

Tony se fue a zancadas hacia el párroco Selwyn con intención asesina mientras el clérigo retrocedía con la rapidez de un cobarde.

—Sir Anthony, simplemente intento cumplir con mi deber como abogado del diablo. —El párroco Selwyn puso una silla entre él y Tony—. No quiero que se sienta sorprendido cuando otros digan lo que yo he manifestado ahora. —Se deslizó tras la mesa repleta de viandas para la cena—. Es triste, pero es cierto, esta unión puede aparentar un matrimonio impuesto a lady Rosalyn por un hombre que la retiene cautiva.

Tony dejó de acosar al diminuto y absurdo hombre. Era cierto. Otros podrían alegar que había obligado a Rosie a convertirse en su esposa. Era cierto. Había decidido casarse con ella al descubrir su herencia, y lo habría hecho aunque tuviera un centenar de años. Era cierto. Si Rosie tuviera ocasión de llevar a la corte los frutos de su herencia, podría encontrar un hombre mejor a quien amar.

Pero nunca encontraría un hombre que pudiera amarla mejor.

Esta noche la señora Child había preparado lo que le había pedido. Todos los platos favoritos de Rosie estaban representados en esta cena suntuosa. Ave silvestre y venado cocinado al vapor con caldos suculentos. El olor penetrante del pan de trigo calentaba el aire, y las conservas y mermeladas esperaban a ser servidas a continuación. La cúspide de esta obra de arte de la cocinera era el arco iris de jaleas que relumbraban mezcladas con una variedad de flores y hierbas aromáticas y se conformaban representando el contorno de la propia casa solariega.

Era una cena nupcial para no olvidar.

Convertiría la noche nupcial en una velada inolvidable. Cada día de sus vidas serían recuerdos preciados. Ella nunca lamentaría haberse casado con él.

Ojalá la reina no hubiera escogido este momento para convocarle, justo cuando necesitaba rescatar a sir Danny. Su carta era vaga: un perdón gracioso de su insolencia anterior, una invitación para acudir a la corte y celebrar las Navidades en Whitehall, y una mención casual de que continuaba en el puesto como jefe de la Guardia de la Reina. El futuro de su buena suerte venía con la carta, pero, aún más importante, bajo la apariencia de cordialidad había un hilo entretejido, tirante a causa de la tensión. Algo preocupaba a la reina, y era lo bastante serio como para perdonar a Tony su desfachatez para con Essex. Aunque la reina era mayor, el respeto que él profesaba a su mente aguda era total. Si percibía algún peligro, si sospechaba la rebelión de Essex, entonces el jefe de su guardia acudiría volando a su lado.

Pero sin Rosie. Sin su novia.

Con deseos de verla, con deseos de casarse con ella, gritó:

—¡Hal! —Nadie le respondió, y se percató de que Hal se había escabullido—. Hal —volvió a llamarle, dirigiéndose hacia la puerta a buen paso y saliendo al pasillo.

Su mirada encontró una extraña escena. Hal y todos los criados se encontraban inmóviles como estatuas de piedra. Sus hermanas estaban sentadas ante el fuego, también inmóviles por el mismo hechizo que tenía embelesados a sus sirvientes. Nadie se movía, nadie miraba en su dirección, y el frío de un presentimiento descendió por su columna.

—¿Qué sucede? —preguntó.

Nadie respondió.

Se acercó a sus hermanas.

—¿Ann? ¿Jean? ¿Qué sucede?

Ann apartó la cabeza. Jean le miró, luego se miró las puntas de las pantuflas bajo su falda.

Girándose en redondo, inspeccionó la habitación:

—¿Rosie?

Jean habló con voz ronca:

—Se ha ido.

—¿Ido? ¿A dónde?

Jean sacudió la cabeza.

—Se ha ido sin más.

Esperó a que alguien le dijera que era una broma.

—No puede haberse ido.

—Ha hecho las maletas.

—Imposible. —Se dirigió hacia la majestuosa escalera, moviéndose con suma rapidez, pero de todos modos no lo bastante rápido. Abriendo de par en par la puerta de su dormitorio, entró de un brinco—. ¿Rosie?

Sus vestidos estaban dispuestos con pulcritud sobre la cama, pero en medio de la habitación el baúl abierto mostraba el contenido restante. Se arrodilló y revolvió en el interior, descubriendo las ropas de muchacho. Sabía lo que significaba, pero se negaba de todos modos a creer la verdad. Recordó la noche anterior, la mañana siguiente, la promesa esplendorosa y entusiasta de casarse con él.

No podía haberse ido.

Lady Honora, vapuleada y con moratones, salió de su habitación para apoyarse en el marco de la puerta. Le observó con el ojo bueno.

—Se ha ido.

—Alguien la ha secuestrado —declaró él. Absurdo, lo sabía, pero no soportaba admitir que Rosie le había seducido, le había mentido, se había llevado su semen con muestras de alegría y luego le había abandonado.

—Nadie la ha secuestrado. —Lady Honora enunció las palabras con cuidado—. No es más que una actriz, cortada según el mismo patrón que sir Danny. Juró mandarme noticias de sus viajes y no las he tenido. Te está tratando como él a mí.

—¿Sir Danny? —Tony se puso en pie mientras la idea se cruzaba por su mente—. ¡Sir Danny!

Se apresuró hasta la puerta e intentó rodear a lady Honora, pero ella le cogió por el brazo.

—¿Qué pasa con sir Danny?

Tony se soltó y, dada su debilidad, ella le dejó, pero le siguió con lentitud mientras él corría escaleras abajo hasta su despacho. Una sola mirada reveló que sus papeles volvían a encontrarse ordenados en pilas sobre su escritorio: leídos tal vez por una mujer desesperada por recibir noticias de Londres y de su padre.

Buscó con frenesí la carta que sabía que debía estar ahí. No la encontró por ningún lado.

—¿Qué estás buscando?

Lady Honora había llegado por fin a su despacho. Su debilidad no disminuía su presencia formidable.

—Una carta.

—¿Con noticias de sir Danny?

No contestó, pero ella lo tomó por una respuesta afirmativa.

—¿Qué ha hecho? —preguntó—. ¿Está muerto?

—Muerto, no. Aún no.

—¿Corre peligro? —La angustia inundó el rostro de lady Honora—. ¡Dios mío, tengo que acudir a su lado!

Los cortes y moratones relucían sobre la gama pálida del rostro de la mujer, y Tony gritó:

—¿Nadie confía en que yo pueda ocuparme de esto? Voy a encargarme de este asunto. Yo cuidaré de él, confíe en mí. —Acercándose a lady Honora, le cogió las manos y las encontró temblorosas. Con más amabilidad, le dijo—: Confíe en mí. No puede ir a Londres en su estado, apenas se aguanta en pie. Prometo que rogaré a la reina. Sobornaré a los carceleros.

—¿Se encuentra en la Torre?

—En la prisión de Newgate con el resto de presos comunes. —Tomó aliento—. Debe comprender que haré todo lo que esté en mi mano para conseguir la liberación de sir Danny.

Ella estudió su rostro buscando confianza.

—Sí, sé que lo harás. —Tambaleante, se fue hasta una silla y se sentó—. ¿Es esto lo que buscas?

Había un papel arrugado junto a la ventana. Con un grito, Tony saltó para cogerlo. Lo alisó con manos temblorosas y vio lo que se temía. La comunicación que transmitía las noticias de la captura de sir Danny, y las manchas de lágrimas emborronando la tinta.

Sí, Rosie se había ido. Se había marchado a Londres para rescatar a sir Danny. Lo había hecho porque creía que él la había traicionado al no darle a conocer las noticias. Nunca le perdonaría haberse preocupado por su seguridad.

—¡Rosie!

La angustia de su grito resonó a través de la habitación y se elevó hacia el cielo, y en la carretera oscura que se alejaba sinuosa de Odyssey Manor, Rosie oyó su eco.

Bajo el jubón relleno, el sello de oro de su padre colgaba de la cinta que rodeaba su cuello. Temblando de frío y de miedo a la noche, lo apartó de su sitio, junto a su seno, y lo sostuvo en la mano.

Lo recordaba todo ahora. El estudio, la casa, los terrenos, Hal... Hal. Ahora entendía su dedicación a la finca, el sobrecogimiento y temor que desprendía cuando la miraba. Ella tendría que contar el crimen del administrador. Pero agarró el anillo con fuerza y los bordes afilados se clavaron en su palma, recordándole su propia vergüenza. ¿Cómo podía destruir a otro prisionero del Purgatorio cuando ella misma comprendía demasiado bien la culpa miserable que obsesionaba los ojos hundidos de Hal?

Aquellos pensamientos hicieron que tropezara con los baches de la carretera, ocultos por la noche. Le hicieron desear volver a la casa, pero al mismo tiempo la impulsaron hacia delante. Culpabilidad auténtica por esconder el anillo, culpabilidad imaginada por la muerte de su padre, culpabilidad por dejar a Tony. Sí, sabía que había arrojado a Tony a una vorágine de rabia y dolor. Se valoraba a sí misma y él la valoraba también. No la quería sólo por su propiedad, eso lo sabía, pero un hombre como Tony siempre podría encontrar otra mujer. Alguien como Tony sólo tenía que mover un meñique para que las mujeres acudieran a él como moscas a la miel.

Pero sospechaba que la necesidad de Tony de reclamar su hijo trascendía cualquier otra. El hijo que probablemente llevaba en su vientre, el hijo que ella le arrebataba con cada paso que daba.

¿Cómo reaccionaría cuando se percatara de que se había ido? ¿Iría en su busca o respondería a la llamada de la reina? Creía que él entendería el derrotero que seguía su mente igual que ella entendía el suyo, y que la buscaría en Londres mientras cumplía con su deber para con la reina y la nación.

Y eso sería también un desastre. Él necesitaba concentrar toda su mente en el asunto de la reina. ¿Conservaría la confianza del mejor espadachín de Inglaterra, manteniendo aun así la cautela de un hombre tan letal con la espada?

Como respuesta a sus preguntas, oyó el trueno de los cascos de un caballo tras ella. Era Tony. Lo sabía, era Tony, y corrió hacia la espesura que había más adelante. Justo a tiempo. Mientras saltaba para meterse entre los arbustos, notó en la marga debajo de ella el temblor de los cascos aproximándose. Se arrojó de cabeza al suelo y agarró la hierba resistente. Tuvo que asirse con fuerza, pues cuando el caballo y su jinete se acercaron a la espesura su paso rápido se ralentizó. Volvió la cabeza y vio la silueta de Tony contra el horizonte iluminado por la luna.

—¡Rosie! —llamaba él—. Te lo ruego, Rosie, no vayas sola. Ven aquí. Te juro que te llevaré conmigo. Te lo juro. —Su voz se quebró, y espoleó al caballo para que siguiera—. ¡Rosie! —llamó otra vez.

Ella se frotó la frente contra la tierra fría, intentando convencerse de que hacía lo correcto. Sir Danny la necesitaba. Tony sólo intentaría protegerla y de esa manera se pondría en peligro, se entrometería en su camino. Ella no quería ser un ornamento en la cadena de Tony. Necesitaba encontrarse en medio de la acción, y Tony —maldición, maldición— la había traicionado al mantener en secreto el encarcelamiento de sir Danny. Le odiaba por ello y al mismo tiempo entendía por qué lo había hecho, y deseó no tener que ser valiente y fuerte, no tener que derrotar la oscuridad y los fantasmas que la acechaban ahí.

Aguantando la cabeza contra el suelo, escuchó la vibración de los cascos desvaneciéndose, luego se incorporó sobre las manos y las rodillas. Escudriñando las formas vagas del bosque, pensó que no recordaba aquel árbol plantado tan cerca de su nariz. Al alzar la vista se percató de que aquella presencia enorme no se extendía hacia el cielo sino que no superaba la altura de un hombre. Con un chillido, se cayó hacia atrás.

Ludovic dijo:

—Por fin has venido a mi encuentro.

## II

Esto es obrar bien y como convenía a una princesa
descendiente de tantos reyes soberanos.
ANTONIO Y CLEOPATRA, V, ii

# Capítulo 20

*N*o consentiré que me quiten la muela. —La reina Isabel aporreaba una melodía en su virginal, demasiado aquejada de dolores como para tocar el instrumento con su destreza habitual—. No tiene problema alguno. Estoy sana como un caballo de batalla inglés.

Tony intercambió unas miradas con Robert Cecil, secretario de estado, y fue consciente una vez más de cómo se alegraba de no ocupar su puesto. Como consejero de Isabel, Cecil disfrutaba de una posición de poder, gloria y riqueza; por desgracia, el puesto incluía la tarea de convencer a la reina de que había que extraer una de sus muelas cariadas. Un trabajo ingrato, que nadie se atrevía a realizar. En los confines de la antecámara de la reina, Cecil tenía que soportar los embates del malestar real. No obstante, habló sin vacilar:

—El sacamuelas dice que puede revestir la pieza de fenogreco y entonces se caerá.

—¡Excelente!

Su rostro delgado y alargado acentuaba la hinchazón. Apretó los labios delgados como si ocultar el problema sirviera para vencerlo.

—Pero eso podría provocar también la caída de la pieza contigua.

Los ojos hundidos de la reina lucían unas marcadas ojeras, pues hacía dos noches que el dolor de muelas no le permitía dormir, pero centellearon con vibrante desagrado real, y Tony deseó no encontrarse presente. Pero desde su llegada a Londres, Isabel le quería cerca de ella. Él había rogado sin resultados que pusiera en su conocimiento las inquietudes que habían reclamado su presencia. Ella declaraba imperiosamente que él era el jefe de su Guardia, y como tal debía custodiarla.

—¿Qué he hecho para merecer estas pruebas? —gritó enfurruñada—. Empleo con diligencia los paños dentales, pero de poco sirven, aún así padezco este dolor.

Tony la contempló con un ceño marcado por la seriedad.

—Creo, Su Majestad, que los dioses temen su perfección.

La voz estridente de la soberana se volvió más profunda y suave.

—¿Por qué parloteas sobre perfección?

—Cuando la miro, veo perfección. Sus manos largas, su piel blanca, la belleza de sus ojos, el agudo ingenio de su mente. Temo que los dioses quieran castigarla por atreverse a ser una mujer con dones tan extraordinarios.

La reina Isabel se tiró del cuello de encaje, esforzándose por mostrar modestia mientras reconocía la verdad de los sentimientos de Tony. Robert Cecil dio las gracias a Tony con un ademán de cabeza, aunque ambos sabían que los dientes ennegrecidos de la reina debían más a su afición por los dulces que al desagrado de los dioses.

Ciñéndose todavía más la capa a su cuerpo encorvado, Cecil volvió al ataque.

—Su Majestad, ya le han sacado una muela antes.

—No me gustó. —La reina miró detenidamente a los dos hombres—. La última vez el arzobispo de Londres dejó que le sacaran una muela para demostrarme que no dolía.

Tony y Robert Cecil cerraron la boca de golpe y se quedaron callados. Satisfecha de haber silenciado a sus dos torturadores, la reina Isabel volvió al virginal, eligiendo en esta ocasión una melodía lastimera y evocadora.

¿Lamentaba haber llamado a Tony para que viniera desde Odyssey Manor? Él no lo creía, era el arma que se reservaba y mantenía oculta hasta el momento de usarla. Se negaba a hablar con él de Essex, pues todavía sentía afecto por el guapo hombre. Ella creía, no sin razón, tal como admitía el propio Tony, que él despreciaba a Essex y deseaba su caída. Cualquier mención por su parte de la perfidia de Essex, por mucho tacto con que la hiciera, ella se la tomaba como una crítica a la insensatez de la reina en el pasado.

Pero necesitaba con desesperación hablar con Su Majestad de sir Danny, y ella con astucia evadía cualquier intentona. Tony había permanecido a su lado durante todas las Navidades y la Noche de Reyes, engatusándola y jugando a cartas con ella, buscando a Rosie cada vez que tenía una oportunidad. Entretanto, el querido padre de Rosie había permanecido sufriendo en prisión.

Sir Danny no había muerto... todavía. El frío invernal era intenso incluso en el palacio de Whitehall, y Tony se encogía sólo de pensar en el frío húmedo de la prisión calando en los huesos de sir Danny. Peor aún, pese a toda su gallardía, sir Danny no sabría mantenerse inmune a las torturas de pericia exquisita. Tony había hecho cuanto podía con generosos sobornos, pero cada día despertaba temiendo oír las noticias... las noticias de que sir Danny había muerto.

Y si eso pasara, él nunca recuperaría a Rosie. Había intentado encontrarla, pero ella había regresado al mundo de los actores de Londres sin dejar rastro. Tenía contactos suficientes como para pasar desapercibida y había decidido hacerlo así.

Si él consiguiera rescatar a sir Danny, Rosie regresaría a su lado. Era una garantía de su felicidad futura, pero la desesperación le hacía perder el aplomo.

—Su Majestad, la muela le duele. Desprende efluvios que intoxican su sangre, por consiguiente debe extraérsela, igual que el conde de Essex le provoca dolor y debe extirparlo.

La melodía concluyó con un acorde inarmónico, y Robert Cecil tosió consternado. A Tony nunca antes le había faltado tacto, y la reina pareció percatarse al mismo tiempo que Cecil.

—Sé bien qué es lo que me provoca dolor, mi querido Tony. Y bien, ¿qué es lo que te duele a ti?

—El corazón, señora, por la injusticia que se comete en su reino. En este mismo instante uno de sus súbditos más leales se halla en la prisión de Newgate, acusado de traición por el conde de Essex.

—¿Se ha vuelto loco? —murmuró Cecil.

Tony no le hizo caso.

—Su súbdito acudió a mí, al jefe de la Guardia de la Reina, con información referente a las actividades conspirativas de Essex y Southampton. Lo envié a verla con una carta, recomendándole que escuchara lo que el hombre tenía que contar, y antes de tener ocasión de llegar a usted, Essex lo interceptó acusándole de traidor y ordenando su encarcelamiento.

La reina Isabel se levantó de golpe de la banqueta almohadillada.

—Ya sé todo eso. ¿Crees que Essex dirige este país?

—Eso jamás se me ha pasado por la mente, señora.

—Tienes celos de él.

—Sólo quiero saber por qué no prestó atención a mi carta.

Cogiendo con ambas manos el jubón de Tony, le acercó el rostro hacia el suyo:

—¿Me exiges respuestas?

Podía ser una mujer, podía ser mayor, pero era la reina. Su reina. Pero esta vez ella se equivocaba.

—¿Llegó a ver mi carta, Majestad?

—¿Exiges respuesta a tu reina?

—Mi carta decía que...

Isabel le atizó en las orejas.

No le atizaban así desde que Jean lo había hecho siendo un niño. Tenía ganas de bramar y gritar, pero se limitó a sonreír con todo su encanto y determinación.

—Si no me escucha a mí, tal vez quiera escuchar a su súbdito.

—Mi súbdito. ¡Un actor! ¿Crees que no sé nada de ese actor? —Sus nudillos se volvieron de un blanco óseo cuando cerró los puños con fuerza—. Sir Daniel Plympton es su nombre, y confesó ser un alborotador antes incluso de que el torturador empezara a hacer su trabajo.

—Teme el dolor y por tanto es cobarde. No obstante, se atrevió a regresar a Londres pese a estar amenazado de muerte por Essex, y lo hizo por amor a Su Majestad y por la paz del reino. Acudió como un tigre y usted lo encarceló como si fuera un gatito. ¿Y por qué? Porque

Essex así lo quería. Porque Su Majestad ha preferido apaciguar a ese niño mimado, guapito de cara y zalamero.

La reina volvió a atizarle en las orejas.

—Podrías aprender de él.

—¿A traicionar a mi reina? Lo dudo mucho.

Ella volvió a atizarle. Y luego otra vez. Él se estremeció de dolor, pues tenía un brazo fuerte y mal genio, pero no iba a levantar la mano a su reina, como Essex había hecho cuando le trataba con una falta de respeto similar. Tony confiaba en que ella lo recordara y comparara. Confiaba en que siguiera fiel al instinto que había protegido el reino durante cuarenta y dos años de soberanía.

Pero no daba muestras de aquel criterio, o al menos Tony no fue capaz de verlo.

—¡Largo! —gritó—. Fuera de mi vista, y no regreses.

Tony hizo una inclinación.

—Sir Danny Plympton morirá feliz si sabe que ha logrado ayudar al capitán de esta nave que llamamos Inglaterra a seguir un rumbo seguro a través de estos bancos de arena. Es su más ferviente admirador.

Cogiendo un orinal de esmalte, Isabel gritó:

—¡Fuera!

Tony hizo otra inclinación y retrocedió hacia la puerta.

—Tráigalo ante su presencia. Escuche lo que tenga que decir. Se lo ruego, señora. Escuche sus palabras.

La reina dejó volar el orinal en el momento en que él cerraba la puerta, y el recipiente se estrelló contra el punto donde había estado su cabeza.

—Embaucador insolente —bramó Su Majestad—. ¿Cómo se atreve a hablarme de esa manera?

Inclinándose y tambaleándose como un cristiano enfrentándose a una leona rugiente, sir Robert Cecil declaró:

—Sir Anthony Rycliffe es un necio insolente.

—¿Necio? ¿Necio? —La reina Isabel agarró un jarrón y lo arrojó contra la cabeza de Cecil. Éste no supo esquivarlo tan bien como Tony y recibió el golpe en el pecho—. Sir Anthony Rycliffe no es ningún necio.

—No, mi señora, es un bribón.

Con su indignación calmada temporalmente, se hundió en una pila de cojines arreglados para su comodidad.

—Sí, es un bribón.

—Un truhán —sugirió Cecil.

—Un truhán, no.

Agotada por aquel berrinche, la reina cerró los ojos.

—Señora, ¿debo llamar a sus damas de compañía?

—No. —Agitó una mano con debilidad—. Llama al sacamuelas.

Cecil hizo una inclinación, aunque ella no podía verle, y se apresuró a retirarse hacia la puerta. Mientras la abría, Isabel dijo:

—Y, ¿Cecil?

—¿Sí, Su Majestad?

—Tráigame a sir Danny Plympton. De inmediato. Tengo unas preguntas que hacerle.


Los Hombres de lord Chamberlain y los miembros de la *troupe* de sir Danny compartían risas y riñas mientras bebían hasta acabar la noche en la taberna Cross Keys de la calle Gracechurch. Aquel era su sitio, siempre había sido su lugar de encuentro, igual que los Hombres de la la Reina se reunían en el Bull de la calle Bishopgate y los Hombres del conde de Worcester se juntaban en el Boar's Head de Whitechapel. Cuando el invierno se volvía demasiado riguroso como para representar las obras en el teatro Globe, de techo abierto, solían representarlas en esta posada. Al posadero le parecía un buen gancho para atraer clientela y por otro lado los actores se comportaban de forma apropiada casi todo el tiempo.

Pero ahora permanecía atento mientras los comediantes debatían el suceso más escandaloso de la historia del teatro.

Lady Rosalyn Bellot quería actuar con los Hombres de lord Chamberlain y ante la reina, ni más ni menos.

Richard Burbage, primer actor de los Hombres de lord Chamberlain, observaba con pesimismo el fondo de su jarra de cerveza.

—Rosencrantz ahora es una mujer, según dicen.

—Sí, ahora es una mujer. —Cedric Lambeth, bufón de la compañía de sir Danny sacó el pífano de un bolsillo interior del jubón e interpretó una melodía que alternaba lo profundo y masculino con lo agudo y femenino, más una confusión de notas en medio—. La vimos, yo y los chicos de sir Danny, y es una mujer. Sir Anthony Rycliffe supo que era una mujer desde el momento en que le echó el ojo, creo. Pero, por supuesto, para eso es el mejor amante de toda Inglaterra.

Dickie Justin McBride, el apuesto actor y el tormento de Rosie durante su infancia, interrumpió un trago:

—¿Y eso quién lo dice?

Cedric arrugó la frente.

—Creo que fue él quien me lo dijo.

Una carcajada de los hombres sentados en los bancos le hizo dar una voltereta. Se incorporó con una mueca en la cara.

Richard Burbage gritó:

—Sir Anthony suena a un hombre con la mente en el braguero..., que por cierto es el lugar que le corresponde.

Acabando la bebida, Dickie dejó la jarra en la mesa con fuerza.

—Sir Anthony puede ser un bastardo fanfarrón, pero es el jefe de la Guardia de la Reina. ¿Qué dirá si permitimos que su mujer haga de Ofelia? Y no sólo que interprete el papel, sino que además lo haga ante Su Majestad.

El júbilo se desvaneció, luego una voz habló, tímida e insegura, desde la parte posterior.

—No es que sea la primera vez que interpreta ese papel.

—Sí, pero antes no lo sabíamos —dijo John Barnstaple, de la *troupe* de sir Danny, que quiso excusar las acciones anteriores de su compañía.

—¿Crees que los matones de los Puritanos tendrán en cuenta nuestra ignorancia si algún día lo descubren? —Dickie se subió de un brinco a la mesa de tablones y la recorrió de un extremo al otro haciendo temblar todas las jarras. Los hombres agarraron sus bebidas a su paso y, entre risotadas, le gritaron que se bajara. En vez de eso, hizo girar su capa corta y proyectó su voz—: Ésta es la infracción que estaban esperando. Llevan tiempo diciendo que el teatro es el almacén del pecado de toda Inglaterra. Si descubren que una mujer va a interpretar papeles de mujer, dirán que eso demuestra nuestra perversión. —Miró a los ojos a cada uno de los hombres mientras recorría la mesa—. Y desde luego sería verdad.

La voz del fondo sonó curiosa.

—¿Por qué es tan atroz que una mujer haga el papel de mujer?

Richard Burbage miró hacia las sombras y dijo con congoja:

—No seas bobo, hombre. No está bien visto.

—Nos ha dejado en ridículo durante años. —Alleyn Brewer, el principal rival de Rosie para interpretar los papeles femeninos se subió a un cubo ante el fuego y agitó la jarra de cerveza—. ¿Por qué vamos a ayudarle ahora a dejar en ridículo a la reina?

—¿Hemos hecho el ridículo? —Cedric se subió a un cubo detrás de Alleyn haciendo una imitación del joven afeminado—. Pues a mí no me ha ridiculizado, yo me ridiculizo a mí mismo, y estoy seguro de que aquí los presentes se jactarán de mi afirmación. —Alleyn se giró en redondo y le fulminó con la mirada, y Cedric añadió en tono apaciguador—: Excepto tú, por supuesto, Alleyn.

Los actores apoyados en las mesas del bar no intentaron disimular su júbilo cuando habló Alleyn.

—Si la reina descubre que el papel de Ofelia lo interpreta una mujer, lo perderemos todo. Nuestro patrocinador, nuestro teatro y nuestro sustento.

—Si Rosie no hace de Ofelia, perderemos al hombre que guió nuestros pasos vacilantes por el camino de la representación. —Cedric saltó del cubo y empezó a corretear imitando el difícil viaje de un actor.

Dickie soltó un resoplido.

—Pero ¿qué puede hacer Rosie por sir Danny?

—Ella interpretará a Ofelia y la reina Isabel se enternecerá tanto que le concederá un favor. —La débil voz habló desde las sombras del fondo—. Rosie pedirá salvar la vida de sir Danny, y así se salvará.

Se oyó un murmullo de voces acompañando los gestos de asentimiento que todo el mundo hacía satisfecho con esta predicción del futuro. Todo el mundo excepto Dickie.

—¿Y Rosie conseguirá eso? ¿Rosie? ¿La misma Rosie que es una negada para la interpretación? —Dickie se agarró las costillas—. Ja, ja, ja.

Se hizo un silencio en la habitación. Las miradas iban de un lado a otro, se encontraban y se evitaban. Nadie quería admitir la verdad, pero Cedric animó la discusión.

—¿De modo que por miedo al cepo, vamos a escabullirnos como ratas devoradoras de comadrejas y dejar morir a sir Danny? —Escupió al fuego que siseó con una llamarada amarilla—. Sois como criaturas, lloronas y encogidas de consternación ante el primer atisbo de peligro.

Dickie volcó una jarra, salpicándose los zapatos.

—Soy un hombre prudente. Sé que cuando vamos a Newgate y damos dinero para que den de comer a sir Danny y le pongan mantas, los carceleros, ese montón de hijos de perra codiciosos donde los haya, se niegan a aceptar el dinero; sé que a sir Danny lo ha trincado un gran señor, y nos estamos marcando al intentar ayudarle. Eres tú la criatura inconsciente, que te acercas a la hoja afilada del verdugo y retiras los dedos ensangrentados.

En la batalla de frases elocuentes, Dickie salió vencedor, y eso contaba mucho entre los actores. Pero Cedric expresó su propia convicción con un episodio gástrico igual de elocuente. Luego hizo una inclinación entre vítores y aplausos.

Desesperado, Alleyn exclamó:

—Que interprete el papel otro.

Cedric cerró un ojo y le tocó la nariz con el dedo.

—¿Qué?

—Sí. Que cualquiera haga el papel —insistió Dickie—. Que otro haga de Ofelia. Si dejamos que Rosie interprete el papel, estamos condenando a sir Danny.

—Eso sí podemos hacerlo —admitió Cedric—. Será más seguro.

Una corriente de aire cruzó la habitación con un silbido y William Shakespeare apareció en el umbral de la puerta envuelto hasta las orejas en su capa y preguntó:

—Pero ¿cuándo hemos hecho algo seguro?

—Hay que dar una oportunidad a Rosie.

Aquella voz tímida volvió a oírse en el fondo.

Will Shakespeare volvió la cabeza y observó las sombras. ¿Reconocía esa voz?

—Tiene sentido que sea ella quien rescate a sir Danny.

John Barnstaple sonaba pensativo.

Intentando incitar más comentarios del fondo de la sala, Will dijo:

—He venido a deciros que la fecha está decidida. —De hecho, se habían fijado dos fechas, pero vaciló antes de decirles que planeaba rechazar la oferta de dinero para representar su obra más famosa y más traicionera—. Los Hombres de lord Chamberlain interpretarán *Hamlet* ante Su Majestad la noche del ocho de febrero, dentro de tres días. Debemos decidir quién va interpretar el papel de Ofelia para complacer a la reina Isabel, y debemos que decidirlo ahora.

—Yo digo que Alleyn debe interpretar a Ofelia.

Dickie saludó a Alleyn, instalado sobre el cubo volcado y quieto como una efigie de piedra.

—Yo digo que Rosie debe interpretar a Ofelia —declaró Cedric.

—Rosie no está aquí para exponer sus argumentos. Aunque en verdad parece no estar en ningún sitio y en todas partes al mismo tiempo. —Shakespeare recorrió la estancia con mirada atenta—. ¿Alguien ha conseguido ver a Rosie?

Los hombres negaron con la cabeza uno a uno.

—Pensé que la había visto en el puente de Londres —dijo uno—. Pero desapareció antes de que consiguiera alcanzarla.

—Yo he visto a alguien más real que Rosie —dijo John Barnstaple—, he visto a Ludovic.

—¿Ludovic? —Alleyn se puso pálido—. ¿Ese orangután extranjero anda por Londres?

—Así es —confirmó Barnstaple.

—¿No tendrás miedo a Ludovic, verdad Alleyn?

La voz de la parte posterior cobró fuerza, sonaba burlona.

—Tiene una daga —dijo Alleyn como si eso lo explicara todo.

—Y también un estoque. —John Barnstaple habló en tono zalamero—. Igual que todo quisqui en esta ciudad. ¿Y qué?

—Me despellejará vivo si le quito ese papel a Rosie —respondió Alleyn.

—¿Qué estás diciendo? —preguntó Will—. ¿Que no quieres hacer el papel de Ofelia ante la reina?

Dickie se fue andando hasta Alleyn y le sacudió con tal fuerza que el jovencito se cayó del taburete y aterrizó de culo. Asqueado, Dickie soltó una patada al bulto tembloroso.

—Levántate y declara tu deseo de hacer ese papel.

—Que lo haga Rosie —manifestó Alleyn agarrándose a la pata del banco—. No lo interpretaría aunque me lo suplicara la reina Isabel.

Will recorrió la habitación con una mirada que intentaba abarcarlo todo, y como un juez que dicta sentencia, declaró:

—Si Rosie está en Londres, yo digo que debe presentarse ante mí mañana al mediodía, o Alleyn interpretará a Ofelia.

Alleyn gimió.

Todo el mundo empezó a hablar al instante y William Shakespeare prestó atención hasta oír que la puerta se abría y cerraba, y entonces supo que se habían tragado el cuento. Luego salió al patio oscuro donde aparecían las primeras culebras de niebla y la media luna proporcionaba un poco de luz. Apenas había dado unos pasos cuando dos figuras, una menuda y la otra más alta, surgieron de debajo de los aleros y se le encararon.

La actitud del hombre grande expresaba desafío, pero William Shakespeare se concentró en la figura bajita. Una capa voluminosa y una gran gorra dificultaban su identificación. Luego ella habló con los tonos tímidos del actor del fondo del bar y sus palabras le hicieron reír de júbilo.

—Tío Will, he venido a decirte que voy a hacer el papel de Ofelia.


La húmeda atmósfera empapaba a Tony, pero se caló el sombrero sobre las orejas y avanzó a buen paso por la calle. No le asustaba la oscuridad, tan densa que le obligaba a recurrir a otros sentidos aparte de la vista. Era esto lo que había deseado: la oportunidad de buscar a los enemigos de la reina en los fogones y palacios de la ciudad de Londres. Su regreso había relajado a su capitán, pues, aunque Wart-Nose Harry sabía cómo ocuparse de los problemas entre los ciudadanos, los problemas provocados por la clase noble requerían discreción. Tony mantenía que tal discreción consistía en la hoja afilada de su puñal, mientras que Wart-Nose afirmaba que era una discreta punta de espada. Ahora el capitán avanzaba a buen paso con Tony por la calle Grace-church mientras le ponía al día de la situación con tono inquieto.

—Se lo digo, jefe, el señor de Essex se ha vuelto loco, y todos los descontentos de Londres se suman a sus desvaríos.

—Eso no es ninguna novedad.

Tony olisqueó el aire que se despejaba un poco a medida que se alejaba del Támesis. Debería sentirse contento. A excepción de que la reina Isabel le había expulsado, la prisión se había tragado a sir Danny y Londres había hecho lo propio con Rosie. Las pocas veces que había salido de la corte, había interrogado a algunos de los miembros de la *troupe* sobre el paradero de Rosie, pero todos afirmaban desconocerlo. No les creía. Parecían decir la verdad, pero eran actores al fin y al cabo. Les había puesto espías, pero todavía no tenía resultados, por lo tanto, decidió acercarse a la taberna Cross Keys para ver si estaba su dama. Tenía que estar ahí. En algún lado tenía que estar.

A menos que le hubieran rajado el cuello de camino a Londres o alguna madama de los muelles la hubiera atrapado y puesto en plantilla.

Tony se estremeció y se percató de que Wart-Nose seguía hablando:

—Tengo un hombre en casa de Essex.

—¿En la residencia Essex? —Asombrado otra vez por el ingenio del capitán, le preguntó—: ¿Y cómo has conseguido eso?

—No ha sido difícil. Todos los descontentos de la capital residen allí. Lord Essex, junto con lord Southampton, sir Christopher Blount y sir Charles Davers, ha decidido sorprender a la corte y a la reina en persona.

—¿Sorprender? —Tony no esperaba menos—. ¿Con qué objetivo?

—Rescatar a la reina de consejeros perversos.

Un destello de luz blanca destacó los rasgos adustos de Wart-No-se. Tony le echó un vistazo. La niebla irregular iba cubriendo algunos lugares por completo, mientras que en otros flotaba jugando a esquivar la luna.

—Una fórmula tradicional entre los rebeldes ingleses.

—Essex cumplirá su función y comunicará a la reina que debe despedir a sus enemigos.

—Sir Robert Cecil el primero, creo yo.

Paciente con las interrupciones de Tony, el capitán corroboró:

—Sin duda. Una vez despedidos y cuando la reina Isabel designe a Essex como regente, éste procesará a sus enemigos y les condenará a cadena perpetua, para después convocar al Parlamento y alterar el gobierno.

—Maldición. —La niebla creciente se le pegaba a pestañas y cejas y goteaba por su cara—. ¿Eso es todo?

—Si es preciso, la sangre de la reina Isabel será derramada.

Las palabras y tono rotundo en que pronunció su última frase hicieron que Tony se detuviera en seco.

—Que ardan en el infierno, y ojalá sea yo quien les envíe allí. —Visualizó la imagen gratificante de Essex rodeado del fuego eterno, luego suspiró. Incluso ahora temía que Essex escapara de algún modo del tormento que se merecía. Era cierto, Londres adoraba a Essex, pero también veneraba a la reina Isabel y era así desde el día de su ascensión al trono. ¿No disuadiría el buen juicio a Essex en el último momento? No el buen juicio de Essex —eso lo tenía claro Tony—, sino el criterio de uno de sus asesores desaconsejando la revuelta. Hasta que la confianza de Isabel en Essex no estuviera destruida por completo, su soberanía no dejaría de ser vulnerable.

—¿Es eso todo? —preguntó Tony, medio deseoso, medio en broma.

—Creo que ya ha sido bastante, jefe.

Wart-Nose sonaba afligido y Tony suspiró. Había olvidado que el soldado no tenía sentido del humor.

—Es más que suficiente. Lo has hecho bien, amigo mío. —Agarrándole el hombro, continuó—: Tendré que encontrar la manera de enviar un mensaje a la reina Isabel a través de alguien en quien pueda confiar.

Un hombre apareció entre la neblina. Tony le cogió del hombro, echándole contra la pared. La luz recortada que surgía de los postigos reveló a Hal, demacrado y con ojos hundidos.

—Por los clavos de Cristo, Hal, ¿qué estás haciendo aquí? —Le sujetó con fuerza—. ¿Algo va mal en la finca?

—Amo, por favor, amo. —Hal forcejeó para soltarse—. Me está haciendo daño.

A su pesar, Tony aflojó los dedos.

—Todo va bien en la residencia Sadler, pero...

—Odyssey Manor —corrigió Tony.

—Sí, amo. —Hal se inclinaba arriba y abajo—. Pero he acompañado a sus hermanas y a lady Honrora a la capital.

—¿Lady Honora? —Tony recordó el corte y el rostro hinchado que había visto por última vez en Odyssey Manor. Se sentía responsable de sus heridas pese a otros criterios. Con preocupación sincera, preguntó—: ¿Cómo se encuentra esa dama querida? ¿Se ha recuperado de sus heridas?

Hal se secó una gota de humedad en el extremo de su nariz puntiaguda y se embadurnó el jubón con ella.

—Lady Honora parece haber recuperado su estado de siempre.

—Ah. —Tony sonrió—. Excelente. En verdad, esperaba que acudiera al rescate de sir Danny mucho antes.

—Tiene fiebre —informó Hal.

—Pobre dama. ¿Ha habido más incidentes en Odyssey Manor? ¿Alguien más ha resultado herido?

—No, amo. —Hal se sorbió la nariz—. Debe ser usted quien los ocasiona. ¿Cree que va a tener que renunciar a la finca?

—¿Renunciar? ¿A Odyssey Manor? —Tony estaba horrorizado—. Nunca. Será mía hasta que me muera. Pero ¿por qué estás aquí, con esta noche de frío tan desapacible?

—Las damas me mandaron salir a comunicarle su llegada, y los hombres del cuartel sugirieron que le encontraría aquí. —La mirada incendiaria de Hal pareció penetrar la neblina hasta los alrededores de la calle de Gracechurch—. En esa cloaca de pecado. —Pegó la barbilla al pecho y cerró los ojos—. Confiaba en no volver jamás por aquí.

—Ah, así que eres oriundo de Londres. —Wart-Nose sonaba confiado—. Me parecía recordarte de algo, pero hace tantos años que no me fío de mis recuerdos.

Unas manchas poco saludables refulgieron en el semblante de Hal marcándolo de sombras estremecidas. Se giró en redondo hacia el capitán como un beato ofendido:

—Sé muy poco de Londres.

—Ah. —Wart-Nose asintió, guiñó un ojo y sonrió—. No quieres recordar tus excesos de juventud.

La respiración de Hal sonó áspera en su pecho.

—No tuve excesos de juventud.

—Entonces, ¿no fuiste tú el que pagó por una habitación y una fulana durante un mes entero en el local de Tiny Mary? ¿No fuiste tú el que hacía carreras a caballo por Cheapside y derrotó a ese dandy de Raleigh? —Wart-Nose se dio una palmada en la rodilla y resopló—. ¿No fuiste tú el que cayó borracho como una cuba cuando robamos un barril lleno de vino francés y casi acabas ahogado en la zanja de Houndsditch en un palmo de agua?

—No.. era... yo.

Hal se elevó sobre el hombre de menor estatura y Wart-Nose se apresuró a decir:

—No, por supuesto que no. No lo eras. En absoluto. —Hal continuaba inmóvil y el capitán se aclaró la garganta—. Me percato de mi error. Apártate ahora.

Reconociendo la advertencia en el tono de Wart-Nose y percatándose de que el joven capitán de la guardia podría aplastar sin dificultad a este administrador incauto, Tony puso una mano tranquilizadora en el hombro de Hal.

—Tal vez quieras regresar ahora. Lady Honora y mis hermanas se han instalado en mi residencia de la ciudad, ¿verdad?

Hal retrocedió con precaución, como si Wart-Nose fuera un animal rabioso. De hecho, más bien parecía lo contrario, con Hal alimentando una tormenta salvaje provocada por el capitán y sus alegres recuerdos.

El administrador continuó observando con intensidad y sin pestañear hasta que Tony le sacudió con suavidad.

—¿Dónde están instaladas mis hermanas y lady Honora?

Tragando saliva de modo audible, Hal volvió su atención a Tony.

—En la corte.

—La reina pensará que lo he preparado yo —dijo Tony con desánimo—. Creerá que he traído a mis hermanas para aplacar su enfado conmigo.

—¿Oh? —Hal se animó—. ¿Ha vuelto a enfadarse Su Majestad con usted?

—Suenas como un cortesano —rezongó Ton—. Siempre pensando que pasarás por encima de mi cuerpo pisoteado.

—No, señor. —El pelo cano y húmedo de Hal colgaba en mechones desordenados bajo su gorro—. No puedo ganarme los afectos de la reina ni siquiera después de su caída. Tendría que estar loco para imaginarme algo así.

Tony quería explicar que la grosería del administrador nunca atraería los favores de la reina, pero en los últimos meses Hal había envejecido antes sus ojos, temblando con una parálisis constante y musitando a una compañía invisible. No, Tony no deseaba angustiar más a Hal. Tendría que retirarle a los establos pronto, y eso ya sería suficiente tormento.

En el silencio, Tony oyó una conversación distante. Aunque el aire saturado amortiguaba casi todas las frases, en algún momento pudo captar una palabra, un tono, una voz. Entró en tensión.

Sonaba como Rosie.

—¿Has oído eso? —susurró.

—Habría jurado que eras aquel hombre —murmuró Wart-Nose.

—¡No lo soy! — explotó Hal.

—Chit. —Tony afinó el oído, y de nuevo detectó los tonos claros y brillantes que le guiaban como un faro en medio de la niebla.

—Me pregunto de dónde sacaste el dinero —musitó el capitán.

—¡No era yo!

Hal saltó hacia él y lo dos acabaron en el suelo luchando.

Abandonándolos mientras se peleaban, Tony corrió en silencio por la calle en dirección a la taberna Cross Keys. Las voces que seguía se desvanecían y reaparecían flotando en la brisa, luego se hundían en la neblina. Entró en el patio de la posada, pero su aspecto vacío pareció burlarse de él; se había excedido, era consciente, de modo que regresó a la calle y se detuvo a escuchar. Al principio sólo oyó el ruido de las risas y riñas que se filtraban por los postigos de la taberna. Luego, bajo los sonidos despreocupados, oyó corroteos sigilosos, y sus sospechas se multiplicaron. Aplicando las destrezas perfeccionadas al servicio de Su Majestad, inspeccionó el área con un instinto que sólo contaba con un rastro en el aire y un toque de fe.

Hizo la ronda otra vez por la calle Gracechurch. No oía a Hal ni a Wart-Nose, pero vio —o percibió— una presencia agazapada entre las sombras del mercado de hierbas aromáticas. Se paseó junto a las paradas para provocar que le atacaran.

No sucedió nada, por consiguiente creció su convicción de que había encontrado a Rosie. Volviendo sobre sus pasos, se aproximó hasta una figura grande en la oscuridad de la lonja, sobre la que se abalanzó daga en mano.

El brazo que atrapó era fuerte y musculoso, y correspondía a una figura tan alta como él.

—¡Ayuda! ¡Ladrón! —gritó el hombre, y su voz profunda hizo maldecir a Tony.

—Cierra la boca, borracho insensato. No voy a robarte. Soy el jefe de la Guardia de la Reina.

—Eso promete poco. —Su prisionero dio un traspié como si estuviera borracho—. Podría ser el peor de toda la panda, el que nunca aparece cuando la gente honesta protesta.

Volvió a tropezarse y Tony le olió el aliento. Nada del aroma amargo a cerveza enturbiaba sus exhalaciones. Una sospecha penetrante recorría su cuello con un picor.

Había alguien a su espalda, pensó Tony y se giró en redondo aguzando de nuevo los sentidos, buscando a su presa, queriendo encontrar a Rosie más que la seguridad o el deber o el deseo.

—¿El jefe de la Guardia de la Reina?

El hombre habló tras él y Tony le hizo callar con brusquedad.

—¿No es sir Anthony Rycliffe, el famoso soldado de Su Majestad?

Tony se volvió y agarró por el cuello a aquel tipo locuaz.

El desconocido se atragantó, luego se soltó con un movimiento rápido.

—Tengo información sobre los condes de Essex y Southampton.

—¡Maldito seas! —Furioso con el infortunio que le traía la única información capaz de detener su búsqueda—. ¡Wart-Nose! —llamó.

Nadie respondió y soltó otra maldición. ¿Se habían matado el uno al otro? Una cara semejante a la de Hal, con el rostro pálido y mirada encendida, pasó por su mente inquieta, pero no podía pasar por alto rescatar a Wart Nose, si necesitaba rescate, igual que no podía dejar de seguir a Rosie, si era Rosie a quien seguía.

Ordenó al hombre apretado contra la pared:

—Cuéntame.

—Me llamo William Shakespeare.

Tony recordó las alabanzas de Rosie.

—El autor y actor.

Con afectación petulante, dijo:

—Ya ha oído hablar de mí.

Cada vez más receloso, Tony admitió:

—He oído hablar de ti, ¿y tú de mí?

—Sí, señor.

—¿Has oído que te arrancaré la cabeza si me distraes en mi búsqueda de lady Rosalyn Bellot?

Aquel tipo cobarde tartamudeó.

—Señor, se lo aseguro, no intento distraerle de nada.

—Ja.

—No sabía a quién me aproximaba antes, simplemente ha aparecido como un regalo del cielo para la estabilidad del reino. Si tiene algo que hacer, se lo ruego, continúe. Ya le buscaré después.

William Shakespeare se arregló la capa y se preparó para marcharse. Apretando los dientes, Tony le detuvo:

—Cuéntame.

Shakespeare capituló con una prontitud sospechosa.

—He recibido noticias de mi mecenas, lord Southampton. Los Hombres de lord Chamberlain representarán mi obra, *Richard II*, el sábado, y tengo motivos para sospechar que desean hacerlo no por su prosa sutil sino por su contenido sedicioso.

—¿Has escrito una obra sediciosa?

—Escribí una obra histórica —corrigió William Shakespeare—.

Relata simplemente las circunstancias en las que el rey Ricardo fue depuesto por su primo, Bolingbroke. Cuando la escribí, lo hacía por la gloria de Inglaterra, para exaltar la línea seguida por nuestra querida reina Isabel. Maldición, pasó el examen del censor, pero ahora... ojalá Dios quisiera que nunca la hubiese escrito. Sólo está causando problemas.

—Y ha llevado a prisión a tu amigo.

Tony observó con atención a William Shakespeare por si captaba señales de desasosiego, pero éste le confundió con su respuesta airada.

—¿Sir Danny Plympton? ¿Conoce las dificultades de sir Danny Plympton?

—¿Y cómo no iba a saberlas? Fue mi plan el que provocó que sir Danny acabara en Newgate.

—¿Su plan? —Shakespeare parecía perplejo, luego negó con la cabeza—. Se lo aseguro, sir Danny acabó en Newgate por sus propios pasos. Irrumpió en Londres con la misma discreción de una ventisca. Fanfarroneando a viva voz, contándole a todo el mundo que él era la perdición de Essex y el salvador de la reina, y exigiendo por supuesto promesas de guardar el secreto.

—Desde luego, así ve usted a sir Danny.

¿Qué clase de hombre iba a guardarse en el pecho el secreto de la herencia de Rosie y no obstante sacrificar su propia seguridad por una gloria breve y grandilocuente?

Shakespeare respondió a sus preguntas no formuladas cuando dijo:

—Conozco a sir Danny desde hace años, y le aseguro que siempre ha representado el papel de dios caritativo.

Tony no conocía a sir Danny desde hacía tantos años, pero había captado la visión que impulsaba a aquel hombre y por ello corrigió a Shakespeare con firmeza.

—No, no es un papel que representa, sino una creencia en su propio objetivo en esta tierra que le deslumbra. Que Dios le conceda la dicha de cumplirlo.

—Amén —dijo Shakespeare, que suspiró lastimosamente.

—Y también conozco a lady Rosalyn Bellot, hija del difunto conde de Sadler —añadió Tony.

Shakespeare levantó la cabeza arriba y abajo, curioso como una gaviota ante una fuente de plata con larvas.

—No conozco a lady Rosalyn. ¿Quién es?

Tony apuntó con escepticismo:

—Tal vez la conozca como Rosencrantz.

—Rosencrantz es el hijo adoptivo de sir Danny. No es... —Shakespeare hizo de nuevo el numerito de la gaviota—. ¿Intenta decirme que Rosencrantz es una muchacha?

—No una muchacha —corrigió Tony—. Una mujer. Mi prometida. La mujer que aceptó casarse conmigo y luego huyó. —Observó con atención a Shakespeare—. La mujer que tal vez lleve un hijo mío en sus entrañas.

El número del ave se detuvo. Todo se detuvo. Shakespeare le observó sin pestañear.

—¿Su hijo?

—A quien me gustaría ver nacer en el seno de una unión matrimonial.

—¿Su hijo? —Shakespeare bajó la cabeza y dio un puñetazo en el muro tras él. En voz baja, balbució—: Ella nunca mencionó...

Tony casi da un brinco de alegría. Aquí tenía la prueba. Estaba viva. Rosie estaba viva. Había estado en contacto con Tío Will y volvería a estarlo, sin duda. Tony había mandado a sus hombres a vigilar los teatros de Londres y todas las posadas frecuentadas por los actores con la intención de tenerla bajo su custodia antes de que Essex pasara a la acción. Entonces, sólo entonces, podría concentrarse en arrestar a Essex y liberar a sir Danny. Luego podrían casarse y su hijo nacería en la gran cama de su dormitorio. O sobre el escritorio encima del cual lo habían concebido.

Entretanto, Shakespeare estaba sumamente rígido, como si su gaviota se hubiera tragado un madero astillado a la deriva.

—Si veo a Rosencrantz, con certeza le pasaré el mensaje de que la está buscando.

—Si ves a Rosencrantz —Tony amenazó con una sonrisa—, dile que el mundo tendrá un autor de teatro menos si no regresa conmigo.

Shakespeare puso una mueca y se agitó con incomodidad.

—Puede estar seguro de que no lo olvidaré. Pero, sir Anthony, nada de todo esto resuelve mi problema, a saber: ¿qué excusa debo dar a Southampton para negarme a representar la obra? Me envió una suma decente en efectivo, cuarenta chelines, y los actores nunca rechazamos dinero en efectivo. Lo sabe muy bien.

—Entonces representa la obra.

Shakespeare se rió un momento con humor amargo.

—No, no colaboraré en provocar una insurrección.

—Pero sería una provocación importante de verdad —replicó Tony—. ¿No lo ves? Hasta que Essex y Southampton no apoyen abiertamente la rebelión, la reina me mantendrá atado de manos y se negará a dejarme actuar. Pero si todos los indicios señalan un levantamiento firme, a Essex y Southampton no les frenará nadie en su galope voluntario hacia la Torre. —Tony se rió en voz baja por la analogía poco artificiosa—. Tal vez las mujeres tengan razón; quizá los hombres se dividan en sólo dos grupos, caballos castrados y sementales.

Agachada contra la áspera pared de yeso, Rosie sintió ganas de reír. Si los hombres se dividían en castrados y sementales, sabía en qué grupo colocar a Tony. Se puso la mano en el vientre. Había hecho muy bien su trabajo el muy puñetero y encima estaba seguro del desenlace. Y como remate alardeaba de ello ante Tío Will. Desde el momento en que le había hecho la gran revelación, Rosie pensó que peligraba su secreto, creyó que Tío Will le revelaría su escondite e insistiría en la boda, allí mismo y en aquel preciso instante.

Sólo la fraternidad entre los actores la protegía, pero sabía que la próxima vez que viera a Tío Will estaría furioso por la manera en que le había manipulado. Su única excusa era su embarazo. Ahora que necesitaba todo el bienestar posible y todo su ingenio, la fatiga y la náusea se apoderaban de ella. La criatura que habían engendrado crecía en su interior; culpó a su bebé de estos momentos de duda.

¿Por qué si no, cuando sus planes se concretaban por fin, quería echarse corriendo a los brazos de Tony? ¿Por qué quería darle la noticia del bebé que esperaban, llenarse de alegría y hacer lo fácil en vez de lo correcto?

A su lado, Ludovic se agitó. Se figuraba los sentimientos de Rosie, eso ella lo sabía. Desde el momento en que la encontró en la carretera, había sido la roca en que se había apoyado. Le ayudó a llegar a Londres, había buscado habitaciones separadas en el Bull Inn e indagado sobre la situación de sir Danny. Y también la había ayudado a urdir el plan para actuar ante la reina Isabel. Había sido Ludovic quien hizo correr la voz entre la comunidad de actores sobre su deseo de interpretar el papel de Ofelia, y Ludovic la había acompañado a la taberna Cross Keys para que pudiera participar en el debate.

Había sido Ludovic quien se percató de que Tony se acercaba y también él quien la había ocultado, convenciendo a Tío Will de que distrajera a Tony, aunque convencer tal vez fuera una palabra demasiado amable.

Ludovic había callado y se había mostrado estoico sobre su relación con Tony, y ella había sido demasiado cauta y optado por no preguntar si conocía la causa de los accidentes de Odyssey Manor; si él estaba detrás de tales accidentes.

Resultaba extraño depender de un hombre a quien atribuía algún intento de asesinato. Pero que en más de una ocasión lo había sorprendido mirándola como si ella fuera su última oportunidad de redención. Rosie quería ser digna de su adoración, pero intentaba no animarle a amarla.

Ambos esfuerzos eran inútiles.

Tras ella, Ludovic entró en tensión cuando una vez más oyó el sonido de pasos apresurados.

—¡Wart-Nose! —exclamó Tony—. ¿Has dado una lección a Hal o te la ha dado él a ti?

¿Hal? ¿El administrador Hal? Rosie estuvo a punto de gemir. ¿Todo Odyssey Manor iba a viajar hasta Londres para importunarla?

—Ese hombre apesta a farsante —dijo Wart-Nose—. Tiene el rostro de alguien que ha vivido bien, pero juraría haberle visto viviendo en Londres durante unos cuantos meses gloriosos, hará quince o veinte años.

Rosie dejó caer la cabeza y se encogió temblando contra la pared.

—Lo descubriremos —dijo Tony con una calma gélida—. ¿Dónde está?

—Iba corriendo como un cobarde en dirección al río la última vez que lo vi —dijo Wart-Nose, y sonaba complacido consigo mismo.

—Regresa al palacio de Whitehall, creo. —La voz de Tony descendió por la calle Gracechurch hacia el Támesis—. Le encontraré allí.

—Si Su Majestad vuelve a invitarle.

—Oh, Su Majestad volverá a invitarme.

Rosie frunció el ceño. Qué agradable notar que su deserción no había hecho mella en el engreimiento de Tony.

—Por los informes que tú y este valioso autor me habéis dado, el jefe de la Guardia de la Reina va a tener mucho trabajo muy pronto.

La voz de Tío Will sonó débil.

—¿Por lo tanto cree que los señores perpetrarán su insurrección después de que representemos la obra?

—En efecto.

—Mi corazón se avergüenza de que mi trabajo pueda ser utilizado para hacer daño. Mi corazón se avergüenza.

Luego Rosie no oyó nada más. Esperó hasta estar segura de que no había nadie que pudiera oírla. Levantándose poco a poco, sacudió sus extremidades rígidas y susurró:

—Creo que se han ido, ¿no te parece?

Nadie respondió, y entonces llamó:

—¿Ludovic?

Tampoco respondió nadie, y notó el vello de punta en su nuca.

—Ludovic. —Se giró en redondo y buscó a tientas en la oscuridad, pero no encontraba a Ludovic por ningún lado. Rosie estaba sola por completo en la ciudad de Londres.

# Capítulo 21

He visto una medicina
Que es capaz de infundirle vida a una piedra.
—BIEN ESTÁ LO QUE BIEN ACABA, II, i

*E*l grito de sir Danny se elevó en el aire como si tuviera vida propia, rogando misericordia con su intensidad.

—Basta —sollozó—. Basta.

—Tienes que darte un baño antes de ver a Su Majestad. —El rudo soldado repitió lo mismo que llevaba diciendo durante la última hora—. Si dejaras de forcejear, a estas horas ya habríamos acabado.

—Estáis mintiendo. —Tres fornidos hombres de armas metieron a sir Danny bajo el agua para enjuagar el jabón del pelo, y él sabía que esta vez le sujetarían debajo el tiempo suficiente. Pero le soltaron, y él grito—: Estáis mintiendo, no es más que otra tortura que me infligís antes de llevarme a las galeras.

—Su Majestad detesta los malos olores. Tiene una nariz muy sensible, ¿entiendes? Y tú hueles a la prisión de Newgate.

El rudo soldado hizo un gesto de asentimiento a sus compatriotas y lo sacaron de la bañera para dejarle en pie.

Pero sir Danny se desplomó, demasiado débil a causa del hambre y el miedo como para aguantarse erguido. Su trasero dio contra la fría piedra en vez de caer sobre las cañas esparcidas por el suelo, y de repente encontró fuerzas para levantarse.

—¡Habráse visto! —graznó—. Sirvo a Su Majestad la reina Isabel cada vez que lo pide, y si fuera necesario entregar mi vida, lo haría gustosamente para salvar la de ella.

—Demonios, hombre, sólo es un baño, y encima caliente. —El soldado al mando parecía asqueado—. ¿No te bañas ni el día de tu santo?

—¡Aj! —Uno de los hombres se estremeció—. Nadie se baña por propia voluntad.

—Yo sí —dijo el comandante—. Por eso estoy al mando y vosotros no sois más que soldados.

—Pero no te bañas en invierno —replicó el soldado.

—Rara vez. —El comandante echó un vistazo por la casa del guarda donde él y sus hombres dormían sobre camastros—. Pero no voy a visitar a la reina. Mejor vestir a ese granuja flacucho, se está poniendo azul.

Hacía demasiado tiempo que Sir Danny pasaba frío y hambre, que sufría los tormentos de la prisión. Nadie había venido a asistirle. Ninguno de sus amigos había enviado mantas o comida. Sir Anthony Rycliffe ni siquiera había intentado emplear su influencia para liberarle. Los torturadores se lo habían asegurado cuando le obligaron a confesar traición.

Y Rosie, su querida Rosie, con toda probabilidad ni siquiera estaría enterada de sus padecimientos.

De modo que cuando estos soldados le habían sacado de la celda para trasladarle en medio de la noche, se imaginó lo peor. Lo que decían sobre Su Majestad y el palacio no eran más que promesas vacías de un torturador que quería hacerle confesar una traición atroz. Tiritando, sir Danny vio acercarse a los tres soldados con una gran sábana de lino y gimió:

—Mi mortaja.

—Vaya gallina estás hecho —comentó el comandante mientras sus hombres restregaban a sir Danny de pies a cabeza—. Traedle las ropas que ha mandado sir Cecil y llevémoslo a palacio antes de que a Su Majestad le coja otra de sus pataletas reales.

—¿Avisaréis a mi hija, la hija más querida de toda Inglaterra, de que he ido a la muerte acusado injustamente de traición? —Los soldados le tendieron una camisa de un tejido suave como la mantequilla y dos veces más escurridizo. Lo palpó mientras se metía la prenda por la cabeza—. Decidle que he muerto con valentía. —Mientras se ponía las medias y ligas, musitó—: Aunque quizá no debáis decirle esto último; me temo que mi Rosie me conoce demasiado bien. —Al imaginarse colgado del extremo de una cuerda, pateando mientras los niños tiraban piedras, se estremeció—: No, decidle que he muerto por la seguridad del reino.

Los soldados se lo fueron pasando a empujones para ponerle un chaleco, bombachos y un jubón, rematando el atuendo con una gorra.

El comandante marchó delante y los soldados a ambos lados mientras salían de la casa del guarda. Al percatarse de que no podía seguir su paso rápido, el hombre al mando soltó una maldición y dio una orden, y los soldados formaron una silla con los brazos y se lo llevaron.

Extraño comportamiento, reflexionó sir Danny, pero tal vez asistían siempre así a los condenados.

—Esto no me gusta —protestó uno de ellos—. Dicen que un viejo loco anda por estos terrenos, cuyos ojos arden como llamas. Podría ser que nos atacara y no tenemos las manos libres.

—Yo te protegeré de viejos, locos o lo que sea —soltó el comandante—. Tú mejor te preocupas de llevar al prisionero a palacio.

Una niebla baja envolvía los caminos del jardín y sir Danny anheló una última ojeada al mundo. Si miraba hacia arriba podía ver las estrellas, brillantes y amistosas como siempre. La media luna, también, sonreía con diversión parcial, y esta evidencia de eternidad le dio valor.

—Oh, faro del cielo, titilando en un globo de nada. Luces eternas, noche eterna, muerte eterna y vida preciosa, apagada como una vela por hombres que, dominados por la locura de la traición, intentan arrancar el timón de Inglaterra de la mano ungida en esencias de su capitana.

—Llevo trece años trabajando en Whitehall y nunca he hablado con la reina —se lamentó el comandante—. Y este chiflado protesta con su cháchara ridícula.

Sacado de su refugio poético, sir Danny preguntó:

—¿Es esto el palacio de Whitehall?

—¿No has estado escuchando? —preguntó uno de los soldados.

El soldado al mando llamó a una diminuta puerta abierta en un elevado muro de piedra. La puerta se abrió un poco y una mano huesuda agarró la muñeca de sir Danny y tiró de él hacia el interior. El hombre jorobado, todo de negro, sostenía una única vela y susurró con aspereza:

—Deprisa.

Sir Danny se apresuró.

Pese al aspecto poco atractivo del hombre, ejercía su mando con seguridad. Guió a sir Danny escaleras arriba y a través de pasillos y habitaciones decoradas con tapices, maderas y marfiles. Sir Danny comprendió que en efecto se encontraba en el palacio de Whitehall y se acercó un poco más al desconocido para preguntar:

—¿Sólo los condenados por traición reciben este trato gentil?

El caballero le dirigió una mirada rara.

—Nunca antes me han ejecutado —se excusó sir Danny—, no conozco el protocolo.

—¿No te han explicado por qué te han traído aquí? —El hombre hablaba en voz baja, como si deseara pasar desapercibido.

Sir Danny soltó una risita y se sorprendió de que aún pudiera reírse.

—Para ver a la reina, decían.

—Entonces no te hagas el tonto. Haz una reverencia cuando entres en la estancia, habla sólo cuando se dirijan a ti y responde a las preguntas de forma directa, pero con la veneración adecuada.

El desconocido abrió una portezuela oculta en los paneles de madera y empujó a sir Danny por delante de él.

La estancia, repleta de detalles lujosos, resplandecía con infinidad de velas. Las llamas se reflejaban en los vidrios con forma de diamante, las maderas enceradas, los espejos, el oro labrado y la plata reluciente. Los tapices vestían las paredes y una alfombra de intrincado y luminoso color cubría el brillante suelo de madera. Al lado del inmenso fuego llameante se hallaba una enorme silla tallada. A su alrededor, como discípulos esperando ser instruidos, se repartían bancos y banquetas.

La silla atrajo la mirada de sir Danny y, por primera vez, el sobrecogimiento recorrió su columna como un picor.

La sensación infantil de asombro que nunca le había abandonado le atraía ahora hacia la silla; casi esperó ver una forma real materializándose en ella.

En vez de eso, una voz quejumbrosa le obligó a volverse hacia una pila de cojines amontonados en un rincón:

—¿Qué me has traído, maestro Cecil?

La figura vestida de negro hizo una profunda inclinación y, con tonos reverentes, anunció:

—Su Majestad, le traigo al señor Daniel Plympton.

Sir Danny se quedó boquiabierto. Era la reina. La reconocía, cómo no, por las monedas que circulaban con su semblante grabado.

Los cojines que la rodeaban y la sostenían eran de seda, satén y lana. Bordados, tejidos, cosidos. Cobalto, escarlata, amatista. De igual modo, los ropajes de la soberana eran creaciones magníficas, abrumadoras por su opulencia. La propia reina parecía insignificante, poco más que una vieja flacucha.

Hasta que sir Danny la miró a los ojos.

El color había quedado enturbiado por los años, pero brillaban con interés y perspicacia.

Conquistado, sir Danny cayó de rodillas.

—¡Dios salve a Su Majestad!

—Quieres que te perdone, ¿verdad?

Su voz pura alcanzó los oídos del actor como agua en una tierra agostada.

—No hay necesidad. —Se quitó la gorra y la adoró con la mirada—. Sólo con ver la belleza de Su Majestad una única vez antes de morir mi sacrificio ha merecido la pena. Por supuesto todos la llaman Gloriana, monarca de Inglaterra y elegida de los dioses, porque en verdad es cierto.

—Es un encanto, ¿verdad? —Se dirigió a Cecil pero sin dejar de observar a sir Danny, con la boca curvada por una leve sonrisa con los labios cerrados. Luego la sonrisa desapareció. Dio un respingo y se llevó la mano a la mejilla—. ¿Le has interrogado?

Cecil se agarraba las manos dentro de sus amplias mangas mientras observaba con aprobación el homenaje de sir Danny a la soberana.

—No, señora, he esperado a tenerlo ante Su Majestad.

Isabel señaló a sir Danny con un dedo extendido rematado en una larga uña.

—Queremos información sobre tu relación con Essex.

—Su Majestad, le contaré lo que pida. —Sir Danny advirtió las líneas de tensión entre sus cejas y en la mano con la que todavía se sostenía la mandíbula. Con vacilación dijo—: De todos modos, si me perdona la imprudencia, parece estar sufriendo.

Ella se apartó la mano de la cara y manifestó:

—Soy saludable como un caballo de batalla inglés.

Lo dijo igual que lo había repetido tantas veces antes.

—Su Majestad me perdonará otra vez, pero en nada se parece a un caballo de batalla inglés. —Poco a poco, sir Danny se aproximó avanzando de rodillas. Siempre había sabido que la seguridad de su soberana era su destino. ¿Era también su destino aliviar su dolor?—. Irradia una magnífica salud que la calienta como un fuego en su interior. Es una rosa matinal, protegida por espinas de deber y nobleza mientras se abre para deleite de sus súbditos con belleza vigorosa y dulces perfumes.

La reina Isabel se relajó mientras él hablaba. Alzó la barbilla y las líneas de su fino cutis se suavizaron. Sir Danny captó por un instante el fulgor de la diosa joven que había cautivado los corazones de sus súbditos incluso antes de su coronación.

El actor alcanzó con las rodillas la zona de cojines e inclinó la cabeza para mantenerla por debajo de la de la reina. La miró entonces con expresión seria:

—No obstante, la rosa, si no recibe los cuidados de un jardinero amoroso, podría sufrir los estragos de un sol demasiado entusiasta o de las atenciones de parásitos codiciosos.

—Cuán cierto —murmuró la reina mientras fulminaba con la mirada a Cecil.

Apretando los labios, el consejero replicó:

—Si me permitiera, Su Majestad, llamaría al sacamuelas otra vez.

Él quiso aliviar su dolor, pero usted cambió de opinión antes de permitirle entrar siquiera por la puerta.

La soberana se incorporó en su asiento con un movimiento vigoroso:

—¿No soy la reina? ¿No puedo despachar a un charlatán si lo considero preciso?

Cecil inspiró preparándose para replicar, pero sir Danny colocó una mano en su espalda e hizo un gesto. Un gesto grosero, y Cecil lo vio, pues se desplazó enfurruñado hasta el fuego y allí cruzó los brazos sobre el pecho.

Cuando sir Danny volvió a mirar a la reina Isabel, se percató sobresaltado de que ella también había visto su gesto. Pero parecía tan satisfecha como una pava real a la que ofrecen una ufana exhibición de plumas desplegadas.

—Bien —dijo—. Se ha ofendido.

—Es joven —dijo sir Danny en tono tranquilizador—. Aprenderá la manera correcta de tratar a su monarca.

—No es como su padre. Cuánto echo de menos a mi querido Burghley, el mejor estadista de mi reino.

Sir Danny inclinó la cabeza como muestra de reconocimiento.

—Me recuerdas a él.

El actor alzó la vista.

—No por tu aspecto, por supuesto, sino en tacto y buen juicio. —Tirando del penacho de seda que decoraba su enorme manga abombada, le preguntó con ansiedad—: ¿Crees que debería llamar al sacamuelas?

Escogiendo las palabras con cautela, sir Danny respondió:

—Su Majestad, como gloriosa monarca cuenta con los medios de toda Inglaterra a sus pies. Pero ¿no será quizá un problema tal abundancia? ¿No será tan amplia la selección de médicos y barberos que llevan tiempo sirviéndola que dificulta encontrar los mejores entre esa multitud?

Cecil demostró que había estado escuchando.

—¿Qué farfullas, hombre?

Isabel levantó un dedo para refrenar a su secretario de estado.

—Quiero oír lo que tiene que decir.

—Caramba, muy sencillo, señora, tengo fama como médico entre mis humildes compatriotas.

—Y tanto que humildes —soltó Cecil.

—Cierra la boca, Cecil. —La reina se inclinó hacia delante y miró a sir Danny a los ojos—. Cuéntame más.

—Entre los actores soy conocido por mis cualidades en la atención a enfermos. Si me permitiera quizás intentarlo, tal vez pudiera extraer la muela sin dolor para Su Majestad.

—¡Señora, debo oponerme! —Cecil dio una zancada hacia delante—. Este hombre es sospechoso de traición. ¡No permitiremos que le administre una pócima mágica que pueda resultar venenosa!

—No veo inconveniente. Haré que la pruebes tú primero.

Isabel estalló en una risa incontenible al ver la expresión de Cecil, una risa tan alocada que sir Danny se estremeció.

La reina llevaba demasiados días sin dormir, hacía equilibrios al borde de la locura. Necesitaba a sir Danny de una manera que él jamás hubiera imaginado. Si no podía servir a Inglaterra con sus informaciones sobre Essex, al menos podría servir a su soberana con sus habilidades.

—No empleo pócimas, señora, pero tendré que tocarla. —Dirigió una mirada a Cecil a modo de disculpa—. No hay otra manera.

—Es indignante. —Cecil echaba chispas—. Despídale de inmediato.

Isabel hizo caso omiso de Cecil con obstinación propia de una quinceañera.

—¿Qué tendrías que hacer?

—Sólo tocarle el rostro y las manos —dijo sir Danny para tranquilizarla—. No obstante, si es la muela lo que le duele, hay que extraerla, y para eso necesito el instrumental de un sacamuelas.

—Cecil. —Isabel chasqueó los dedos—. Trae el instrumental del sacamuelas.

Con rigidez, Cecil dijo:

—Señora, ya se ha ido a casa.

La reina respondió con desdén a su embuste.

—Tonterías, continúa en palacio siguiendo mis indicaciones de permanecer aquí hasta que realice su cometido. Ahora, vete a buscar su instrumental.

—No puedo dejarla a solas con este charlatán.

—No te doy opción. —Se incorporó majestuosamente—. Sir Cecil, vaya a buscar al sacamuelas, es una orden de su reina.

A Cecil no le gustaba nada aquello, pero tampoco era tan presuntuoso como para desafiar una orden directa. En tono más suave, rogó:

—¿Puedo dejar al menos un guardia aquí dentro?

—Puedes dejar uno apostado justo al otro lado de la puerta. Si este actor traidor me ataca, tendrás la conciencia tranquila. Ahora, largo, y cierra la puerta al salir. —Observó hasta verlo desaparecer y quedarse a solas con sir Danny, entonces dijo—: Seguro que eres consciente de que si no me sacas la muela sin dolor, haré que te corten la cabeza.

Sir Danny se permitió una sonrisa.

—Su Majestad, si me corta la cabeza, será mejor que la horca que tiene prevista para mí ahora mismo. ¿Qué puedo perder?

Una sonrisa de respuesta jugueteó en los labios de Isabel.

—Sí, desde luego. Pues dime entonces qué has oído decir a Essex que demuestre su traición.

Había cambiado de tema tan de repente que sir Danny volvió la cabeza antes de percatarse siquiera de la brillante táctica. La reina había hecho que se relajara, había creado la ilusión de que él mantenía el control, para abofetearle a continuación con una rápida pregunta concebida para sacarle la verdad. Aún más, había mandado salir a Cecil de la habitación, por lo tanto sólo estaba ella para escuchar la prueba de la traición de su cortesano favorito sin más audiencia embobada deleitándose con petulancia.

Era un deseo del todo comprensible, y sir Danny contó su historia con premura, explicando cómo Essex había alardeado de su plan para derrocar a la reina y su deseo de llevar a escena la obra *Ricardo II* representada por los Hombres de lord Chamberlain para inducir una atmósfera de rebelión.

Sus compañeros actores no le reconocerían hablando con tal compostura, pensó sir Danny, necesaria para dar veracidad a sus palabras mientras Isabel escuchaba con la cabeza baja sobre su pecho.

Consternada, la reina se retorció las manos.

—Señora, le he ocasionado más dolor cuando mi intención era aliviarlo.

—No, no eres tú la causa de mi dolor. —Se tocó con la punta de los dedos aquellos párpados suyos como de papel—. Éste es el ocaso de mi reino, a mi alrededor sólo veo muerte y traición a medida que mis poderes se desvanecen hasta quedar en nada. Resulta amargo hacerse mayor, cuán amargo.

—Yo no veo ocaso alguno. No veo exhibición alguna de los colores del pavo real anunciando la proximidad de la noche, ni podría percibir la angustia de tal desvanecimiento. Cuando las generaciones futuras recuerden a la reina Isabel, aún se deleitarán con el calor de su legado. Lo que ha forjado nunca se malogrará.

—Eres un hombrecillo gracioso, y me reconfortas. —Se estiró—. ¿De verdad puedes sacarme la muela o eso sólo un cuento para que Cecil saliera de la estancia?

—Tengo referencias, señora, si así lo quiere consulte a mis compañeros actores de los Hombres de lord Chamberlain.

—¿Los Hombres de lord Chamberlain? —La reina alzó las cejas—. La compañía va a representar una obra para mí el domingo.

—¿Una obra? —Olvidándolo todo, sir Danny se levantó de un brinco—. ¿Qué obra?

Ella le observó con curiosidad.

—Se llama *Hamlet*, creo.

—Me pregunto si... confío en que... oh, Su Majestad, ¿cuenta con la lista de intérpretes?

—En absoluto. ¿Debería tenerla?

—Es sólo que alguien podría representar uno de los papeles. Pero no, mi hijo no se encontrará aquí en la ciudad. Ahora está segura en otro lugar.

Siempre había ocultado el género de Rosie con el dominio de un experto y casi ni se percata de su metedura de pata. Con hombros hundidos, quiso llorar, pero se limitó a maldecir su debilidad. No se había permitido pensar en Rosie ni preguntarse cómo se desenvolvería en su nuevo papel de señora de la casa solariega. Se negaba a pensar en el matrimonio contraído, sin duda, mientras él languidecía en prisión. Sólo le interesaba saber que estaba sana y salva, eso sí le proporcionaría dicha.

Pero la echaba de menos. Por Dios, cuánto la echaba de menos.

La reina observó su inquietud, sus ojos brillantes delataban más de lo que él querría, pero antes de tener ocasión de plantear alguna pregunta, alguien dio un golpecito en la puerta.

—Adelante —dijo en voz alta la soberana.

La puerta se abrió de par en par y dejó ver a Cecil con el sacamuelas situado justo detrás de él.

—Aún estoy viva —le dijo la reina—. Más tribulaciones para ti.

—Mis preocupaciones son sólo consecuencia de mi desvelo por Su Majestad.

Cecil cogió de la mano al sacamuelas para hacerle entrar.

Por la mirada aterrorizada que dirigió el hombre a la reina, sir Danny supuso que le habría intimidado bastante para entonces.

—Déjeme ver su instrumental —ordenó el actor.

El sacamuelas se adelantó con sigilo y tendió la bolsa a sir Danny, luego se retiró con gran premura hasta la pared de enfrente.

—El dentista ruega a Su Majestad que le conceda otra oportunidad de ayudarle —dijo Cecil, mirando de manera significativa al hombre tembloroso.

—Es un gusano. —La reina Isabel despachó con desprecio al sacamuelas. Mientras observaba los instrumentos y las hierbas que sacaba Danny, su voz se volvió más estridente—. Cecil, quiero que mandes aviso a sir Anthony Rycliffe. Que se presente mañana por la mañana ante mí. Ya está bien de eludir sus responsabilidades.

—Sí, Su Majestad.

—Su primer cometido será ir a la residencia Essex mañana mismo para decirle a lord Essex que la reina le ordena presentarse ante el Comité Asesor y dar cuenta de sus actividades. —Apretó una almohada con su mano—. Sus actividades traidoras.

—Sí, Su Majestad —dijo Cecil e hizo una profunda reverencia.

—Pienso que eso le complacerá. Bien, vamos, vamos. —Chasqueó los dedos para dar prisa a sir Danny—. Si vas a hacerlo, hazlo de inmediato.

Sir Danny se acercó otra vez. Lo había hecho muchas veces con Rosie, con Will, con los otros miembros de la *troupe*. Pero ¿con la reina? ¿Con la dama que había adorado desde la distancia?

—¿Y bien? —Cecil gritó a sir Daniel—. ¿Qué vas a hacer?

—Cecil —ladró la reina Isabel—. O cierras la boca o te largas.

Entonces sir Danny se percató de que ella no iba a ayudarle porque estaba más asustada que él mismo. Pero el estado necesitado de la soberana le infundió valor y empleando un tono sedoso dijo:

—¿Da su permiso? —Ella asintió con gracia, pero él percibió su tensión al tocarle la mano—. Tiene una mano preciosa —murmuró—. Unos dedos tan largos, una piel tan delicada. —Acarició el dorso, luego la palma y le miró a los ojos. Ella aguantó la mirada, pero no pudo mantener los ojos abiertos tanto como él. Pestañeó—. El dolor es agotador y está muy cansada. Tan cansada que, mientras la toco, sólo puede pensar en dormir.

—Eso es muy relajante —admitió ella.

—¿Puedo tocarle el rostro? —Estiró los dedos y los pasó sobre su piel. Poco a poco hizo que se acostumbrara a su contacto—. Una piel tan hermosa y unos rasgos equilibrados. Cuánto debe doler una muela que provoque esa hinchazón.

—Así es —admitió ella arrastrando las palabras.

—Enséñeme la muela.

Abrió la boca y, cuando él tocó la pieza, dio un respingo.

—Piense en el placer que le aportará el sueño. Piense en cómo el sueño aplacará su inquietud. —Mantenía el tono grave y uniforme—. Piense en cómo el sueño atenuará cualquier molestia propia de la extracción.

—Sí.

Los párpados cayeron, pero volvió a abrirlos.

Sir Danny le acarició la mejilla.

—Puede dormir ahora. Durante el sueño sabrá que le estoy ayudando con la muela, pero seguirá dormida hasta que desee despertar. Continúa al mando de la situación, yo sólo le ayudo a alcanzar sus deseos.

—Sí.

Cuando cerró los ojos, sir Danny buscó el paño y las tenazas, con cuidado de que los metales no se tocaran y repicaran. El sacamuelas se había acercado más, fascinado con la demostración de sir Danny. Cecil permanecía junto al fuego con la boca tan abierta como la de la reina. Aplicando un cuidado y ligereza exquisitos, sir Danny extrajo la pieza, tan cariada que salió de la encía con suma facilidad. Llenó la cavidad con una cataplasma de corteza de sauce y una gasa y susurró.

—Duerma, graciosa majestad.

Con ojos aún cerrados, ella murmuró:

—Permanezca en palacio. Vea a sus amigos actores una vez más. Vea si su niño está entre los intérpretes.

Sir Danny apenas podía creerlo. Había venido a morir, y ahora la reina le ordenaba vivir. Pero ¿de verdad le había perdonado? Con las manos enlazadas en oración silenciosa, sir Danny preguntó:

—¿Y mi sentencia de muerte?

Con la cabeza aún apoyada en los cojines, Su Majestad quitó importancia a la cuestión con un ademán de su mano delgada.

—Lo decidiré más tarde. Al fin y al cabo —bostezó y se acurrucó—, es posible que necesite sacarme otra muela.

# *Capítulo* 22

¡Un nido de traidores!
—CUENTO DE INVIERNO, II, iii

*N*unca he visto una caída tan rápida y dura como la suya, jefe —indicó Wart-Nose.

—¿Qué quieres decir?

Tony saltó de la rampa de desembarco que daba al Strand y lanzó una mirada hostil al grupo de edificios elegantes que constituía la residencia Essex. Maldito Essex por someter a Su Majestad a tal sufrimiento y maldito por interrumpir el cortejo del propio Tony a su dama.

—Por fin una buena mañana, brillante y fría. Tiene a la reina llamándole para volver a sus obligaciones. —Wart-Nose pagó seis peniques al barquero y prometió otros nueve si les esperaba. Apresurándose para alcanzar a Tony, continuó—: Tiene al conde de Essex mostrando finalmente las cartas..., y lo único en lo que puede pensar es en su mujer.

—¿Alguna vez has pensado en que te extirpen el bulto de tu nariz? Wart-Nose se tocó la protuberancia que le daba nombre.*

—No, señor, no me fío de ningún cirujano con una hoja en la mano.

Con intención amable, Tony dijo:

—No te hará falta ningún cirujano si no cierras la boca de una vez y te quedas como un tumba.

---

* *Wart-Nose*, nariz con verruga en inglés. *(N. de la T.)*

311

Wart-Nose ladeó la cabeza y pensó un momento, luego decidió:

—Eso ha sido una amenaza. Muy bien, seré como una tumba.

Tony asintió y continuó andando por el sendero bordeado de arbustos podados. Por el otro lado la residencia Essex daba directamente al Strand, la zona al este del palacio de Whitehall donde se habían construido las casas más exclusivas de Londres. No habían reparado en gastos al erigir la residencia Essex. Los terrenos estaban bien cuidados, los establos eran inmejorables y la propia casa se elevaba con tres plantas de pura soberbia.

Pero no era ni con mucho tan impresionante como Odyssey Manor.

Siguiendo de cerca a Tony, Wart-Nose dijo:

—Da la impresión de ir siempre mirando a su espalda, esperando verla. Y cuando hablo parece escuchar, pero no puedo librarme de la sensación de que está atento a detectar la voz de ella.

Sacándose la daga, Tony se volvió y siguió a Wart-Nose, quien retrocedió con una risa socarrona.

—Vaya, vaya, sir Anthony, puede que me necesite aquí. —Indicó la residencia Essex—. Ahí dentro tiene enemigos, no lo olvide.

—¿Acaso necesito que un necio me guarde la espalda?

—Nunca se sabe. ¿Quiere que vaya a ver si encuentro alguno?

La sonrisa caradura y desdentada de Wart-Nose alivió un poco la tensión de Tony.

—Te lo agradezco, pero ya tengo uno. —Envainó la daga y reconoció en silencio la verdad que encerraba la acusación de Wart-Nose. Era cierto, buscaba a Rosie, escuchaba intentando oír a Rosie, estuviera donde estuviese. No dejaba de pensar que si deseaba verla con suficiente desesperación, ella aparecería.

Pero por el momento no había resultado así. La quería con suma desesperación, pero ella seguía esquiva.

Anoche, tras despedirse de Wart-Nose y el autor teatral, había visitado todas las tabernas frecuentadas por actores en busca de Rosie, pero sin conseguir nada. Hoy quería acabar lo antes posible con sus obligaciones para poder reanudar la búsqueda.

—Vaya día frío para dejar la puerta abierta —comentó Wart-Nose.

Era cierto. La inmensa puerta estaba abierta de par en par y nadie la vigilaba. Tony se introdujo y pestañeó para ajustar su vista a las sombras. Del interior llegaba la cháchara de muchas voces, voces masculinas.

Ningún lacayo salió a hacer su faena ni le saludó ningún criado, por lo tanto él y Wart-Nose se dirigieron a la galería como si se hallaran en casa. Nadie les detuvo. De hecho, ningún hombre —no había mujeres a la vista— se fijó en el jefe de la Guardia de la Reina y su ayudante.

—Qué puñetas —exclamó Wart-Nose cuando se detuvieron en el umbral—. No son más que un puñado de muchachos jugando con sus espadas.

—Un puñado peligroso de muchachos —replicó Tony. Pero Wart-Nose tenía razón, las bravuconadas colmaban el ambiente de tal manera que nada excepto las embestidas de una espada podía traspasarlo. Y blandían espadas por todos lados. A Tony le hubiera gustado tener vendas de lino y vender su mercancía a este grupo. Haría una fortuna.

—¿Ves a Essex?

—No, señor, pero veo al resto de rebeldes arrogantes.

Wart-Nose se tocaba el gorro constantemente, mostrando el respeto conveniente con su gesto pese a no hacerlo con su expresión.

No veían por ningún lado el reluciente cabello caoba y barba ondeante, características distintivas de Essex. Tony interrumpió un debate animado.

—Les ruego me perdonen, ¿podrían decirme, caballeros, dónde puedo encontrar al conde de Essex?

Un galés de ojos desorbitados miró a Tony de arriba abajo con la espada desenvainada.

—Todos queremos hablar con él, pero está ocupado planeando la rebelión. Dígame, ¿no le parece que el domingo es un buen día para el alzamiento de Londres?

Tony se quedó sin habla.

—Lo digo por los aprendices, ya sabe, el domingo es su día de fiesta —explicó el galés—. Si llamamos a la sublevación de Londres y los aprendices no están sometidos al yugo de sus señores, se unirán a nosotros en bloque.

Tony asintió, mudo ante la locura de aquel razonamiento.

—¿Essex? —preguntó otra vez.

—Está ahí junto al fuego. —El galés indicó una gran reunión de hombres agrupados en un círculo—. Pero tendrá que pedir la vez, igual que el resto de nosotros.

Con una fría seguridad, Tony dijo:

—Essex me verá.

Mientras se apartaba, oyó un susurro tras él.

—¿No sabes quién es ése? Sir Anthony Rycliffe, jefe de la Guardia de la Reina.

—No te alejes —murmuró Tony a Wart-Nose—. Noto un picor en la carne entre mis omoplatos.

—Sí, señor. Y mire, le están abriendo paso.

En verdad los murmullos se expandieron rápido, ya que mientras Tony andaba hacia el grupo alegre y seguro que rodeaba a Essex, la jocosidad se acabó. Transitó por el camino que se abría en silencio para él. Complacido por saber que su nombre y cargo inspiraban tal deferencia, Tony se fue andando directamente hasta el banco en el que descansaban Essex y Southampton.

Ambos hombres eran seres elegantes, vestidos con sedas luminosas, adornadas con plumas y joyas. Ambos sonreían con expresión burlona de bienvenida en sus severos y empolvados rostros y en sus delgados labios cubiertos de carmín. Sus dientes puntiagudos sonreían y les proclamaban criaturas carnívoras, cazadores nocturnos merodeando en las sombras hasta que las presas incautas mostraban su debilidad.

¿Cuál de los dos era peor? ¿Essex, con su ingratitud díscola, o Southampton, con sus ambiciones solapadas?

Tony lo ignoraba. Sólo sabía que no iba a dar muestras de debilidad. No iba a darles excusas para que se echaran contra él.

—Lord Essex. Lord Southampton.

Quitándose la gorra, hizo una amplia y elegante inclinación.

—Sir Anthony. —Essex se levantó y contestó con una reverencia igual de profunda. Luego añadió—: Miren, caballeros, éste es el bastardo instruido de Su Majestad.

Southampton se rió a viva voz, pero fue el único.

Tal vez la reputación de Tony como luchador había llegado hasta aquí. Quizá su sonrisa agradable transmitía escasa diversión y sí alguna amenaza. Pero lo cierto era que el círculo en torno a Essex se ampliaba mientras los otros se apartaban poco a poco.

Essex hizo un gesto desdeñoso al advertirlo.

—¿No tendréis miedo de este hijo de puta desposeído y patético? Vaya, si incluso la finca que Su Majesad le donó está en juego porque la heredera ha regresado. Y aunque sólo Dios sepa dónde ha estado meneando las faldas todos estos años, ella al menos es legítima.

Tony dio un brincó y derribó a Essex. Sentándose sobre su pecho, apretó con el antebrazo la garganta de su presa y dijo:

—No vuelvas a llamarme bastardo otra vez o me veré obligado a enseñarte a mostrar respeto a tus superiores.

El rostro de Essex se fue poniendo rojo por la falta de aire. Forcejeó contra el asimiento de Tony, pero, pese a estar al mando, sólo tenía experiencia en combates entre señores y duelos de la corte. No era rival para un hombre que se había jugado la vida con el acero, los puños y las garras en incontables batallas por Europa.

—Y jamás menciones otra vez a lady Rosalyn. No eres digno ni de limpiarle el excusado. —A Essex casi le saltan los ojos, pero Tony seguía sujetándolo contra el suelo, sin dejarle respirar.

Pero Essex tenía amigos, y se encontraba en su terreno.

—¡Sir Anthony!

La alarma de Wart-Nose advirtió a Tony. Arrodillado aún sobre el pecho de Essex, captó por el rabillo del ojo las delicadas mallas de Southampton avanzando hacia él. Con la punta de la daga, hizo un corte en la pierna del conde y se rió cuando Southampton aulló y retrocedió de un brinco.

—Apártate —advirtió Tony a Southampton; luego miró a su alrededor el gentío que observaba—. No os acerquéis. Hay motivos mejores para morir. Hay líderes mejores que seguir.

Essex buscó a tientas su espada:

—Quítate de encima.

Tony apuntó con la punta de la daga entre los ojos de Essex, y éste se quedó inmóvil. Con su voz más cordial y respetuosa, Rycliffe dijo:

—Haré lo que dice, milord Essex, pero primero, estoy aquí porque la reina me ha mandado trasladarle sus deseos.

—¿Qué quiere ahora esa vieja...? —La punta de la daga se acercó todavía más, y Essex se apresuró a revisar su pregunta—. ¿Qué desea Su Majestad?

—Eso está mejor —dijo Tony y enfundó su daga.

Los ojos negros de Essex centellearon con un odio brillante y frío.

—Permíta... me... levantarme.

Sonaba fiero, y Tony se sonrió.

—De cualquier modo, qué huesudo y desagradable eres, vaya incomodidad. —Tony se levantó y luego observó a Essex poniéndose en pie despacio. Tras recoger su gorra, el conde se sacudió la rodilla con ella, observando en todo momento a Tony—. Confío en que no le haya hecho daño, milord —continuó Tony—. Me afligiría mucho que no fuera capaz ahora de responder a la llamada de la reina.

—¿Ha recapacitado ella entonces? —soltó Essex, pero medio levantó la mano como si quisiera frotarse el cráneo dolorido.

—¿Ella? —Tony fingió aturdimiento—. ¿Ella? ¿Se refiere a Su Majestad, la reina Isabel?

—En efecto, a ella me refería. —Essex torció el gesto con una mueca elegante de desdén—. Es su título..., por el momento.

Eso era ser directo, desde luego, y Tony deseó no haberle permitido levantarse del suelo. Hizo un movimiento en dirección al conde y Essex sacó la daga para una apresurada autodefensa.

El séquito de Essex soltó un gruñido colectivo, y Wart-Nose cogió a Tony del brazo.

—Podríamos considerar una retirada a tiempo y entregarnos otro día a la pelea.

Wart-Nose tenía razón. Tony detestaba admitirlo, pero tenía razón. Estaban rodeados de espadachines galeses, soldados irlandeses, pastores puritanos, sacerdotes católicos y señores que no habían logrado dejar su impronta en la corte. Y aquellos hombres que se hacían ilusiones de poder cuestionar la soberanía de la reina eran capaces de decidir que éste era un momento propicio para matar a su heraldo.

Con solemnidad propia de una orden real, Tony dijo:

—Lord Essex, el Comité Asesor le convoca a comparecer de inmediato y dar cuenta de sus acciones e intenciones.

Essex echó un vistazo a Southampton, pero éste estaba examinando el corte donde Tony había levantado la malla y la piel.

—No puedo comparecer hoy ante el Comité Asesor —replicó.

Tony contuvo su júbilo y su desprecio.

—¿Y qué excusa debo dar?

—No... no me encuentro bien. ¡Eso es! —Essex se entusiasmó con la idea—. No puedo complacer la petición de Su Majestad por culpa suya, sir Anthony Rycliffe.

—¿Y cómo es eso, milord?

—Me ha hecho daño al atacarme.

Tony no pudo contener más la risa.

—No me había percatado de que un revolcón de nada podía dejar impedido al jefe de las fuerzas inglesas en Irlanda.

—Ah, bien. —Essex se frotó el cuello donde las señales del asalto de Tony empezaban a oscurecerse, luego echó una ojeada a la daga que aún sostenía en la mano—. Ya estaba enfermo y su ataque ha exacerbado mi debilidad.

—Eso explicaría por qué he sido capaz de reducirle con tal facilidad —replicó Tony.

—Desde luego, es la verdad.

Luego, cuando Essex se percató de que Tony se estaba riendo en su cara, se abalanzó sobre él.

Levantando el brazo, Tony se puso de lado justo a tiempo, pero la daga cortó el tejido de la capa y alcanzó la carne desprotegida.

Empezó a gotear sangre por el brazo, salpicando sus botas al alcanzar el suelo pulido, pero no lo advirtió, pues ya estaba sacando la daga. Con miradas y gestos, él y Essex se desafiaron.

—Dejen de pelear. —gritó Wart-Nose y rompió su concentración.

Tony se volvió hacia él lleno de furia.

—¿Es que quiere morir? —En voz baja, Wart-Nose cogió a Tony por el brazo y se lo envolvió con su banda—. Ah, le ha alcanzado, pero sólo ha abierto la piel justo encima del hueso. Unos pocos puntos cerrarán esa herida, pero si se enfrenta aquí a él y gana, morirá. Si vence usted, sus hombres le matarán. ¿No quiere acostarse con esa mujer suya otra vez?

Dominando su furia, Tony dijo con sarcasmo:

—Bien hecho, milord.

Essex miró la herida con una mezcla de vergüenza y desafío.

—Un justo castigo para la insolencia de un bastardo.

—Un justo castigo para la falta de atención de un bastardo —corrigió Tony—. ¿Debo decirle entonces a la reina que está demasiado enfermo para obedecer sus órdenes?

—En efecto, eso es. —Con aspecto aliviado, Essex enfundó la daga—. Le ordeno que así se lo diga a la reina.

Tony se quitó el sombrero otra vez.

—Haré lo que desee, milord, pero dudo que ella acepte sus excusas.


La reina Isabel caminaba deprisa por los jardines del palacio de Whitehall, con sus damas de compañía siguiéndola como crías teñidas de color tras un gran y grácil cisne blanco. La fría tarde soleada invitaba a la actividad, y sir Danny había sido el primer halagado cuando le invitó a acompañarla. Ahora sólo podía resoplar a su lado mientras Su Majestad decía:

—He comprobado la lista de intérpretes de *Hamlet*. El actor que interpreta a Ofelia se llama Rosencrantz. ¿Conoces a Rosencrantz?

Sir Danny se llevó las manos al pecho. Aún no se había recuperado del fervor de gratitud hacia la reina por el desayuno de tres platos que le habían servido aquella mañana y la comida de siete platos del mediodía. Ahora le ofrecía el regalo de Rosie.

—¡Es mi Rosencrantz! Mi hijo. Su Majestad es demasiado buena conmigo.

—Espero que no.

Ella continuaba caminando y él correteó para alcanzarla.

—Temía que mi hijo estuviera en Londres, pero al mismo tiempo lo esperaba. No debería estar, desde luego, pero las noticias de mi encarcelamiento deben haberle traído de... de...

No podía pensar en ninguna mentira convincente. Tal vez el agotamiento emocional de la velada lo había dejado exhausto. Tal vez dos comidas exquisitas no eran suficientes para revivirle. O tal vez la mirada cínica de la reina Isabel le privaba de ingenio.

—¿Tu hijo, dices?

Su andar era potente, su piel se veía fresca y las ojeras de insomnio que oscurecían sus ojos la otra noche se habían desvanecido. Sir Danny se congratulaba del milagro de su buena salud y al mismo tiempo se preguntaba si al librarle del dolor también había atraído su interés hacia él y sus artimañas poco convincentes.

—¿Qué edad tiene?

Intentó discernir frenéticamente la trampa, pero no encontró ninguna.

—Tiene veintidós años.

—¿Cuánto hace que interpreta tu hijo el papel de mujer?

—Desde que siguió mis pasos y se hizo actor. Los jóvenes siempre interpretan papeles de damas, ¿sabe? Porque su aspecto juvenil lo hace más creíble.

Se sonrojó y vaciló cuando ella le dedicó una sonrisa desdeñosa. Eso ya lo sabía ella, por supuesto que lo sabía. Deseó que dejara de andar tan rápido. Tras un mes en prisión, apenas podía seguir su paso, pero no podía admitirlo ante ella. No a la propia Gloriana.

—¿A qué edad empezaste a interpretar sólo papeles de hombre?

Jadeando, se llevó la mano a la punzada del costado.

—A los dieciocho, señora. Es la edad más habitual. —Luego percibiendo la trampa, balbució—. Pero Rosie...

—Rosie es nombre de mujer.

—Rosencrantz...

—Rosencrantz es un nombre estúpido. —La reina se detuvo tan de repente que él se tropezó con la cola de su falda—.¿Hay algo que quieras decir a tu reina sobre tu hijo?

El tono brusco de la soberana no toleraba desafío alguno, y a sir Danny le fallaron sus débiles defensas.

—Es una mujer. La vestí como un muchacho e interpretaba los papeles de mujer.

La reina Isabel le dio en los nudillos con el abanico.

—Qué atrevido eres, Danny Plympton.

—Más bien, qué insensato, pero ¿qué otra opción tenía? La encontré huérfana y no tenía nadie que se ocupara de ella.

Se encogió al recordar las instrucciones de lord Sadler. *Lleve a la niña a la reina Isabel*, había dicho lord Sadler. Este embrollo era resultado de su desobediencia e ignorancia y si... no, cuando la reina lo descubriera, haría algo más que estirarle el cuello. Haría que lo arrastraran y lo descuartizaran también.

Pisaba sobre un hielo muy fino y no sabía cómo salir del lío sin traicionar a Rosie o a sí mismo o a ambos. Intentó recordar la historia que las hermanas de Tony habían concebido para que la educación de Rosie resultara creíble.

—Rosie no estuvo siempre conmigo. Una dama bondadosa me ayudó a cuidarla con el refinamiento perfecto.

—¿El nombre de la dama? —le espetó ella en tono brusco.

—Lady Honora, duquesa viuda de Burnham y baronesa de Rowse.

Casi entorna los ojos con aquella torpe mentira, pero la reina Isabel se frotó la barbilla pensativa.

—Lady Honora fue en otro tiempo mi dama de compañía, tendremos que preguntarle al respecto.

Por mucho aprecio que sintiera por lady Honora, no se hacía ilusiones sobre la capacidad de la dama para crear un relato que coincidiera con el suyo. Sumido en la desesperación, añadió:

—Tal vez fuera una de sus tías.

—¿No sabes la identidad de la mujer que crió a tu hija adoptiva? —preguntó un tanto incrédula.

Ante la duda, sir Danny se decidió por marcarse un farol.

—A los hombres viriles no les preocupan tales cosas.

La reina Isabel le plantó cara, con la barbilla alta y los orificios nasales abiertos con desdén.

—Me decepciona, sir Danny Plympton, no pensaba que fuera uno de esos «hombres viriles».

Hizo que sonara como una maldición y a él se le hundió el corazón al percatarse de que había destruido algo frágil entre ellos. ¿Sería el histrionismo masculino de Essex lo que la agriaba de tales posturas o era algo anterior, algo que se remontaba a las profundidades del pasado? Ansiaba preguntar, ofrecer el consuelo y la comprensión que le habían ganado tantos corazones de mujeres, pero habían llegado ya a la pista de tenis.

Rígida y desdeñosa, Isabel se hundió en uno de los asientos de piedra para los espectadores.

—En este momento, sir Danny, su vida pende de un hilo. Tal vez dependa de la interpretación de su hija mañana. Tal vez dependa de que ella demuestre que le quiere. Puede irse ahora. No requeriré más sus servicios en el día de hoy.

Infeliz, frustrado y casi llorando —tanta debilidad le avergonzaba mucho— sir Danny se postró de rodillas ante la reina. Desde la posición abyecta que mantenía y cuando ella hizo un ademán con la mano, se puso en pie con dificultad y retrocedió. Retrocedió y retrocedió hasta que el tropel de damas de compañía jadeantes pasó a su lado y rodeó a Su Majestad. Luego dio media vuelta y regresó a rastras al palacio, sin ver la figura que le observaba acechando entre las sombras.

# Capítulo 23

Ni campana, ni breviario ni cirio me harán retroceder
Cuando el oro y la plata me inviten a continuar.
—El rey Juan, III, ii

*L*ady Honora, Ann y Jean encontraron a la reina sentada en las canchas de tenis, observando las pistas como si mirara a unos jugadores desvanecidos tiempo atrás participando en una disputada partida. No muy alejadas, sus damas de compañía aguantaban en pie temblando bajo el sol. Tras rendir el homenaje adecuado a la reina, lady Honora dijo:

—Permítame que envíe a las chicas de vuelta a palacio, Su Majestad. Tienen frío, yo me ocuparé de usted si necesita algo.

La reina Isabel alzó la vista como si acabara de reparar en su presencia.

—Lady Jean, lady Ann, lady Honora, me alegro de verlas. Sí, mande a esas tontas brujas de vuelta al palacio. Estaré más a gusto con su compañía. —Las doncellas salieron huyendo mientras la reina preguntaba—: Lady Honora, ¿qué es esa marca en su cara?

Cohibida, lady Honora se tocó la cicatriz todavía rosa.

—¿Se ve muy fea?

—No, no. —La reina Isabel restó importancia con un ademán—: ¿Acaso cambia algo? Ya no es una jovencita deseosa de atraer a todos los hombres, y yo ya no soy una jovencita con ganas de ser cruel. —Se quedó mirando el cuidado césped con sus redes y postes—. ¿Alguna se acuerda del rey, mi padre?

La melancolía en el tono de la reina preocupó a las mujeres, que intercambiaron miradas. Lady Honora respondió, aunque la respuesta era la misma que la de todas ellas.

—Por gloriosa que fuera la monarquía del rey Enrique, señora, yo he vivido toda mi vida bajo el sol de su reinado.

La reina Isabel seguía sin mirar.

—¿No recuerdan el reinado de mi hermana, durante el cual casi pierdo la vida? ¿O el breve reinado de lady Jane Grey? No recuerdan a mi hermano Eduardo, por consiguiente son sin duda demasiado jóvenes para recordar a mi padre y su manera de tratarme.

—Yo personalmente no lo recuerdo —dijo Jean—, pero nuestra madre estuvo en la corte del rey Enrique.

—Recuerdo a su madre. —La mirada acongojada de Isabel se relajó un poco—. De hecho, su madre era una de las damas cuando yo sólo era lady Isabel, no la reina.

—Ella lo comentaba a menudo, señora.

La voz suave de Ann hizo que sonara como si su madre lo relatara como un recuerdo agradable, cuando de hecho no era así. Tanto Jean como Ann recordaban que su madre les había explicado cómo trataba el rey Enrique a su hija. Nunca había existido un déspota más frío que concebía hijos —dos hijas en concreto— y luego las rechazaba por su género. Las trataba con amabilidad si se comportaban tal y como él deseaba, y las expulsaba de la corte cuando no era así. La propia lady Isabel había estado casi doce meses, a la edad de doce años, sin aparecer por la corte. Durante ese tiempo había pasado a menudo frío y hambre, sin ropa suficiente, temiendo por su vida, pues sabía lo que les sucedía a las mujeres que disgustaban al rey Enrique.

La madre de Isabel había sido decapitada por disgustar al rey Enrique.

Sí, el trato dispensado por el rey Enrique a sus hijas era motivo para estar melancólica, desde luego.

—A veces miras a un hombre y atisbas lo que crees que es un corazón y un alma entregados a hacer el bien. La luz del orgullo y el desvelo centelleaban en sus ojos cuando hablaba de su hija, y pensé que me quería no sólo porque era la reina, sino porque era una mujer —la reina Isabel profirió una risa socarrona, un ruido desagradable y desconsolado—, pues le gustaban todas las mujeres. Pero me temo que me he equivocado.

Obviamente perpleja, Ann preguntó:

—¿El rey Enrique?

Sorprendida, la reina Isabel se rió, esta vez divertida.

—No, querida, no el rey Enrique. Un don nadie que merece mi misericordia por todo lo que ha hecho y mi desprecio por la manera en que ha tratado a su hija.

—Siempre encontré a mi padre indiferente hacia mis deseos.

Lady Honora volvió la mirada al pasado, recordando a sus dos primeros maridos y sus puntos flacos.

—Sí, a su padre usted no le importaba lo más mínimo. —La reina Isabel era brutal en su sinceridad—. ¿Todos los hombres son fríos con sus hijas?

—Ya sabe que no —respondió Jean—. Nuestro padre fue sumamente generoso en el cariño que mostraba hacia nosotras.

Ann asintió:

—Y nuestro hermano adora a sus hijas.

—Tony adora a las mujeres y como padre también venerará a sus hijas. —Jean decidió hacer frete al mal tiempo y preparar a la reina para la resurrección de la heredera Sadler, si alguna vez volvían a encontrarla—. ¿Recuerda cómo estaba lord Sadler con su hija pequeña, Rosalyn? La adoraba en todos los sentidos.

—Sí. —La reina asintió—. Desde luego, recuerdo a lord Sadler. El mejor lord que ha vivido jamás, y ahora corre el rumor de que la heredera ha sido encontrada. —Dirigiéndoles un mirada penetrante, preguntó—: ¿Qué saben de eso?

Lady Honora respondió:

—Esta viva. Mi tía soltera encontró a la niña en la carretera y, reconociendo sus cualidades, la tomó a su cargo y la educó como a una dama. —Aunque lady Honora afirmara que no sabía mentir, cuando se ponía a ello, mostraba la firmeza de una roca—. Por desgracia, no me percaté de su identidad hasta hace bien poco, cuando la llevé a Odyssey Manor.

—¿Odyssey Manor? —La reina Isabel jugueteó con la larga sarta de perlas que rodeaba su cuello—. ¿Por qué la llevó allí en vez de traérmela?

—Perdóneme, señora, pero sentí que necesitaba regresar al escenario original antes de poder afirmar con toda certidumbre que era la niña perdida.

—¿Y qué la convenció? —preguntó la reina con brusquedad.

Con voz aguda, aflautada, Ann dijo:

—Los fantasmas que la obsesionan.

La reina Isabel fue a hablar, pero controló su lengua porque la atolondrada Ann le caía bien.

—A lo que Ann se refiere —dijo Jean— es a que Rosie...

—¿Rosie? —La reina Isabel le dedicó un ceño—. ¿La llaman Rosie?

Desconcertada por la pregunta aguda de Su Majestad, Jean explicó:

—No es más que un apodo de lady Rosalyn.

—Un apodo que he oído antes recientemente. —La reina Isabel miró a cada una de las damas como si adivinara su subterfugio—. Esta mañana que ha empezado tan poco propicia, se pone cada vez más interesante. —Sonrió al detectar el horror levemente disimulado por el trío—. Siéntense. Me ponen nerviosa ahí quietas.

¿Qué otra cosa podían hacer? Jean se sentó en el banco delante de la reina, y lady Honora y Ann se unieron a ella, en hilera como unas niñas ante la severa instructora. Su inquietud parecía divertir a la reina. Señaló a Jean y le ordenó:

—Cuénteme más cosas de los fantasmas de Rosie.

Jean, obediente, empezó:

—Lady Rosalyn descubrió que sabía moverse por la finca, igual que sabía cómo estaba organizada la casa solariega en los tiempos de lord Brewer. Además, algunos de los criados más veteranos afirmaron recordarla.

—¿Recordaba ella a su padre? —preguntó.

Con aspecto triste y perdido, Ann susurró.

—Ése era el fantasma.

Jean intentó explicarlo, pero la reina Isabel le hizo una indicación para que guardara silencio.

—Es más interesante cuando lo cuenta su hermana. —Entonces le preguntó a Ann—. ¿Camina Edward?

—En la mente de Rosie —contestó Ann—. Ella dice que no recuerda, pero el horrible relato está ahí por completo, acechando en la tristeza de sus ojos.

Poco satisfecha con aquellos detalles tan intangibles, la reina Isabel preguntó:

—¿Qué clase de mujer es Rosie?

—Oh, es encantadora. —La nube que azoraba a Ann se desvaneció, reemplazada por un placer vivaz—. Es modesta y amable, y aprende a buen ritmo todo cuanto le enseñamos. Es bella y tiene talento, una preciosa sonrisa y ojos ámbar.

—¿Talento?

La pregunta de la reina Isabel parecía bastante inocente y sonsacó la verdad a Ann como una cataplasma extrae los humores perniciosos.

—Es una actriz maravillosa.

Jean dio un codazo tan fuerte a su hermana que ésta se cayó del extremo del banco. Con el aluvión de disculpas y ayudas, nadie insistió en la cuestión, aunque Jean advirtió un destello de satisfacción en la reina.

—¿De manera que fue la familiaridad de Rosie con la finca lo que la convenció de su identidad?

La reina fingió escepticismo como anzuelo y lady Honora mordió el gancho.

—Había una carta de lord Sadler.

El escepticismo de la reina Isabel desapareció para dar paso a su interés genuino.

—¿Llevaba el sello? ¿La marca del anillo que le di?

—No, no lo llevaba.

Jean añadió:

—El anillo se perdió, sospechamos, cuando el ladrón desvalijó el carruaje de lord Sadler.

La reina se tocó los ojos con sus dedos enguantados.

—La verdad, siempre he esperado volver a ver el anillo. Habría refrescado mis recuerdos del querido Edward. —Alzó la mirada otra vez y su sentimentalismo se desvaneció—. ¿Qué decía la carta?

Lady Honora tenía una expresión bastante apesadumbrada y Jean se sintió conmovida por el dilema de su amiga. No podía mentir sobre el contenido de la carta, pues la reina podía pedir verla, no cabía duda de que lo haría. A su pesar, lady Honora dijo:

—Daba instrucciones al portador para traer la niña a Su Majestad, al lugar que le correspondía.

—¿Por qué su tía solterona no hizo lo que indicaba la carta? —preguntó la reina Isabel.

A su pesar, lady Honora dijo:

—Es una tía muy mayor.

—He conocido a todos los pares del reino —dijo la reina— y no recuerdo a su tía.

—¿No recuerda a la tía de lady Honora? —Una voz audaz habló con atrevimiento—. Su Majestad, eso es porque, comparada con lady Honora, ningún miembro de su familia es memorable.

—¡Tony! —Jean se fue corriendo hasta su hermano con Ann siguiéndole los talones—. Tu grata presencia es un regalo para nuestros sentidos.

Estaba tan guapo, rubio y elegante como siempre cuando se inclinó para besarle la mejilla y murmurarle al oído:

—Su Majestad os tiene atrapadas, ¿verdad?

—Sí —respondió Jean en un susurro— y quiero que la distraigas.

—¡Por la sangre de Cristo! —La reina Isabel se llevó la mano a la frente y gimió—: Si la heredera Sadler ha regresado, ¿qué vamos a hacer con sir Anthony y Odyssey Manor?

—¿Ves lo bien que se me dan las distracciones? —Tony se congratuló como si el éxito fuera suyo, pero era muy consciente de las trampas que ocultaba cada recodo del laberinto—. Su Majestad —con un ademán elegante se arrodilló ante ella con sus hermanas y lady Honora colocadas detrás—, agradezco su generosidad al restituirme en mis deberes. Si no puedo servir a Su Majestad, languidecería en la celda más oscura de la prisión más oscura de mi mente, anhelando siempre el sol de su presencia. En el futuro, haga caso omiso de mi lengua insensata, se lo ruego, y permita que este pobre y rudo soldado la proteja de los truhanes que la envidian.

La reina le pellizcó la oreja que anteriormente había atizado.

—Sí, sí. Pero ¿cómo vamos a resolver este dilema? Es titular de Odyssey Manor...

—Por la gracia de Su Majestad —intercaló Tony.

—...¡Y la heredera Sadler ha regresado! —Bajó el rostro hasta el de su adalid—. ¿Qué vamos a hacer?

Ni siquiera por Rosie podía renunciar a la propiedad.

—Odyssey Manor es mía.

—Pero ¿la heredera Sadler?

—Me casaré con esa tonta muchacha si es necesario.

Tony se estremeció cuando la reina Isabel cantó con voz suave:

—¿Tonta muchacha? Sus hermanas y lady Honora sólo tienen alabanzas para ella.

—No es nada comparada con usted —replicó él, preguntándose qué más habrían revelado sus hermanas y lady Honora.

—Entonces, ¿ya la conoce?

—Desde luego, Su Majestad —dijo Jean—. Ella se encontraba de visita en casa de Tony. Nuestro hermano fue de lo más gentil, desde luego, maravilloso en sus atenciones, hasta que se percató de su verdadera identidad.

—Pero sigo siendo gentil —soltó Tony.

—Parecías un toro arremetiendo contra un rival —corrigió Jean. Luego le dijo a la reina—: No le gustaba verse amenazado en algo que consideraba suyo.

Se refería a Rosie, se percató Tony, pero sonaba como si se refiriera a la propiedad. Dios bendijera a Jean.

La reina Isabel ladeó la cabeza de Tony con su mano para mirarle bien a los ojos.

—¿La besó, sir Anthony?

—Señora, ya sabe que lo hice. —Tony se apartó los mechones rubios de la frente—. Las beso a todas, pero ningún beso es tan resplandeciente como el que deposito en su preciosa mano.

Le tomó la mano libre para besarla.

Con una sonrisa débil, la reina observaba su actuación.

—Me recuerda a alguien que acabo de conocer. Alguien lleno de suficiencia y lleno de...

—¿De? —preguntó y alzó una ceja.

—Bondad —respondió ella de forma inesperada—. ¿No había oído que lady Honora tenía planes de boda con Tony?

Una ráfaga de furia balanceó a su soldado hacia atrás, pero no fue el único en mostrar consternación por la pregunta de la reina. Lady Honora se pronunció:

—He decidido no seguir adelante.

—¿En verdad? ¿por qué no?

La reina miraba a uno y a otro, evaluándolos como pareja.

—Sin Odyssey Manor, no tiene riqueza alguna —respondió lady Honora.

—Le daré una dote —replicó la reina Isabel.

Tony se percató del auténtico peso de los sentimientos de lady Honora por sir Danny cuando la dama se cogió las manos con gesto de ruego ante Tony. Rescátame, indicaba su gesto, pero ¿cómo se suponía que iba a hacerlo?

¿Se olía la reina los planes de boda de Tony para iniciar una dinastía con una dama joven? ¿O habría detectado —con la mención del nombre de Rosie— la brasa persistente de su pasión? En cualquier caso, la monarca temía perder a uno de sus cortesanos favoritos.

Era obvio que pensaba que él nunca la dejaría por lady Honora. Obviamente tenía razón.

Con una mirada lasciva, se inclinó un poco más hacia Isabel.

—¿Una dote? ¿Está tasando mis preciosos huesos?

Divertida por su atrevimiento, la reina le dio unas palmaditas en la cabeza con su manguito de piel.

—Es un valor que yo establezco, sir Anthony.

—Un valor que yo demuestro preñando damas —replicó en tono escandaloso.

La reina Isabel chilló de la risa, pero lady Honora se estremeció.

Maldición, ella les había colocado en esta difícil situación. Debería sacarles de ahí.

Pero Tony suspiró. Si fuera por la poco imaginativa lady Honora, estarían atrapados en el sacramento del matrimonio antes de que la primavera agrietara la tierra con el primer brote verde.

Adoptando un semblante más serio, Tony dijo:

—Adoro a lady Honora, y cuando vino a mí con su propuesta de matrimonio pensé que sería una unión de lo más conveniente.

Detrás de Su Majestad, Jean y Ann entornaron los ojos. Lady Honora se estremeció.

—Pero no veo otra solución a este dilema con la heredera Sadler aparte de casarme con ella para así poder conservar Odyssey Manor. La propiedad es mía y no la voy a entregar a una chiquilla por una reivindicación descartada hace tiempo.

La reina Isabel dejó su fachada agradable.

—Yo le otorgué Odyssey Manor.

—Sí, señora, igual que me la concedió me la puede quitar en cualquier momento. —Quería a Rosie, y quería aquella finca, y ni siquiera sabía por cuál de las dos peleaba ahora—. Cuando me la dio, todo el mundo supuso que seguiría llamándose Sadler Manor. Todo el mundo imaginó que buscaría algún vínculo entre aquella familia y la mía o que me cambiaría de nombre o que de algún modo querría atribuirme algo de la nobleza de la antigua familia. En vez de eso, cambié el nombre de la finca, y ¿sabe por qué?

Muda ante aquel arranque, la reina negó con la cabeza y, tras ella, sus hermanas y lady Honora hicieron lo mismo.

—Como Odiseo, he recorrido el mundo, desde Escocia a Cornualles, desde el continente árido a las abarrotadas calles de Londres. He luchado con los monstruos de los celos, los prejuicios y la envidia, así como con hombres reales que me habrían matado por mero placer o por el reto en sí, o simplemente porque yo era un enemigo. —Se dio con el puño en el pecho—. Esa finca, esa propiedad, es la cúspide de mi odisea personal. Mi compensación por servir bien a mi reina y mi país, por derrotar a todos los monstruos, es esta finca. Es el fin de mi odisea, la cúspide de todo precipicio por el que he tenido que trepar. Nunca habrá otra Odyssey Manor para mí, y se lo ruego, señora, no me rompa el corazón privándome de mi hogar.

El pequeño grupo parecía congelado bajo el sol, como estatuas italianas talladas para este jardín. Entonces la reina Isabel se agitó y suspiró:

—Expone su caso de forma elocuente. Lo tendré en consideración.

Tony tomó conciencia de cómo le dolían las rodillas, pero no se atrevió a moverse.

—Se lo ruego, señora.

—Ya he dicho que lo consideraré. —Una sonrisa estiró sus labios—. Al fin y al cabo, lady Rosalyn ¿o debería llamarla Rosie?, no ha presentado petición alguna todavía. —Se puso en pie y se arregló el manto—. Tal vez debería mandar llamar a esta bella y joven dama de formación tan completa para tener ocasión de habar con ella. Saben dónde se encuentra, ¿verdad?

Pero no esperó a su respuesta. Se puso a andar majestuosamente hacia el palacio de Whitehall. Tras un momento de horror, Jean, Ann y lady Honora corretearon para alcanzarla.

Tony se levantó, aliviado de que la reina se hubiera olvidado de preguntar por Essex, pues Tony no tenía deseos de informar sobre su desafío.

—Sir Anthony.

La reina Isabel regresó e interrumpió aquellas congratulaciones. Tony podía haber gemido:

—¿Sí, señora?

La monarca en pie le mostraba su perfil, sin mirarle a los ojos, negándole la visión de su optimismo aún vivo.

—¿Cuándo se presentará lord Essex ante el Comité Asesor?

Por lo tanto, la bendita mala memoria la esquivaba, y Tony tuvo que responder.

—No va a venir, Su Majestad. Alude enfermedad.

—¿Me ha mandado algún mensaje?

Tony se compadeció de ella, pero no se permitió transmitir lástima con el tono de voz.

—No, señora.

—Entonces tendré que ocuparme de él. ¿Sabe que los Hombres de lord Chamberlain interpretaron hoy *Ricardo II* por orden de Essex?

—No sabía eso, señora.

—Envíe mañana mismo a mi Comité Asesor para esperarle a las diez de la mañana y pedirle explicaciones por esta ofensa.

Debatiéndose entre su deseo de buscar a Rosie y su necesidad de cumplir con el deber, preguntó:

—¿Debo ir con ellos, señora?

—Creo que no, sir Anthony. —Volvió su mirada hacia él con intensidad incendiaria—. Sospecho que es una mala influencia cuando se trata de que lord Essex cumpla mis órdenes.

Tony reconoció eso con una pequeña inclinación.

—Sospecho que tiene razón, señora.

—Acompañe allí a los caballeros, pero quédese fuera, por su seguridad.

—Sí, señora. —Más tarde, liberaría a sir Danny de la prisión, convencería a Rosie de que debían casarse y convencería a la reina de lo adecuado de su proposición. Un hombre de menor valía podría encogerse, pero aunque hubiera superado mayores obstáculos, nunca había superado obstáculos tan importantes.

—Cuando salga Essex, acompáñele aquí. —Isabel se alejó, y luego se volvió una vez más—. Y, ¿sir Anthony?

—¿Señora?

—Jure que no le hará daño.

# Capítulo 24

Veo que los juicios de los hombres
Constituyen una parte de sus fortunas.
—ANTONIO Y CLEOPATRA, III, xi

Que Essex tiene retenido al Comité Asesor? —Tony se quedó mirando a Wart-Nose con asombro y consternación. Tal y como había ordenado la reina, había acompañado hasta la residencia Essex a la delegación de asesores de confianza más destacados, pero se había detenido a escasa distancia de la entrada. Era la última oportunidad de redención de Essex, y no la había aprovechado. Tony se maldijo con exasperación—. ¡Y yo he jurado a la reina que no le haría daño! ¡Maldición! Manda a un hombre para que explique estas novedades a sir Robert Cecil. Tal vez nos envíe a alguien que no esté bajo juramento.

Mientras hablaba, la entrada de la residencia Essex se abrió de par en par. Las grandes puertas dieron salida a doscientos hombres que inundaron el Strand igual que el agua hirviendo desborda una marmita. A la cabeza iba el conde de Essex, con mirada febril y gestos extravagantes. Su sombrero oscuro con pluma blanca se meneaba por encima de las cabezas de los rebeldes.

—¡A la corte! —rugieron los rebeldes mientras chocaban las espadas desenfundadas. Aunque la mayoría de los hombres de Tony continuaban en guardia defendiendo el palacio de Whitehall, éste pensó en la edad y dignidad de la reina Isabel y, con un ademán elegante, se plantó ante Essex.

Essex se detuvo. Tras echarse sobre los hombros las puntas de la capa de seda carmesí dijo:

—¡Hazte a un lado, bellaco! Ya no puedes detener esta delegación sagrada como tampoco puedes detener las olas del océano.

—No tengo deseos de detenerte. —Tony mantenía la mirada firme en Essex y pasaba por alto los gritos furiosos de los rebeldes—. Te lanzo un desafío. Entremos en combate, porque en combate el bastardo y el señor son iguales. Ahí veremos en verdad quién es el mejor guerrero.

Essex se mostró tentado y se lamió los labios delgados y pintados como un gato a quien ofrecen un ratón rollizo.

Tony alzó la voz para que todos pudieran oírle.

—¿O eres un cobarde que teme sentir mi peso sobre el pecho o mi puñal en la garganta?

Con un rugido, Essex desenvainó espada y daga. Tony sacó sus hojas y detuvo la primera embestida de la espada enemiga. El conde intentó hundir su reluciente hoja en el pecho de Tony, pero el soldado se escurrió bajo la espada y, con el brazo, golpeó la mano de Essex que sostenía la daga.

Un error, pues un fuerte dolor se propagó hasta su codo cuando los puntos aún carnosos se desgarraron. Essex se rió al oír la exclamación de agonía de Tony y cogió impulso con la espada, pero se enredó en los pliegues de la inflada capa.

Tony se rió a su vez y cortó los cordeles de la capa ofensiva con un rápido tajo de su puñal.

—¡Milord! Yo voy vestido para pelear y tú te has vestido para conquistar. Ahora verás cómo ayudo a tu causa.

Retrocedió de un brinco y permitió que la seda carmesí cayera revoloteando hasta el suelo como un símbolo extravagante de derrota.

El rostro de Essex se crispó de rabia.

—Mocoso bastardo, te enseñaré de una vez a mostrar respeto.

Con un fragor de estocadas, obligó a retroceder a Tony hasta el muro que rodeaba la residencia Essex.

¡Cáspita, Essex era bueno! Y estaba dispuesto a matarle, no, estaba ansioso por liquidarle, mientras que la promesa a la reina Isabel sólo permitía a Tony una única mancha de sangre.

No tenía oportunidad, se temió Tony, a menos que pudiera acercarse lo bastante como para emplear habilidades marrulleras. Un buen golpe en la entrepierna y Essex caería derribado como un árbol.

Pero vaya brazo más largo tenía el maldito árbol.

Tony se agachó cuando el conde arremetió con la daga.

Essex se sonreía con el sombrero de pluma blanca aún firme en su cabeza. Su sombrero...

Rycliffe agitó la punta de su espada hacia arriba. Essex se meneó hacia atrás sacudiendo la cabeza y el sombrero se le cayó, flotando luego con la brisa. Tony se escabulló aprovechando que Essex tenía la guardia baja, se apartó del muro hasta la zona despejada de la calle y desde allí dio un gran brinco, exultante con su propia destreza. Alcanzó con el pie la mano de su oponente que esgrimía la espada, que salió volando. Con la daga, Tony dio un preciso toque a la otra mano de Essex, cortándole la piel. Essex retrocedió con una sacudida y se dio un manotazo contra el muro, soltando su daga. Ésta se deslizó por la calle y entonces Tony saltó sobre el conde, empleando el codo bueno para derribar al suelo al niño mimado de la reina.

Essex aterrizó en la tierra blanda sin hacerse daño, pero antes de que Tony pudiera ponerle la hoja en la garganta, otro cuerpo salió catapultado por los aires y le tumbó a un lado.

Tony se fue rodando y se volvió otra vez buscando con el puñal al bellaco que le había estropeado la diversión, pero Wart-Nose ya se alejaba corriendo.

—Corra —gritó por encima del hombro—. ¡Corra!

Le bastó una mirada. Los rebeldes se habían tomado con poco humor y aún con menos gracia la derrota del líder, y el despliegue de acero que se lanzaba hacia Tony le convenció al instante.

Y corrió.

Corrió hasta Fleet Street, luego se fue en dirección oeste hacia el palacio de Whitehall. Corrió hasta que ya no oyó más pisadas tras él, y entonces se volvió.

Los discípulos de Essex habían regresado junto a su señor, y Tony también regresó con sigilo hacia el Strand, manteniéndose pegado a los edificios y prestando atención al murmullo de voces beligerantes.

Luego Essex salió a buen paso para dirigirse a Fleet Street. Tenía la capa carmesí manchada de porquería y una venda salpicada de rojo le envolvía la mano. Con la pluma blanca del sombrero torcida, cojeaba un poco.

Sus rebeldes aullaban «¡A la corte!» casi con tanto entusiasmo como antes.

Pero sin dirigir una sola mirada al palacio de Whitehall, Essex se volvió hacia el este y marchó a través de la entrada de Ludgate, en dirección al corazón de la City chillando:

—¡Por la reina! ¡Por la reina! ¡Hay un complot para matarme! ¡Buena gente de Londres, seguidme para salvar a la reina!

—¿Vas a tener su hijo? —Tío Will mantenía la voz baja para que ninguno de los actores la oyera, pero su tono vehemente dejó clara su opinión—: ¿Vas a tener un hijo de sir Anthony y escapas antes de casarte con él?

—Chit. —Rosie miró a su alrededor a los otros actores que iban de un lado para otro de la gran habitación del palacio de Whitehall. Se estaban preparando para la representación ante la reina: se ayudaban unos a otros a ponerse sus trajes, a pintarse ante los espejos, practicando las frases con la desesperación contenida que surgía antes de cada presentación ante la reina. Pero Rosie sospechaba que nunca había habido tanta desesperación como esta vez, y temía que ella fuera la causa. Cada actor, independientemente de sus sentimientos hacia Rosie, se mantenía a buena distancia como si ella pudiera contaminarles con su traición. Si alguno de ellos hubiera oído a Tío Will exclamando sobre su embarazo, ella no habría actuado hoy ni volvería a hacerlo jamás.

—No pienso callarme. —Tío Will expresó su cólera mientras le esparcía el polvo blanco por el rostro—. Quiero saber por qué me has mentido.

—No he mentido. —Se ajustó el petillo preguntándose si a todas las mujeres les costaba respirar cuando estaban embarazadas. Y deseó poder preguntárselo a alguna—. Simplemente no te lo he contado todo.

Esparciendo un poco de color sobre los pómulos, él continuó:

—Me estremezco sólo de pensar qué podría haberte pasado si no tuvieras a Ludovic para protegerte.

Ella no dijo nada y él mezcló los colores para esparcirlos, retrocediendo antes un paso para poder mirarla. Algo en la expresión de Rosie debió de alertarle, pues preguntó:

—¿Otra vez? ¿No me lo cuentas todo?

—Ludovic ha desaparecido.

Tío Will gimió.

—¿Cuándo?

—La noche que Tony nos encontró. No sé si fue Tony o el embarazo o... —sacudió la cabeza, perpleja de verdad—, algo que yo dije. No sé, pero no le he visto ni oído desde entonces.

—Vas sin protección —dijo en tono acusatorio.

Ella dio unas palmadas a la cartera que colgaba de su cinturón. La cartera que le había dado Tony, sin la cual no iba a ninguna parte.

—Yo no diría eso.

—Estás sola en Londres.

Colocándose la peluca marrón sobre el cabello enrollado, replicó:

—Sólo hasta que haya acabado con la obra.

—Y luego, ¿qué?

¿Luego qué? Ojalá supiera la respuesta a eso. Ojalá pudiera ver a Tony una vez más. A veces pensaba que le sentía, que notaba su mirada buscándola. A veces imaginaba que sólo con dar un brinco y aullar «¡Aquí estoy!», él aparecería a su lado, cogiéndola en brazos para llevarla a un lugar seguro.

Pero entonces, ¿quién redimiría el alma de su padre? El que ahora le hablaba cada noche en sueños.

—Cuando acabe la obra, estaré con sir Danny.

—Rosie. —Tío Will le cogió el brazo—. Confías demasiado en esta representación. No puedes creer de verdad que...

Ella se tapó la boca con la mano:

—Haré que Su Majestad se ría de la tonta creencia de Ofelia en el amor verdadero y que llore con la traición de Hamlet. Me concederá un favor y liberaré a mi padre... liberaré a sir Danny.

Su determinación era algo con vida propia, lo más importante que había en su existencia. Tocando el anillo que colgaba de la cadena que rodeaba su cuello, susurró:

—Es la única manera de liberarme de mis fantasmas.

*Hamlet. Acto primero, escena tercera.*

—Tu primera escena, Rosie. —En tono bajo, Tío Will le daba instrucciones, y ella escuchaba en un estado aterrorizado cargado de fatalismo—. Recuerda, no eres Rosie. Eres Ofelia, eres una mujer preciosa, desventurada, que ama a un príncipe y cree que el príncipe la ama a su vez.

Los otros actores salían a toda prisa del escenario, circulando a ritmo frenético. Ataviado como un barco engalanado con las velas desplegadas, Alleyn Brewer centelleaba con sensualidad esplendorosa en su papel de Gertrudis, la madre de Hamlet. Con corrupción convincente, Dickie Justin McBride interpretaba a Claudio. Richard Burbage, la estrella de los Hombres de lord Chamberlain, interpretaba el papel de Hamlet como si hubiera nacido para ello. Unos pocos actores, como Cedric, asumían múltiples papeles secundarios y se cambiaban de ropa para acoplarse una vez vestidos a la nueva escena.

—John Barnstaple estará ahí fuera contigo, por lo tanto, no te encontrarás sola. Yo apareceré también enseguida. —Con polvos grises en la cara y el pelo, Tío Will dio a Rosie un palmotada insensibilizadora en el hombro—: Sal ahí ahora y desgarra todos esos corazones.

Ojalá sea capaz, quiso decir, pero él la empujó con la palma de la mano a través de las cortinas y salió al escenario incapaz de decir nada en absoluto.

Pero tenía que hablar. Tenía una frase. Oh, Dios, ¿cuál era su frase? John Barnstaple —no, espera, era su hermano Laertes— recitaba primero, cuatro frases.

Ella tenía tres palabras:

—¿Acaso lo dudas?

No era tan difícil. Las había pronunciado bien.

Pero John Barnstaple —no, Laertes— seguía hablando, y pronto le tocaría otra frase a ella.

Dos palabras.

—¿Nada más?

Las tablas del estrado provisional crujían a su paso. Unas velas enormes colocadas sobre soportes alrededor del escenario iluminaban a los intérpretes, pero dejaban a oscuras la mayor parte de la enorme sala tenebrosa. Y un silencio absoluto absorbía el aire de la cámara. El sudor que goteaba por su espalda le provocó un escalofrío. El terror escénico la dominaba de nuevo.

Pero esta vez no podía permitirlo pues era especial, esta vez debía salir perfecto. Necesitaba, tenía que ser Ofelia.

Pero sólo era Rosie, y estaba asustada.

Pronunció de un tirón las siete frases en las que reprendía a su hermano por preocuparse; luego el propio Tío Will salió a escena pisando fuerte. Le pegaba hacer el papel de Polonio, el padre de Ofelia, pues él era después de sir Danny el hombre que se había ganado su afecto de niña y aquél que había estimulado su crecimiento personal. Se le empañaron los ojos y pestañeó frenéticamente para aclararlos.

Tío Will —no, Polonio— la sermoneó por aceptar las promesas de afecto del príncipe Hamlet, y sonaba muy parecido a sir Danny aleccionándola para que interpretara con indignación genuina sus protestas sobre la fidelidad de Hamlet. Tío Will sonrió al acabar la escena y, mientras salían, unos cuantos actores le dieron la mano y se la estrecharon como gesto de aprobación.

Las puertas de la Residencia Essex continuaban abiertas y salía humo de las chimeneas, pero la mansión tenía un aire de abandono. La poderosa compañía que antes ocupaba los terrenos se había dispersado, desmandada por los vientos de la adversidad. Parecía que no quedara ni siquiera un criado.

Con cautela, Tony las cruzó y se abrió camino entre la basura que doscientos hombres habían dejado.

—¡Señor!

Una voz de mujer le llamó; él miró a su alrededor.

—Señor, sólo nos han llegado rumores. ¿Puede decirnos qué ha ocurrido con lord Essex?

Tony alzó la vista a través de la penumbra creciente. Por una ventana de la segunda planta se asomaba lady Rich, la hermana de Essex, alguien que no le inspiraba la menor simpatía; siempre había animado a su hermano en su vanidad y ambición. Pero al ver a lady Essex, quien aparecía tras su hombro, le acongojó una compasión involuntaria. Era la esposa de un hombre con una carrera que, tras un brillante inicio, yacía ahora arruinada por su propio empeño; la esposa del principal traidor de esta tierra.

La esposa de un hombre muerto. Tony no tenía nada que decir al respecto.

Hizo una inclinación:

—No me he percatado de que quedaran damas en la casa.

Lady Rich se asomó un poco más y Tony se percató de que le estaba evaluando:

—Usted es sir Anthony Rycliffe, el jefe de la Guardia de la Reina. Debería conocer muy bien los sucesos del día.

Su insensible pregunta y la voz chillona con que la formuló hicieron que encontrara fuerzas para contestar:

—Así es, milady, pero primero me gustaría saber si los hombres del Comité Asesor siguen retenidos.

Lady Rich entendió la necesidad de intercambiar información.

—Les liberaron horas antes en perfecto estado.

Tony apenas pudo evitar secarse la frente.

—Para ustedes las noticias no son buenas. Todo está perdido. Londres ha rechazado a lord Essex. Sus tropas han huido de la ciudad. El arzobispo de Londres les ha disparado, y hasta el propio Essex ha salido huyendo.

Con un gemido, lady Essex se apartó de la ventana, pero lady Rich quiso saber más:

—¿Hacia dónde, sir Anthony?

—Hacia aquí, eso espero, milady.

La dama metió la cabeza y cerró la ventana de golpe. Sin verla, supo que había ido volando a preparar sus maletas y abandonar a su hermano a su destino. Era lo que correspondía, que todos abandonaran a Essex.

Todos menos sus captores. Essex pretendía escaparse, pero Tony le quería ante la reina. Bordeando la casa principal y los establos, cruzó a buen paso el jardín para llegar a la rampa de desembarco y miró el Támesis oscureciéndose. El río, activo por regla general, se movía ondulante con el tráfico encallado por la rebelión. Una embarcación remontaba la corriente a duras penas; un barquero se deslomaba a los remos mientras su pasajero, alto y de barba roja, se arrimaba a la popa. Con la satisfacción de un guerrero, Tony se ocultó entre los arbustos y esperó.

Enseguida oyó los remos en el agua, luego el golpe de la madera húmeda mientras el barco daba contra el atracadero. Essex habló con el barquero y las monedas resonaron al pasar de una mano a otra. Empezó a andar por el sendero arrastrando las botas.

Su cabeza brillante pasó junto al lugar donde se escondía Tony. Con sigilo, lo siguió mientras se dirigía lentamente a la casa.

Tony no culpaba a Essex por resistirse a regresar a solas al lugar de donde había salido esta mañana rodeado de partidarios; a regresar como un hombre derrotado, marcado por la muerte; a regresar y hacer frente a lady Rich y a su esposa, las dos mujeres que se resentirían de su caída. Tenía que ser la mayor humillación a la que un hombre podía enfrentarse.

Pues mala suerte. Confiaba en que Essex se revolcara en su desdicha, en que nadara en su mortificación, esperaba que su esposa y su hermana le escupieran y sus perros le mordieran.

Le deseaba los resultados justos del acto estúpido e interesado que había cometido. Y cuando Essex miró tras él con alarma, Tony saltó, con la capa ondeante, y dijo en voz baja:

—¡Bu!

Por un momento Essex le observó fijamente. Un gesto despectivo estiró su labio superior:

—Tú, delincuente bastardo —dijo con brutalidad, pero era un grito de derrota. Y apresurándose a entrar en la casa, cerró la puerta de golpe tras él.

Tony le oyó echar la tranca, pero sonrió con triunfo amargo. Essex podía soñar que dejaba fuera a Tony, pero de hecho lo único que hacía era iniciar su encierro ahí.

En el río, a espaldas de Tony, oyó los gritos de los hombres y el roce de los barcos contra el atracadero. Volviendo sobre sus pasos, encontró a sir Robert Sidney, el lord Almirante de Isabel, que se acercaba por el camino.

—¡Sir Anthony! —Con gesto grave, pero aliviado, Sidney preguntó—: ¿Está aquí?

—¿Se refiere a lord Essex?

Tony puso una sonrisa de desagrado. Mirando tras Sidney, vio al conde de Nottingham dirigiendo el desembarco de un importante contingente de hombres armados.

—Sí, está dentro con la puerta atrancada. ¿Les importa si utilizo una de sus embarcaciones para trasladarme al palacio de Whitehall? Necesito informar a la reina.

Sidney se quedó mirando a Tony.

—¿Informar a la reina? Por la sangre de Cristo, ¿y cómo voy a sacar a Essex de ahí?

—Mande traer cañones y barriles de la Torre y amenace con volar la residencia por los aires y reducirla a astillas. —Tras una última mirada salvaje a la casa, Tony se encaminó hacia la embarcación que había decidido usar—. Con suerte, tendrán que hacerlo.

# Capítulo 25

El drama será el lazo
Donde se enrede la conciencia del rey.
HAMLET, II, ii

*H*amlet. *Acto tercero, escena primera.*

Casi llevaban media obra. Una sensación comedida de triunfo impregnaba la zona entre bambalinas. No habían cometido ningún error garrafal, ni patinadas en las frases ni tampoco nadie se había roto una pierna pese al deseo tradicional de los actores. Rosie se estaba preparando para salir otra vez y era consciente de que con cada escena se había relajado en su papel. Las ropas de Ofelia se le ajustaban como si las hubieran cosido para ella. La personalidad de Ofelia se le amoldaba como si la hubieran escrito pensando en ella. Por primera vez en su vida, Rosie se metía en la piel de un personaje y por primera vez se permitía creer en serio que iba a rescatar a sir Danny.

—Mi amigo Polonio teme que el príncipe Hamlet esté loco de amor por ti y quiere que me permitas colocarme en un lugar donde pueda oír toda la conversación cuando os reunáis. —Seguro en su papel de perverso rey Claudio, Dickie Justin McBride le habló a Rosie como si en efecto fuera Ofelia—: Pero la siguiente escena será una revelación para todo el mundo.

En la próxima escena, Hamlet rechazaba apasionadamente a Ofelia y ordenaba su ingreso en un convento. Era la primera escena en la que Rosie y Dickie compartirían escenario y, dada la frágil camaradería,

Dickie podría destruirla. Disfrutaría haciéndolo, pues Dickie siempre había despreciado a Rosie, parecía pensar que a ella le había satisfecho de manera especial embaucarle. Ni siquiera por sir Danny contendría su odio.

Pero a medida que la obra avanzaba sin sobresaltos, los otros actores habían perdido su anterior cautela y ofrecían su apoyo a Rosie, pues tenían clara la misión que acometía. Dickie no podía perjudicarla sin fastidiar la actuación, y se lo advirtió:

—Dickie, si intentas destruirme, te juro que...

—¿Yo? —Dickie sonrió con sus grandes dientes blancos—. No haría tal cosa. No por consideración a ti, sino porque los Hombres de lord Chamberlain me expulsarían de los escenarios. No, no voy a pisotearte.

Ella no se fiaba de él ni del modo en que danzaban sus ojos, ni le inspiraba confianza la forma en que se inclinaba aún más para susurrarle:

—¿La has visto?

—¿A quién?

—Vaya, a Su Majestad, la reina Isabel.

Rosie había bloqueado a posta cualquier pensamiento acerca de la reina. Oh, claro que sabía que la reina Isabel estaba ahí fuera. Era todo el objetivo de su representación. Pero la presencia de la espectadora real añadía una sobrecarga a la mente ya de por sí abrumada de Rosie.

—Su Majestad está sentada justo en la primera fila. —Dickie escudriñó entre la cortina—. En medio.

—Esperaba... —Esperaba que la reina se sentara en un palco de proporciones nobles, más alejado de los actores.

Con malicia, Dickie dejó caer el resto de su veneno en el oído de Rosie:

—No ha apartado los ojos de ti aún. Cuando sales a escena, sólo te mira a ti.

—Estás de broma.

—Nada de eso. Fíjate cuando salgas. Ahí fuera está oscuro, pero la puedes ver. Puedes percibir el destello de sus ojos siguiendo cada movimiento tuyo.

Tío Will, Alleyn Brewer y los actores que interpretaban a Rosencrantz y Guildenstern se reunieron en torno a ellos, preparándose para salir juntos, y Rosie se percató de lo ingenioso que había sido Dickie al tramar esto. No, no tenía que hacer nada para echar abajo su determinación, con una sola frase había plantado en ella las semillas de la destrucción. Lo único en que podía pensar ahora era en la presencia de la reina. Los otros salieron a escena cuando les dieron pie, pero los pies de Rosie se quedaron pegados a las tablas hasta que Dickie la cogió de la muñeca para tirar de ella hacia delante.

Sí, bien sabía Dickie lo que hacía.

Al principio, Rosie no tenía ninguna frase y sus ojos se fueron ajustando a la luz. No quería mirar, pero sus ojos se volvieron involuntariamente hacia la primera fila.

Santo Dios, era la reina.

Dickie no había mentido. La reina Isabel ocupaba una alta silla con dosel, rodeada de sus damas de compañía. No se movía, pero, tal y como había prometido Dickie, los ojos de la reina centelleaban. En ningún momento apartaba la mirada de ella.

Todo el mareo, todo el nerviosismo, todo el terror escénico volvió de golpe. Rosie ni oía ni veía.

Tras hablar Gertrudis, cada uno de los presentes se quedó observando a Rosie, esperando, hasta que ella recordó que tenía una frase que decir.

¿Qué frase?

Al final Tío Will le apuntó en voz baja, y ella repitió:

—Señora, yo deseo lo mismo.

Era todo lo que tenía que decir durante un buen rato, pero los personajes la estaba dejando a solas en el escenario. Rosencrantz y Guildenstern ya se habían retirado. Gertrudis se fue al acabar su frase. Polonio habló y le entregó un libro, luego habló Claudio, luego, oh Dios, se quedó sola.

Se suponía que debía sostener el libro ante su rostro y fingir leer, pero las manos le temblaban muchísimo. Se suponía que tenía que retirarse a la parte posterior del escenario; eso lo hizo a toda prisa. Hamlet —Richard Burbage— entró e inició su soliloquio. Discretamente,

Rosie se secó las palmas húmedas en el vestido y rezó una oración a San Ginés, patrón de los actores. No era una oración por ella sino por sir Danny.

Tenía que recordar sus frases, debía transmitir la emoción de Ofelia. No podía fallar, porque si fallaba, sir Danny moriría.

Tal y como él le había enseñado, respiró hondo.

De modo que la reina estaba ahí, de modo que observaba a Ofelia. No era diferente a ninguna otra persona del público, quería que la distrajeran, sentirse arrebatada por el drama del escenario. Rosie le debía una buena actuación. Debía una buena actuación a todo el mundo presente, casi podía oír a sir Danny diciéndole: «Es un público como cualquier otro».

Excepto que eso no era cierto. Se trataba de la corte de la reina, un público que no alborotaba ni insultaba a los personajes ni silbaba cuando apreciaba una frase ingeniosa. El extraño silencio no tenía que ver con los actores, el silencio emanaba de ellos, y nada, ni siquiera la aparición de un fantasma, provocaría un solo suspiro.

«Un público como cualquier otro», insistió la voz de sir Danny, y su recuerdo le dio fuerza y placer.

Sir Danny le había regalado a Tony. Había maquinado y manipulado sin pudor para unirles. Si iba a perder a sir Danny, no sería por ese gusano de Dickie y sus perversas estratagemas. Si iba a perder a Tony, no sería porque ella no consiguiera ser lo que sir Danny le había enseñado.

Había vivido muchos momentos buenos con sir Danny y también muchos malos, y había sobrevivido a todos ellos. Eso era lo que le había enseñado: a sobrevivir, a aprovechar lo mejor de la vida y a reírse de lo peor.

Cuando Burbage le dio pie, se adelantó y pronunció sus frases. La enorme sala reverberó cuando alzó la voz, resaltando cada temblor y quiebro. Cuando Richard le hizo un rápido ademán con la cabeza se quedó sorprendida.

¿Significaba eso que le había gustado cómo lo había dicho?

Revisó mentalmente la escena a toda velocidad. Sí, Ofelia podía estar asustada en este momento. Devolvía los regalos de afecto de

Hamlet, mientras él descendía por lo que parecía una espiral de locura.

Sí, por accidente había interpretado bien la escena, y un calor recorrió sus venas. Ni la maldad de Dickie ni la fija observación de la reina podían distraerla. Tal vez estuviera interpretando el papel de Ofelia, sintiendo sus emociones, pero Rosie no se debatía entre su amante y su padre. Rosie haría cuanto estuviera en su mano para tenerlos a ambos.

—Su Majestad está viendo una obra.

—¿Una obra? —Tony fulminó con la mirada a sir Robert Cecil como si fuera responsable personal de tal disparate—. ¿Por qué está viendo una obra?

—Lo planearon hoy mismo, y parecía una buena distracción para la mente de Su Majestad dada la situación provocada por Essex.

Tony asintió pasándose la mano por el pelo e intentando desprender parte del polvo endurecido que lo cubría.

—Por supuesto. ¿Cómo ha sobrellevado Su Majestad la situación?

—No dio más muestras de preocupación que si hubiera recibido un informe de desorden público en Fleet Street. Sabía que Londres seguiría con ella. —Cecil podía tener sus peleas con la reina Isabel, pero en aquel preciso instante se imponían su devoción y admiración—. Pero al mismo tiempo rechazaba la comida que llegaba a la mesa, no ha tomado más que pan manchette y una papilla de chicoria durante todo el día. Si no hubiera tenido a ese afectado actor para distraerla, dudo que hubiera comido siquiera eso.

—¿Su bufón, quiere decir?

Cecil apretó los labios con fastidio y apartó la mirada de Tony como si acabara de revelarle un secreto de estado:

—Por así decirlo.

—¿Debo esperar a que acabe la obra para presentar mi informe?

—Su Majestad dejó instrucciones para que le lleváramos ante su presencia en cuanto regresara. —En vano, Cecil sacudió la tierra y pólvora que manchaban la ropa de Tony, luego le empujó hacia el comedor—. Tendrá que ir así como va.

Tony entró, luego cerró la puerta a toda prisa cuando el noble público le maldijo por molestar. Se quedó en el pasillo con incertidumbre, pestañeando para intentar ver por dónde ir. El escenario resplandecía con las luces, pero cualquiera que se incorporara a última hora al público tendría que buscar un asiento a oscuras... o en su caso encontrar a la reina Isabel.

Avanzó poco a poco, pero cada vez que se ponía delante de alguien los demás le pitaban, de tan absortos que estaban en la obra. En algún momento oyó un sollozo y entornó los ojos.

Una tragedia. Los actores estaban representando una tragedia, qué adecuado. Ojalá hubiera llegado más tarde o más pronto, en cualquier momento menos entonces, justo con las mujeres lloriqueando y los hombres sorbiéndose los mocos.

Malditos necios. Deberían haber estado antes con él, entonces entenderían la verdadera tragedia. Echó un vistazo al escenario y vio un hombre vestido como un guerrero, un hombre vestido como un hombre y, miró con más atención, un hombre vestido como una mujer. Rey y reina, supuso, puesto que ambos llevaban coronas.

El guerrero estaba interrogando al rey y a la reina sobre la muerte de su padre, y sus gestos rebuscados dejaban claro que estaba preparado para vengarse. El rey prometía obtener venganza... y entonces una mano le dio un cachete a Tony en el trasero.

—¡No se quede ahí, pedazo de patán!

Tony se movió.

Al distinguir una silla decorada con un dosel sobresaliendo en primera fila, Tony se abrió camino entre las hileras irregulares para llegar hasta la reina, pisando pies y zarandeando brazos.

—Le ruego me perdone milady. Perdón, milord. Le ruego que...

—*Lo llevaron en su ataúd con el rostro descubierto.*

Una dulce voz aguda procedente del escenario le hizo pararse en seco y dirigir al instante la mirada hacia el escenario.

¡Rosie!

¿Lo había dicho en voz alta? Pero no, ninguno de los cortesanos se volvió para hacerle callar. Nadie hizo otra cosa que empujarle y estirar el cuello para ver por detrás suyo.

Rosie —su Rosie— se encontraba sobre el escenario. Flores blancas cubrían su descuidado pelo marrón y caían revoloteando desde sus dedos. Tenía el vestido sucio y una pena abrumadora descomponía la regularidad de sus rasgos.

Era la hermana del guerrero. Era su padre quien había muerto antes en ese escenario, y la ironía de todo aquello alcanzó a Tony como un puñetazo.

¿Cómo podía representar ese papel si había perdido a un padre y probablemente iba a perder a otro?

¿O sólo estaba actuando?

Canturreaba, pero su voz temblaba con cada nota.

—Y sobre su tumba llovieron muchas lágrimas... Adiós, paloma mía.

Su voz se quebró con la última palabra y una lágrima centelleó en su mejilla.

El guerrero que interpretaba a su hermano parecía horrorizado como sólo puede estarlo un actor cuando teme que el otro se venga abajo. Pronunció su frase con un estruendo, sin duda con la esperanza de sacar a Rosie de su angustia.

Ella contestó, por lo visto como le correspondía, porque su pareja se calmó un poco, pero entonces ella le tendió algunas flores y le miró a los ojos.

—Aquí traigo romero, que es bueno para recordar. Te lo ruego, amor, acuérdate. Y aquí hay trinitarias para los pensamientos.

Y el guerrero que interpretaba a su hermano pareció de pronto sobrevenido por la misma plaga que la deprimía a ella. Le temblaron las manos y, cuando respondió, también le tembló la voz cargada de lágrimas.

El rey parecía más furioso que angustiado cuando ella le dio flores, pero la reina sollozaba, un sollozo ruidoso y masculino, con hipo añadido, cuando Rosie dijo:

—Quisiera darte unas violetas, pero se marchitaron todas cuando mi padre murió.

Alguien empujó a Tony con tal fuerza que le hizo caer de rodillas entre los integrantes de la primera fila. Se quedó allí, absorbiendo la visión y el sonido de su amada mientras cantaba.

—Su barba era tan blanca como la nieve. Y era tan rubio su escaso cabello. Se ha ido, se ha ido.

Abrió las manos, arrojó las flores que le quedaban y se limitó a observar cómo caían al suelo. El público esperaba, sin aliento, conmovido. Tony podía escuchar a su espalda algún sollozo contenido. En su interior experimentó una vez más el tormento de perder a la mujer que había considerado su madre. Experimentó el dolor de perder a su padre. La actuación resucitó la angustia que creía desvanecida tiempo atrás, y las lágrimas surcaron sus mejillas sin control.

Y Rosie seguía aún ahí en un estado quiescente, como alguien a quien le han quitado la vida con la muerte de otro.

Cuando por fin concluyó la canción, «*Que Dios se apiade de su alma*», y se fue andando hacia la cortina, un estallido de sollozos resonaron en toda la cámara. Corrió la cortina y miró una vez más a los espectadores. Con la fe y gracia de una mártir a punto de arder en la hoguera, dijo:

—Y también ruego a Dios por todas las almas cristianas. Queden ustedes con Dios.

Rosie acabó de cerrar la cortina tras ella y se hundió sobre sus rodillas. Lo había hecho, había conmovido a una audiencia hasta hacerla llorar, pero ¿a qué precio? Su corazón repiqueteaba con el pesar por la muerte del padre cuyo fantasma la obsesionaba desde hacía tantos años.

Tirando de la cadena que rodeaba su cuello, soltó el sello de oro. Secándose las lágrimas de los ojos, miró las dos es mayúsculas entrelazadas y estampadas en el oro. Sí, por fin le lloraba, como correspondía, y con eso podría dejarle descansar. Pero mezclada con este lamento estaba su necesidad de sir Danny. Quería abrazarle. Quería que hiciera de padrino el día de su boda y ponerle en las rodillas a su bebé. Quería saber que volvía a los escenarios a hacer lo que le gustaba.

Quería saber que estaba vivo.

—Rosie. —Tío Will la agarró por el hombro—. Los otros actores te pisarán cuando salgan del escenario.

Se levantó agotada. No era de extrañar que nunca se hubiera entregado a un papel como exigía sir Danny. Por instinto se percataba de que le desgarraría el alma y expondría sus lugares oscuros al mundo entero. Intentó frotarse las lágrimas de las mejillas, pero Tío Will le cogió las manos.

—Déjame. Pareces de verdad un cadáver en el féretro.

Rosie se rió, una risita que se resquebrajó por la mitad.

—Siempre pensarás en la obra, Tío Will, de eso puedo estar tranquila.

El hombretón tragó saliva como si las lágrimas le atragantaran.

—Me he sentido orgulloso de ti. —La acompañó hasta el féretro situado en el rincón y le ayudó a tenderse—. Has hecho que sir Danny se sienta orgulloso.

—Ojalá se enterara. —Las lágrimas saltaron a sus ojos otra vez mientras se arreglaba el vestido y las manos—. Ojalá hubiera visto esto de algún modo.

La acción continuaba en el escenario. Gertrudis anunció que Ofelia se había ahogado. Hamlet llegó junto a la tumba que estaban cavando y habló con el sepulturero. Luego Claudio, Gertrudis, Laertes, Cedric haciendo de sacerdote, y cada actor disponible rodearon a Rosie como parte de la procesión funeraria de Ofelia.

—Ahora salimos, Rosie —susurró Cedric—. Levantaron el féretro, y su forma postrada se balanceó con los pasos majestuosos de la comitiva entrando en el escenario.

Como cadáver de Ofelia, Rosie sólo tenía que yacer perfectamente quieta con los ojos cerrados mientras Laertes y Hamlet peleaban por el derecho a presidir el duelo en su funeral. Escuchó las palabras del sacerdote, luego a Laertes. Situado a un lado, Hamlet no pronunciaba palabra, aunque se suponía que debía acercarse y hablar.

Pero nadie decía nada. El silencio se impuso con fuerza, Rosie lo sintió entonces: una oleada de interés avanzó entre el público como una corriente de aire fresco. Unas pisadas reverberaron en las maderas acercándose. Rosie no entendía aquella expectación que flotaba entre el reparto, ni la sensación de suspense que recorría su piel con un hormigueo.

Alguien se quedó en pie sobre ella y Rosie intentó escudriñar entre la más mínima abertura de sus párpados, pero la sombra ocultaba aquel rostro. Entonces pronunció la frase de Hamlet con tonos familiares y queridos.

—¡Qué, la bella Ofelia!

Las emociones —asombro, júbilo, exultación— estallaron desde el interior de Rosie. Se sentó en el féretro y estiró los brazos.

—¡Papá!

Sir Danny cayó de rodillas y la agarró como si fuera la cosa más preciosa del mundo. Se abrazaron y se besaron, padre e hija unidos otra vez, riéndose y llorando, acunándose en un abrazo.

Sobre el escenario, Tío Will se sonó la nariz con su gran pañuelo. Alleyn volcó su corona y peluca mientras se secaba las lágrimas del rostro. Los otros se daban codazos sorbiéndose la nariz. Y Dickie... a Rosie le importaba un rábano Dickie.

Cogiendo a sir Danny por el pelo, buscó magulladuras en su rostro, luego le tomó las manos y las examinó. Parecía delgado, pero saludable, y quiso saber:

—Pero ¿cómo?

—Su Majestad la reina Isabel. —Hizo un ademán con la cabeza indicando el trono con el dosel—. Ella lo ha organizado.

—¿Estás aquí? ¿Estás libre?

—Por gracia de Su Majestad.

Rosie miró hacia la hilera de sillas y medio se levantó con agradecimiento, y entonces se percató: ¡la obra! Pero a nadie parecía importarle. El público estaba llorando, riendo y dando palmas, implicado en la historia que se desarrollaba ante sus ojos. Los espectadores habían olvidado la ficción que les tenía absortos antes, todo sentido de tragedia se había desvanecido y nada lo devolvería ahora.

Con una sonrisa, Rosie reprendió a sir Danny.

—Has echado a perder mi actuación, papá.

—Y además estabas haciendo un trabajo estelar. —Sonrió radiante de orgullo y luego añadió en voz baja—: Siempre supe que de tu interior emanaban emociones grandiosas, rogando ser liberadas. Has demostrado estar a la altura de cualquier gran actor de los aquí presentes.

—Y he demostrado que tú tenías razón.

—Eso también.

Se sacudió la melena hacia atrás y Rosie agradeció a Dios que la prisión no hubiera liquidado su vanidad.

Los lacayos abrieron de par en par las puertas y encendieron las velas de la pared, y el relumbre se extendió por toda la habitación. Sir Danny ayudó a Rosie a bajar del escenario y la guió hacia la silla con dosel donde Su Majestad permanecía sentada, con una sonrisa curvando sus labios. Jean, Ann y lady Honora la rodeaban. Con gestos y sonrisas, Jean y Ann intentaban indicar a Rosie qué debía hacer, pero Rosie no necesitaba instrucciones. Cayó de rodillas ante la reina e inclinó la cabeza en señal de veneración.

—Su Majestad, mi agradecimiento más profundo por liberar a sir Danny de la prisión.

—Agradéceselo a sir Danny. —La voz de la reina Isabel sorprendió a Rosie. Había esperado profundidad y majestuosidad, y en su lugar oyó la voz temblorosa y débil de una mujer mayor—. Salvó la vida con su honestidad y ganó la libertad con sus habilidades médicas.

Rosie miró de soslayo a sir Danny, a su lado de rodillas. Adoración, confusión y engreimiento pugnaban en su semblante. Fuera lo que fuese lo que sir Danny había hecho, lo había hecho bien, y el corazón de Rosie se hinchaba de orgullo por él. Él siempre había creído en su destino magnífico y por fin lo había dejado claro.

—Pero le permití ver la obra y le mandé subir al escenario para sorprenderte. —La reina Isabel sonaba petulante—. Eso sí puede agradecérmelo.

Extendió una mano alargada y delgada, y Rosie depositó un beso fervoroso en los nudillos.

—Mi gratitud nunca desfallecerá. Serviré a Su Majestad hasta el final de mis días.

La reina Isabel inclinó el rostro de Rosie hacia ella. Los famosos ojos con párpados caídos de la soberana examinaron a Rosie a fondo:

—Es lady Rosalyn Bellot.

Desconcertada, Rosie no supo qué decir. Tal vez el rumor había llegado hasta la reina y había oído hablar del regreso de la heredera

Bellot, pero ¿quién había indicado a Rosie con el dedo? ¿Acaso sir Danny? Pero no, él miraba lleno de asombro a la reina, y luego desplazó la mirada hacia lady Honora.

Una débil sonrisa de aprecio curvó los labios de la duquesa, que le hizo un ademán con la cabeza.

La reina apretó los labios, provocando multitud de arrugas en el labio superior.

—Se parece mucho a su madre, en cambio no veo nada de su padre.

El tono de Su Majestad transmitía desaprobación y rencor, y algo en Rosie respondió al desafío. Mirando directamente a la reina, dijo:

—Hay mucho de mi padre en mí. Nunca habría podido demostrar mis derechos como titular de Odyssey Manor sin los recuerdos que mi padre me dejó.

—¿Demostrar? —La reina alzó una ceja delgada con aire altivo—. Nadie me ha demostrado a mí estos derechos.

Sir Danny parecía tener problemas para apartar la atención de lady Honora y poner interés en la conversación mantenida, pero al final dijo tartamudeando:

—No tenemos aquí la carta de lord Sadler, pero ruego a Su Majestad que crea en su veracidad.

—No necesito la carta. —Rosie se levantó la cadena del cuello y se la tendió a la reina—. Tengo el anillo de mi padre.

La reina Isabel se lo arrebató de la mano.

Sir Danny exclamó.

—¿Dónde lo has conseguido?

Los nobles, agrupándose en un amplio círculo alrededor del trono, estiraban el cuello para ver y se hacían callar unos a otros para oír mejor.

Y a un lado, Rosie oyó un aspaviento de sorpresa, o sobrecogimiento o consternación. Algo le hizo apartar la atención de la reina y mirar... y vio a Tony.

¡Tony! Se arrodilló a apenas tres metros de ella, mirándola como si sólo su presencia le provocara júbilo.

Tanto júbilo como le provocaba él a ella. No se había percatado hasta verle de cuánto le había necesitado, pero ahora le veneraba con todo su anhelo reprimido. Tony se levantó, y ella observó cada músculo ondulante de su cuerpo. Mientras se dirigía hacia Rosie, ella entró en tensión, preparada para correr a echarse en sus brazos. Cuando él se arrodilló a su lado, ella levantó los labios para recibir un beso.

Y Tony volvió el rostro hacia la reina Isabel y dijo:

—Su Majestad, he salvado su reino del desastre en el día de hoy, y como compensación recibiré un favor. Quiero que reafirme mi titularidad como propietario de Odyssey Manor, para mí y mis herederos futuros.

# Capítulo 26

Estás triste; ¡búscate mujer, búscate mujer!
MUCHO RUIDO Y POCAS NUECES, V, iv

$R$osie se quedó boquiabierta, pero Tony no podía permitirse sentir compasión. Quería Odyssey Manor y quería a Rosie, pero ¿qué derecho tenía él si la reina Isabel concedía la finca a Rosie?

—¿Essex ha sido vencido?

La reina Isabel estaba tan tranquila como había afirmado Cecil. Tony asintió.

—Lo perseguí yo mismo hasta que se refugió en la residencia Essex.

Los nobles que se hallaban cerca y los sirvientes entremezclados para atenderles aplaudieron su proeza. Tony hizo una inclinación como agradecimiento.

—He cumplido con mi deber para con Su Gloriosa Majestad, buena gente, nada más.

Tony se inclinó y besó el dobladillo de la falda de la reina Isabel.

Ella aceptó su tributo con una sonrisa graciosa.

Rycliffe continuó con su informe:

—Nottingham lo detendrá antes de que acabe la noche.

La reina cogió a Tony por el hombro como si quisiera felicitarle, luego retiró la mano y se limpió el barro de los dedos.

—Perdone el polvo y la sangre, pero he comparecido ante Su Majestad sin tan siquiera coser mi herida o limpiarme las ropas o el cuerpo. —Exageró en cuanto a lo de la herida, por supuesto. Precisaba unos puntos y le dolía, pero era una herida del día anterior. De todos modos quería ganarse las simpatías de la reina y recordarle su lealtad—. Quería informarle lo antes posible.

La reina Isabel dirigió una mirada de soslayo a Rosie.

—Pero has estado contemplando la obra unos momentos.

Le había visto, maldición. Confiaba en que no se hubiera fijado, pues temía que hubiera observado lo que no podía ocultar, su adoración por Rosie. Peor todavía, temía que hubiera visto lo que él también había visto: la adoración de Rosie por él. Ella había expresado tal placer con su aparición y tanto anhelo por sus brazos que él casi no pudo contenerse. Ella le amaba, lo sabía, y también sabía que nada podía garantizar más el enfado de la reina. Intentó disculparse.

—Su Majestad, he visto cómo disfrutaba con la actuación y no me he atrevido a interrumpirla, pero ahora le ruego...

—Sí, sí. —La irritación marcó un ceño en el rostro de Isabel—: Te otorgué antes Odyssey Manor, y no veo motivos para cambiar de idea.

—¡Su Majestad!

Rosie sonaba horrorizada. Tony le dio un codazo con fuerza.

—Nadie interrumpe a la monarca —replicó la reina con severidad.

—Pero el anillo... —lo intentó Rosie otra vez, y sir Danny le dio un codazo desde el otro lado.

—Este anillo —la reina Isabel pasó el pulgar por el rubí— combinado con la aparición de lady Rosalyn, demuestra su ascendencia, pero no puedo privar a sir Anthony de un regalo que le concedí tantos años atrás. —Acarició una vez más el anillo, luego abrió la mano de Rosie y se lo puso en la palma con fuerza—. Por consiguiente...

Un aullido de rabia espeluznante la detuvo. Un hombre de pelo cano irrumpió entre los nobles más próximos a sir Danny y se abalanzó sobre la reina.

Ella alzó las manos para protegerse el rostro y Tony se arrojó a por el asaltante, pero un hombre enorme saltó desde detrás del trono y derribó al intruso, haciéndole retroceder contra el gentío. Se creó un caos absoluto mientras los aristócratas caían como bolos. Los dos hombres acabaron en el suelo luchando. El hombre de pelo cano chillaba y aporreaba al hombre mayor, empujándole una y otra vez. Sacando la daga, Tony tomó impulso hacia ellos, pero alguien le derribó desde detrás y cayó de bruces sobre el suelo.

—Es Ludovic —gritó sir Danny encima suyo—. Déjele.

Sir Danny se había vuelto loco. El mundo se había vuelto del revés, lleno de chillidos de mujeres, gritos de hombres y una pelea ante él que no podía parar.

Pero Rosie sí. Blandiendo su cartera, con el peso dentro, le dio un mamporro a la cabeza gris que se elevaba sobre Ludovic. El intruso se quedó quieto y se hizo un silencio tan repentino que a Tony le dolieron los oídos.

—¿Su Majestad? —dijo Jean con la voz temblorosa.

—Estoy a salvo. —La reina sonaba tranquila, más tranquila que Tony. Se acercó a la escena y miró a los dos hombres—. ¿Alguien conoce a esta gente?

Sacándose a sir Danny de encima, Tony se levantó como pudo y se fue cojeando hasta los dos combatientes. Ludovic empujó al intruso y se sentó frotándose la cabeza mientras Tony miraba la forma inconsciente tumbada en el suelo.

—¿Hal?

—¿Qué está haciendo aquí? —preguntó sir Danny.

Jean se abrió paso hasta ellos.

—Vino con nosotras desde Odyssey Manor.

—Pero ¿por qué? —dijo Tony y tocó a Hal con la punta del pie.

—Porque es el hombre que robó a mi padre y me dejó abandonada.

Rosie se colgó la cartera otra vez del cinturón.

Todo el mundo la miró boquiabierta. La reina Isabel preguntó imperiosamente:

—Explíquese, lady Rosalyn.

—Era el mozo de cuadra de mi padre. Viajó a Londres con nosotros para ocuparse de los caballos y cuando se desató la plaga huyó de la capital también con nuestro grupo. Cuando el cochero y la niñera murieron, desvalijó el carruaje y nos abandonó. —Rosie miró a Hal y le vio con los ojos abiertos y angustiados—. Hace poco, al verlo en Odyssey Manor, me asusté, pero sólo después de encontrar el anillo recordé por qué. Con el anillo lo recordé todo.

—Pero ¿por qué atacar a Su Majestad? —preguntó Tony.

Rosie sacudió la cabeza.

—¿Por qué, Hal?

—Merecía recuperar sus tierras. —Hal intentó sentarse, pero cayó hacia atrás como si le golpearan—. Merecía recobrar todo lo que le correspondía, lady Rosalyn, y yo tenía que conseguirlo para usted. Se lo debo.

Arrodillándose a su lado, Rosie le frotó el hombro con la mano.

—No puede devolvérmelas, no puede cambiar el pasado. Haga las paces consigo mismo e intente olvidar.

—No puedo olvidar. La dejé en ese carruaje con su padre y él me echó una maldición. Dijo que me perseguiría hasta el día de mi muerte y después también. Prometió que acabaría en el infierno, y se aseguró de que así fuera. Fui a Londres, vendí sus pertenencias y viví bien, pero todo el tiempo podía ver sus grandes ojos de niña acusándome.

—Con cautela, tocó la mano de ella con un dedo y suplicó con ojos legañosos—. Cuando regresó, intenté poner remedio. Intenté librarle de quienes se interponían en la recuperación de la finca, pero supongo que no puedo conseguir la salvación por mucho que lo intente.

—¿Intentaste matar...? —Tony agarró a Hal por el cuello—. ¿Fuiste tú?

—Sí, fue él. —El acento de Ludovic sonaba más marcado. Extendió las manos mientras se explicaba—: Yo vigilaba la casa solariega todo el rato tras dejar la compañía. Esperaba tener una oportunidad con Rosencrantz. No tardé demasiado en percatarme de que su administrador ocultaba algo malo.

—¿Y por qué no me lo explicó? —inquirió Tony.

Ludovic se rió con amargura.

—¿Me habría creído? ¿Habría creído a un mercenario extranjero que decía que su administrador conspiraba para matarle a usted y a su familia?

Tony apartó la mirada.

—Le habría mandado al cepo.

—No lo dudé en ningún momento —continuó Ludovic—. Pero siempre he seguido a Rosencrantz para cuidar de ella. Incluso cuando comprendí que... le prefería a usted, no podía dejarla con este loco rondando por su finca.

—Nunca habría hecho daño a lady Rosalyn.

Hal intentó de nuevo sentarse, pero Tony le empujó contra el suelo.

—No sabía eso —dijo Ludovic—, yo no sabía a quién odiaba.

—No odiaba a ninguno de ellos —explicó Hal—. Sólo tenía que ayudar a lady Rosalyn.

—Basta —dijo Ludovic, se incorporó pesadamente, levantó a Hal del suelo y se lo cargó sobre el hombro. Hal chilló y pataleó, pero Ludovic sólo tuvo que apretar un poco para disuadirle fácilmente.

—¿A dónde lo lleva? —quiso saber la reina Isabel.

Ludovic la miró pestañeante, luego hizo una inclinación que sacudió a Hal de un lado a otro.

—Al hospital de Bethlehem.

—Muy bien —decidió la reina.

Se hizo a un lado, pero Rosie le puso una mano en el brazo. Ludovic dio un respingo como si le quemara y bajó la cabeza.

—Ludovic, ¿no vas a mirarme?

El hombre alzó la vista, luego volvió a apartarla.

—Agradezco tanta amabilidad hacia mí. Siempre has sido mi amigo, y sir Anthony tiene un puesto que ofrecerte.

Tony alzó las cejas mirando a Rosie y ella le observó de manera significativa.

Le devolvió otra mirada desafiante, no quería a Ludovic en Odyssey Manor. No lo quería ver cerca de Rosie nunca más, pero aquel hombre se merecía una recompensa por su vigilancia, reflejos y capacidad de pelea. Tony tenía un puesto que ofrecer a Ludovic, por supuesto.

—El día de hoy ha demostrado que necesito a alguien capaz de detectar alborotadores, que sepa ocuparse de ellos. Cuando descargues ese bulto, busca a Wart-Nose Harry, de la Guardia de la Reina, y dile que te he enviado yo. Sabrá qué hacer.

—¿Y qué hay de mí? —Sir Danny se apartó la abundante melena de la cara—. Ludovic trabaja para mí.

El pecho de Ludovic emitió un sonido extraño desde sus profundidades.

—¿Qué le sucede?

La reina Isabel parecía inquieta.

—Creo —Rosie sonrió a sir Danny— que se está riendo.

—Ah.

—Antes nunca me había querido nadie —dijo Ludovic con un resoplido—. Y ahora... dos de repente.

Salió pisando fuerte de la habitación y la reina Isabel dijo:

—Qué hombre tan interesante. Formará parte de mi guardia.

—Desde luego —dijo Tony.

—Bien. —La reina Isabel se alisó las mangas hinfladas—. Me sentará bien un poco de sopa ligera antes de retirarme. ¿Damas?

Rosie observó con asombro y consternación a la reina encaminándose hacia la puerta. Jean y Ann y luego las damas de compañía más jóvenes se fueron detrás. ¿La reina iba a dejar así el tema de Odyssey Manor y su herencia? Siguió también a Su Majestad, pero lady Honora la cogió del brazo y le advirtió entre dientes.

Mientras Rosie forcejeaba, Tony se abrió paso entre el gentío y se situó al lado de la reina Isabel.

—Su Majestad, ¿qué debemos hacer con lady Rosalyn?

—¿Debemos? —La reina siguió andando por el pasillo hacia su dormitorio—. ¿Por qué iba a hacer nadie nada? Lady Rosalyn es asunto mío ahora.

Rosie se soltó de lady Honora y fue corriendo tras ellos.

—¿Qué hay de mi propiedad?

—Pensaba que lo había dejado claro. —La reina Isabel continuó deslizándose majestuosamente, graciosa e impasible—. La finca pertenece ahora a sir Anthony. Ha recuperado su título, lady Rosalyn, por supuesto. Ya le buscaré un marido rico con quien casarse y con eso quedará satisfecha.

—¡Pero pensaba que tenía que casarse conmigo! —se opuso Tony.

—En absoluto, sir Anthony, usted se casará con lady Honora.

Cogiendo a sir Danny por la muñeca, lady Honora le arrastró mientras pasaba al galope junto a Rosie y apartaba a Tony de un codazo.

—No puedo casarme con sir Anthony.

—Era su deseo la última vez que hablamos. —La reina Isabel continuó andando—. Sólo quiero concederle tal deseo.

—No me es posible casarme con sir Anthony. Yo... —lady Honora respiró hondo—, amo a otro.

Eso hizo que la reina Isabel dejara de andar. Volviéndose hacia lady Honora, destilando disgusto por cada poro, preguntó:

—¿Amor? ¿Va a casarse por amor?

Aunque Rosie no lo creyera posible, lady Honora se encogió bajo la mirada austera de la reina Isabel.

—Sé que es contrario a todo en lo que he creído, pero ¿no he cumplido con mi deber toda mi vida? ¿No me he casado siempre con el hombre conveniente? ¿Y de qué sirve ser la duquesa viuda de Brunham y baronesa de Rowse por derecho? ¿Y ser una de las mujeres más ricas de Inglaterra, si no puedo casarme con el hombre que me hará feliz? —Precipitándose como un arroyo con la corriente primaveral, declaró—: Voy a casarme con el señor Danny Plympton.

La reina dio un traspié hacia atrás, Jean soltó un resuello y Ann gimió. Las jóvenes damas de compañía soltaron unas risitas incontroladas. Y a sir Danny le cedió una de las rodillas como si le golpearan desde atrás.

Tony dijo algo que sonó como «Por Dios bendito...», y Rosie corrió a coger del brazo a sir Danny.

Lady Honora pareció no darle importancia y le ayudó a aguantarse en pie. Plantó cara a la reina con aire desafiante. El silencio en el salón fue creciendo hasta que Ann tuvo una de sus salidas:

—De hecho, sir Danny es un... primo perdido hace mucho tiempo por parte de nuestra madre. —Todo el mundo se la quedó mirando—. De Cornualles —añadió servicial—. Jean conoce los detalles mejor que yo.

Todos los ojos se volvieron a Jean, quien esbozó una sonrisa forzada:

—Es una larga historia, un relato de lo más enrevesado, demasiado largo para contarlo en este salón ahora que Su Majestad tiene hambre.

Al recordarle su propósito, la reina siguió andando y todo el mundo la siguió tan de cerca como fue posible hasta que dijo:

—Asombroso. Sir Danny está relacionado con la nobleza y lady Rosalyn creció con la tía de lady Honora como una dama perfectamente respetable. ¿Quién sabe qué más milagros ha producido mi reinado? —Inspeccionó a sir Danny y su inminente estado de desintegración—. Sin duda es el ángel caído de la familia. ¿Qué piensa de esta propuesta de matrimonio con lady Honora?

Sir Danny se pasó los dedos por dentro de la gorguera y tragó saliva.

—Es más de lo que hubiera soñado jamás.

La reina se detuvo ante la puerta y una de las damas se apresuró a abrirla. Dentro había un dormitorio suntuoso, pero estaba claro que la conversación tenía fascinada a la monarca. ¿Cómo podía dejarla y sentarse a solas en su dormitorio rumiando sobre Essex y su traición irresponsable? Indecisa, se quedó allí hasta que sir Danny le sonrió, una sonrisa tan empalagosa que cautivó su espíritu malicioso.

Abrió la marcha hasta el estudio real donde ardía un vivo fuego y los libros llenaban las paredes; un escritorio magnífico estaba instalado cerca de la ventana y la esperaba una silla de buenas proporciones. Mientras se sentaba, la gente de su séquito se apretujó para pasar por la puerta, dándose codazos y saltándose las reglas de prioridad que Ann había expuesto, igual que pasaban por alto todo menos su ávida curiosidad.

—¿De modo que cuento con su permiso para casarme con sir Danny? —preguntó lady Honora con ansiedad.

—He prohibido a menudo matrimonios entre alguna de mis damas de compañía y un réprobo, aunque sea el primo perdido tiempo atrás de una familia noble que ha vivido muy bien en la distante Cornualles, y he prohibido a menudo matrimonios entre miembros poco idóneos de la nobleza, pero cuando las damas ya no están en la flor de la vida y la nobleza vive lejos de mi jurisdicción, las bodas se celebran sin mi bendición. —Miró con desdén a lady Honora—. Creo que me entiende.

Lady Honora entendió y apretó la mano de sir Danny con entusiasmo.

—Sí, señora.

La reina Isabel les observó divertida y con los párpados caídos, luego dijo a sir Danny:

—Va a ser el esposo de una dama rica.

Ofendido por la acusación de cazador de fortunas, sir Danny replicó:

—Tuve oportunidades antes, Su Majestad, y nunca las aproveché.

La reina Isabel miró a la concurrencia que aún se apretujaba para entrar en la estancia y pareció entender su fascinación.

—¿Ama a lady Honora tanto como ella lo ama a usted?

—Yo... —Sir Danny miró a lady Honora—. Ella...

Lady Honora le observó a su vez con el corazón en la mirada. Rosie se percató de lo vacía que debería de haber sido la vida de lady Honora para encontrar las atenciones de sir Danny lo bastante apasionantes como para arruinar su reputación y abandonar su código de conducta por casarse con él. Por casarse con un actor.

Sir Danny también debía de ser consciente y, aunque sus querencias no comprometían su prestigio como en el caso de la duquesa, la quería de todos modos, la amaba tanto como a las demás mujeres que había querido en su vida. Tomando sus dos manos, la miró a los ojos.

—Me habéis hecho el hombre más feliz de la cristiandad. Estoy enamorado, un amor que consideraba secreto hasta este día. Mi oído se enamoró de la voz de mi dama, mi vista se enamoró del semblante de mi dama, mi corazón se enamoró del alma de mi dama ¡y resulta que este amor que me consume es correspondido por mi diosa! Perdonen mi vacilación momentánea, era sólo asombro por el premio que Dios me ha dado, una recompensa digna de nobles guerreros o héroes de proporciones míticas.

Rosie se sintió identificada con aquel dilema, comprendiendo mejor que nadie allí presente a qué renunciaba sir Arthur: los largos días en la carretera, grandes momentos sobre los escenarios.

—Lady Rosalyn, qué expresión tiene en el rostro —dijo lady Honora—. ¿No aprueba este matrimonio?

Rosie entendió que buscaba su bendición, pues ella era lo más aproximado a una familia que tenía sir Danny, y Rosie vio la oportunidad de ayudar a su querido guardián.

—Nunca habría imaginado tal giro en los acontecimientos. —Desde luego no mentía—. Colma mis mayores sueños sobre sir Danny, no obstante, me pregunto, ¿echará de menos actuar?

Los ojos de lady Honora se iluminaron con fervor.

—Tendremos diversión —prometió—, y él será la estrella.

—O acaso podría patrocinar una compañía de teatro —sugirió Rosie—. Ése era mi plan.

—Sí. —Lady Honora se agarró las manos. —Una compañía propia, como los Hombres de lord Chamberlain. Creo que yo podría ser de ayuda organizando y dirigiendo una compañía así, dado que soy una persona metódica.

¿Metódica? Rosie casi se ríe. A la metódica lady Honora le encantaba el maltrecho sir Danny, y fuera cual fuera el resultado, Rosie no podía imaginarlo.

Desplomado contra la pared, Tony habló arrastrando las palabras para lanzar un reto:

—Por lo que yo entendía, lady Honora buscaba al mejor semental de Inglaterra para engendrar sus hijos. Debo suponer que ha renunciado a eso.

Las damas de compañía sucumbieron a la risa y la reina Isabel ordenó que se trasladaran a un rincón del estudio.

Sir Danny se fue ufano hasta Tony y le dijo a la cara:

—Lady Honora ya tiene ahora al mejor semental de Inglaterra para engendrar a sus hijos.

Tony se enderezó elevándose sobre sir Danny.

—Ha abandonado al mejor semental de Inglaterra por usted, amigo mío, y me deja sin novia.

—Acepte su decisión y deje de lamentarse.

La reina Isabel se levantó y dijo apresuradamente:

—Ahora debo descansar. —Quería evitar este enfrentamiento.

Pero si se retiraba ahora, podrían pasar meses hasta que Tony consiguiera que Su Majestad manifestara su opinión, y en esos meses Rosie podría dar a luz sola a su hijo, sin recibir el nombre de Tony, otro acólito en la corte esperando justicia. Se movió para interceptar a la reina y dijo:

—Un hombre no se siente realizado hasta casarse, señora.

—Y entonces está acabado —comentó con amargura la reina Isabel—. No puedes casarte.

—Señora, igual que Salomón es sabia y debe ver que no hay otra conclusión favorable para lady Rosalyn Bellot, heredera de Odyssey Manor, o para mí mismo, aparte del matrimonio entre nosotros.

—¿Debo ver? Su reina no debe ver nada. —Como si el rencor se moviera como un puerco espín bajo su silla, la reina Isabel meneó un dedo ante su cara—. Cuando los hombres se casan olvidan sus obligaciones y no puedo perder al jefe de mi guardia. Es demasiado importante para el reino. Lo acaba de demostrar derrotando a Essex. Confíe en mí, encontraré un marido a la heredera Sadler y a usted una esposa si de verdad quiere una.

Tony se quedó callado, asombrado por el desliz cometido, sin dar crédito a su anterior falta de tacto. Sabía que la reina Isabel detestaba ver a sus cortesanos enamorándose y desviviéndose unos por otros. Sabía que prefería los matrimonios formales y amables a los basados en la pasión. No obstante, él se había postrado de rodillas al ver a Rosie, había abogado por su boda con obvio deseo; sólo le faltaba ahora ordenar a Su Majestad que cumpliera sus deseos. ¿Qué debía hacer?

Pero Rosie se acercó hasta la reina y ejecutó una profunda reverencia.

—Siempre he oído que Su Majestad es una fuente de sabiduría y lo acaba de demostrar.

Tony se quedó observando a Rosie, de pie con las manos recogidas ante ella con recato. ¿Se había vuelto loca? ¿Había dejado de quererle? ¿O tenía un plan?

La reina Isabel medio volvió la cabeza.

—Lady Rosalyn, ¿qué quiere decir?

—Me preocupaba mucho tener que casarme con sir Anthony cuando es tan obvio que ama a otra.

Rosie se desplomó como si un gran peso la oprimiera.

La reina la miró con atención.

—¿Ama a otra? ¿Y quién domina sus afectos?

—Señora, siempre habla de ella, pero no puede tenerla. Pienso que sería el hombre más feliz con una esposa parecida a ella.

—¿A quién? —La reina dio un golpe en la mesa con el puño—. Hable, se lo ordeno.

—La dama que elija para sir Anthony debería ser rubia y pálida, con cabello carmesí como la puesta de sol. Debería tener dedos largos y unas manos que, cargadas de anillos, ensombrecieran esas joyas preciosas con su perfección.

La reina Isabel se tocó la peluca con sus largos dedos.

Rosie continuó:

—Su esposa debería ser alta y erguida, ligera de pies para bailar y ágil de mente para conversar. Debería hablar muchos idiomas con fluidez y tener preciosos ojos grises.

Rosie pestañeó con los suyos color ámbar, y Tony casi se desmaya de alivio. Su Rosie era una pícara muy lista. Tendría que recordar que podía depender de ella cuando estuviera en un aprieto. Tendría que recordar su inteligencia también, cuando el matrimonio les llevara al enfrentamiento.

—La dama con la que Tony se case debería llevar ropas espléndidas y no obstante ser elegante como para que las ropas no se distingan más que ella.

La reina Isabel se colocó bien las perlas que formaban sartas alrededor de su cuello y se ahuecó la seda que surgía inflada de las aberturas de sus mangas.

—Debería cazar con jauría y no cansarse jamás, bailar toda la noche sin desfallecer nunca. De hecho, tendría que ser un retrato de Su Majestad, así sería la esposa con quien sir Anthony se casara. No conmigo, que soy sosa e ignorante en suma. —Ataviada con el vestido blanco de Ofelia, hecho jirones, con una guirnalda caída sobre un ojo y marcas de lágrimas todavía en el rostro, Rosie no tenía nada de la imagen que había retratado, y sus ruegos resultaban más patéticos con su aspecto—. Por favor, señora, por deferencia a mí, búsquele una esposa tan hermosa como usted.

Isabel tendió una mano a sir Anthony.

—¿Es verdad lo que dice, mi querido cortesano?

Tony estaba abrumado por su admiración por Rosie, pero no tanto como para no reconocer que era el momento de hacer una demostración. Se arrodilló a los pies de la reina Isabel:

—Señora, se lo he dicho suficientes veces. Mi corazón le pertenece, todas las demás parecen insignificantes a su lado.

Isabel se regodeó con su admiración como un gato se regodea con el calor del sol.

Adoptando una actitud arrepentida, él añadió:

—Perdóneme si he dado muestras de dudar de su decisión. Simplemente pensé que si lady Rosalyn y yo nos casábamos, le ahorraría una buena cantidad de dinero.

—¿Ahorrar? —La reina Isabel habló con cautela—. ¿Ahorrar?

—Sí, señora, está la cuestión del pago a lady Rosalyn por la pérdida de la finca.

Si el horror tenía rostro, ése era la cara que puso la reina Isabel.

—No debo nada a lady Rosalyn por la pérdida de su finca.

—Sin duda no pensará que yo pueda permitirme compensarla. —Su indignación podía haberle ganado un puesto en la compañía de los Hombres de lord Chamberlain—. Por supuesto, tendrá que concederle una dote apropiada para la hija del conde de Sadler, que servirá de pago por la pérdida de su finca.

En el rostro de Su Majestad apareció aquella mirada remota, la que ponía cuando la inquietaban los problemas presupuestarios.

—Si se casa con ella, ¿no habrá dote que pagar?

—Señora, si me caso con ella, seguirá siendo una chiquilla morena sin gracia. —Tony dirigió una mirada a Rosie y bajó la voz—. ¿Cree que mejorará con una peluca roja?

La reina miró a Rosie y se mostró decaída. Tony notó la corriente de cambio silbando a través de la estancia. La larga jornada, la angustia por la rebelión y los cambios que cada día ponían a prueba a una mujer de su edad parecieron hacer mella finalmente en la dama, que sacudió la cabeza y dijo con petulancia:

—Haga lo que quiera. Cásese con la muchacha si lo desea. Me lavo las manos en todo este asunto. —Poniéndose en pie, tomo aliento—. Pero no acuda a mí en busca de una dote y tampoco si luego parece una furcia con una peluca roja.

Tony había aprendido la lección y no dio muestra alguna de entusiasmo.

—No, señora, no lo haré, ni por la dote ni por la peluca.

—Y tampoco piense que me engaña con su teatro. —La reina Isabel miró desafiante a Rosie—. Lo que de verdad quiere es acostarse con ella.

Tony asintió como si estuviera arrepentido.

—No puedo engañar a Su Majestad. Sí, deseo acostarme con ella y quiero iniciar mi propia dinastía. Y ella es el tipo de esposa que un hombre anhela. No tiene otro lugar a donde ir, por lo tanto será obediente. —Confió en que no cayera un rayo sobre él—. Es vulgar, por lo tanto sé que los hijos que nazcan en nuestra cama serán míos. —Era hermosa y sería un marido celoso—. Y aún más importante, mi gente de Odyssey Manor cree que las tierras le pertenecen a ella. Mi reclamación sobre la propiedad quedará sellada gracias a la muchacha, y eso es todo lo que a mí me importa.

La reina Isabel entendía de cuestiones dinásticas, aquellas explicaciones la sosegaron.

—Cásese con ella, entonces, pero necesito al jefe de la Guardia de la Reina a mi lado.

—Vivo para servir a Su Majestad.

Salió majestuosamente de la habitación tras oír aquel comentario y las damas se demoraron un poco, muchas de ellas echando miraditas hacia atrás. Tony se puso en pie y cerró la puerta. El silencio reinaba cuando miró a Jean y a Ann, a lady Honora y a sir Danny, y finalmente a Rosie. Todos estaban paralizados allí de pie; luego, poco a poco, la parálisis se disolvió. Jean se rió en voz baja, con regocijo. Ann se apresuró en acudir junto a Rosie y luego junto a Tony para darles abrazos, y a continuación se acercó a lady Honora y sir Danny. Lady Honora estaba pegada a sir Danny como si no creyera su buena suerte. Sir Danny estaba pegado a lady Honora como si no estuviera seguro de poder mantenerse en pie por sí solo.

Y Tony observó a Rosie y se preguntó cuántos años hacía que no la abrazaba. Quería levantarla sobre ese mismo escritorio y averiguar si era lo bastante sólido como para aguantar dos cuerpos. Quería llevársela en brazos hasta su dormitorio y atrancar la puerta. Quería llevársela a Odyssey Manor y estar con ella de todas las maneras en las que un hombre puede estar con una mujer.

Pero el tiempo que habían pasado separados, las cosas que él quería decir, la frustración, la furia, el deseo, le impidieron hablar. El mejor amante de toda Inglaterra, y el mejor semental, no tenía plan ni palabras. Jean trató de agarrar a Ann que no paraba de caminar en círculos. Cuando llegó flotando a su lado le dijo en voz alta:

—Hermana, tenemos mucho que hacer.

—Oh, nada es más importante que esto. —Ann indicó con la mano a las parejas amorosas—. Tenemos que ayudarles a preparar sus esponsales. ¿No hay romanticismo en tu corazón?

—Por supuesto. —Jean arrastró a Ann hacia la puerta—. Y en los suyos también. —Mientras se dirigían a la salida, dio un besito a Tony en la mejilla—. Dale uno a ella de mi parte, Tony.

Él no recordaba la última vez que se había sonrojado, pero en ese instante se puso rojo y rogó al cielo para que Rosie no se diera cuenta.

Intentando disimular su turbación, preguntó:

—¿Por qué chasquea la lengua, lady Honora?

La dama tenía la mano en la frente de sir Danny.

—Mi corderito tiene fiebre. Creo que simplemente está abrumado por su buena suerte, pero voy a llevármelo a Rowse Manor y ayudarle a adaptarse.

Mientras guiaba a sir Danny para salir de la habitación, Tony captó la mirada en los ojos de éste. Una mirada medio petulante, medio de pánico, pura expectación.

Tony sabía cómo se sentía.

—Vulgar y obediente, ¿eh?

Se volvió con un sobresalto, y ahí estaba Rosie justo tras él. Esbozó una débil sonrisa:

—Sólo intentaba convencer a Su Majestad de que no quería casarme contigo. Quiero decir —cerró los ojos—, sí quiero casarme contigo, pero si Su Majestad se diera cuenta nunca lo permitiría.

—Sí, eso deduje. —Se fue andando hacia la puerta—. Es una mujer celosa y posesiva, y cree que tú eres encantador y apuesto. —Le dirigió una miradita por encima del hombro—. En verdad, es un concepto válido.

Se quedó petrificado hasta que ella desapareció por la puerta, y entonces se apresuró a alcanzarla.

—¿Piensas que soy encantador y apuesto?

Rosie soltó una risita:

—No me necesitas a mí para alimentar tu vanidad.

Se miraron desde la distancia del pasillo que les separaba. Se miraron de verdad por primera vez en demasiado tiempo, y todo regresó a ellos: la familiaridad, la amistad, la pasión, la risa.

¡Cáspita, cómo quería a esa mujer! Con premura repentina empezó a abrir las puertas del pasillo mientras lo recorría. La mayoría de puertas daban entrada a espléndidos dormitorios vacíos, listos para ser ocupados. Desde el interior de uno se oyó el chillido de una dama, y Tony exclamó:

—Habitación equivocada.

—¿Qué buscas? —preguntó Rosie.

—Hay un trastero por aquí en algún lugar.

Entonces una puerta se abrió a la oscuridad, y Tony exclamó entusiasmado. Tras coger un candelabro de la mesa del pasillo, hizo una indicación a Rosie para que entrara.

Ella se introdujo con cautela, pero no dudó en hacerlo.

—Privacidad —explicó—. Es estrecho y largo, un trozo abandonado del palacio, por eso los criados lo usan como almacén. He oído —meneó las cejas— que también lo usan para citas.

Colocó en el suelo las velas, que iluminaron las partes inferiores de una serie de estantes llenos de ropa blanca y mantas, y proyectaron sombras alargadas en el angosto techo. La luz apenas alcanzaba la parte posterior del almacén abarrotado de muebles rotos que saludaban con sus miembros irregulares.

Rosie retrocedió contra las estanterías y él la siguió, ansioso ahora, desbordado por la excitación. Costaría quitarle ese vestido que llevaba, pero ¿cuándo había resultado fácil quitar un vestido? El contacto de su carne desnuda contra él curaría toda herida —en cuerpo y alma— infligida durante este último mes. Apoyó el codo cerca de su cabeza, luego apoyó ésta cerca de su rostro.

—Y ahora vuelve a contarme lo de mi encanto y buen aspecto.

Ella salió de debajo del brazo de Tony.

—Estás sucio.

—Hoy he sido un héroe. —Se quitó la gorra, así como la capa y el jubón—. ¿No estás impresionada?

—¿Impresionada? ¿De que te hayas expuesto a tal peligro? Impresionada no es exactamente la palabra que yo usaría. —Sus ojos centellearon cuando salió un poco más a la luz—. ¿Sueles traer aquí a tus damas?

—Nunca he traído aquí a ninguna dama. —La siguió—. A la mayoría de damas les disgustaría este sitio.

—La mayoría de damas te seguirían a cualquier lugar.

—¿Tan encantador y apuesto soy?

—Por lo modesto que eres.

—¿Es otra de mis virtudes que te atrae?

Ella se volvió para ver si estaba de broma y se relajó al ver que así era. Una sonrisa estiró su boca, y entonces él murmuró:

—Así está mejor. —Tiró de dos pilas de mantas de una balda para dejarlas en el suelo. Le tendió la mano con la palma hacia arriba—: ¿Te apetece sentarte?

Ella miró la mano, luego a él y luego otra vez la mano. Poco a poco, extendió también sus dedos. Sensible como un rumor, la piel de Rosie se deslizó sobre la de Tony, sobre los callos de sus manos, sobre las líneas y los montículos. Rodeó con sus dedos los de él, deslizándolos para entrelazarlos en un acto de acoplamiento. Como un entendido en jerez español, él cerró los ojos por completo para apreciar la sensación, luego los abrió y vio que ella también los había cerrado. Tenía la cabeza echada hacia atrás, los labios separados y cada respiración profunda aproximaba más sus pechos.

Aquellos pechos magníficos, impropios de un hombre, que le habían revelado la verdad sobre Rosie la primera vez. ¡Qué engreído había sido en ese primer encuentro! ¡Qué fácil, había pensado, que sería seducirla! Y cómo lo había desmontado ella, pieza a pieza, para ensamblarlo luego como un hombre diferente. Un hombre mejor.

Un hombre que planeaba seducirla en un almacén.

—Tendríamos que hablar —dijo con voz ronca.

—Tendríamos.

Rosie se hundió en su pila de mantas y él en la suya. Tony le cogió la otra mano esperando que la reacción fuera menos..., más parecida a cogerse la mano y no tanto a hacer el amor.

De nuevo fue como si se tocaran por primera vez. Sus miradas se encontraron, las mantuvieron, parecía algo tan íntimo como un beso.

—Hablar —repitió.

—Sí.

¿De qué quería hablar? Oh... sí:

—Me dejaste.

Ella intentó soltar sus manos, pero él retuvo sus dedos.

—Habla —instó Tony.

—Me mentiste.

—Eso nunca.

—No me contaste lo de sir Danny.

A él no le hacía falta aquel reproche para sentirse culpable.

—Quería que estuvieras a salvo.

—A veces hay cosas más importantes que la seguridad.

—Ya lo sabía. Lo sé ahora. —Respiró hondo porque no quería decírselo, pero tenía que hacerlo. Debía de saberlo—: Si sucediera otra vez, haría lo mismo.

Rosie casi le tumba con su risa. Y le derribó con su cuerpo cuando le lanzó los brazos al cuello y se echó hacia delante. Tony aterrizó sobre las mantas con ella sobre su pecho.

—Lo sé. —Rosie se rió otra vez, estrechándolo un poco más—. Y yo haría lo que hice. ¿Crees que nuestro bebé será tan testarudo como nosotros?

De pronto ella pesaba como un caballo. Un gran caballo. Tony no conseguía tomar aliento para hablar, y cuando lo hizo sonó más bien como un aullido:

—¿Vas... a tener... un...?

—No. Vamos a tener.

—¿Un bebé?

—¿No lo has sabido siempre?

¿Lo sabía?

—Sí. —Las lágrimas le caían por el rabillo del ojo y ella se las secó con la manga—. Nunca dudé de que fuéramos a tener una criatura. De algún modo sabía que el bebé se adelantaría al matrimonio.

Rosie intentó sentarse, pero él tiró de nuevo de ella.

—¿Te importa? —preguntó Rosie.

—¿Lo que pueda decir la gente? —La mantuvo pegada a su nariz—. La gente hablará, murmurará que me he casado con una actriz y que me he casado con lady Rosalyn Bellot para conservar las tierras. La gente hablará de mí mientras sea el favorito de la reina, y hablará de ti porque eres hermosa y una actriz de ensueño y porque eres la heredera perdida. Van a hablar de nosotros toda nuestra vida. Y un niño prematuro será una nimiedad.

—Pero ¿y tú? Eras tú quien temía la idea de un hijo prematuro, no por lo que dijera la gente, ni siquiera incluso por el niño, sino por la prueba de que tu sangre ya estaba marcada por tu nacimiento.

Le conocía demasiado bien. Tony quiso a su padre, no obstante lo despreciaba por su debilidad y había jurado no emularle jamás. Despreciaba a su padre por dejarse seducir por una mujer tan fría y cruel como el viento del norte. Su padre había sido un necio y él también temía serlo.

Pero que lo sedujera Rosie... ah, eso no era seducción, eso era un festín para los sentidos. Que lo sedujera Rosie no era debilidad sino buen gusto.

—Estoy orgulloso de ser el padre de tu hijo.

—Nuestro hijo.

—Nuestro hijo. —El cuerpo delgado que tenía encima se relajó. Tony añadió—: Pero nos casaremos por la mañana.

La vibración de la risa de Rosie le produjo calor.

—Sí, nos casaremos por la mañana.

Pegó con delicadeza sus labios a los de su amado, y cada aliento lo imbuyó de vida, cada contacto le removió la sangre. La rápida y tímida caricia de su lengua desató el corpiño de Rosie sin él proponérselo en realidad. El beso de Rosie era un instrumento poderoso.

Cuando se mitigó el zumbido en los oídos de Tony, la oyó decir:

—¿Dónde vamos a dormir esta noche?

Tenía el oído afectado y los ojos empañados por el calor combinado de ambos, pero sus dedos parecían lo bastante diestros como para retirar capa tras capa de ropa.

—¿Dormiremos esta noche?

Ella se estremeció.

—Aquí hace frío.

—Tenemos mantas.

—Podría entrar alguien.

—Tengo mi espada y mi daga. —Sonrió ampliamente cuando liberó por fin sus senos. Habían cambiado con el embarazo, pero siempre reconocería los pezones de Rosie—. Y tú tienes tu cartera.

—Cierto. —Inclinándose un poco, sopló las velas una a una para apagarlas, pero él la detuvo cuando iba a soplar la última—. ¿Ya no te da miedo la oscuridad?

—No, tengo mis talismanes. El anillo de mi padre. —Tocó la cadena que le rodeaba el cuello—. La criatura en mi vientre. —Le cogió la mano y la puso sobre la leve prominencia—. Y mi caballero, el segundo mejor amante de toda Inglaterra.

Enfurecido por aquel desafío, preguntó:

—¿Y quién es el primero?

Rosie se entregó a sus brazos, lenta y suavemente, luego se inclinó hacia delante para soplar la última vela.

—La primera soy yo.

# Epílogo

*L*ord Nottingham y sir Robert Sidney tuvieron que traer cañones y barriles de pólvora de la Torre, en efecto, y amenazar con volar por los aires la residencia Essex para que el conde se rindiera por fin. Cuando se celebró el juicio, declararon culpables, por supuesto, a Essex y Southampton.

Aunque la reina Isabel permitió que al conde de Southampton le condenaran a cadena perpetua en la Torre. Essex fue condenado a muerte. La mañana del 25 de febrero fue decapitado.

La reina estaba tocando el virginal cuando el mensajero trajo las noticias. Dejó de tocar. Nadie dijo palabra. Transcurrido un rato se puso a tocar de nuevo.

A lady Rosalyn, hija del conde de Sadler, y a su marido, sir Anthony Rycliffe, Dios les bendijo con el nacimiento de una hija grande y sana el 29 de septiembre de 1601, tras ocho meses de dicha matrimonial. La llamaron Isabel Honora Jean Ann Rycliffe, y sólo un hombre hizo en una ocasión un comentario sobre su nacimiento temprano.

Lord Bothey se recuperó del golpe en la cabeza sin efectos adversos, aunque a nadie le pasó por alto que, en el futuro, evitó la compañía de lady Rosalyn, sobre todo cuando llevaba con ella su cartera.

¡Honra, bienes, bendición matrimonial,
larga vida, sucesión,
nunca la dicha os abandone!

—LA TEMPESTAD, IV, i

# FIN